W9-DDQ-261

연해주 하바로프스크 아무르 강

天命之謂性
率性之謂道
脩道之謂教

無聲無臭至矣

도올 김용옥 지음

통나무

목 차 | 중용, 인간의 맛

서序 중용을 국민에게 11

제 1 장 천명장天命章 44

제 2 장 시중장時中章 98

제 3 장 능구장能久章 108

제 4 장 지미장知味章 114

제 5 장 도기불행장道其不行章 122

제 6 장 순기대지장舜其大知章 130

제 7 장 개왈여지장 皆曰予知章 140

제 8 장 회지위인장 回之爲人章 144

제 9 장 백인가도장 白刃可蹈章 150

제10장 자로문강장 子路問强章 156

제11장 색은행괴장 素隱行怪章 162

제12장 부부지우장 夫婦之愚章 166

제13장 도불원인장 道不遠人章 190

제14장 불원불우장 不怨不尤章 202

제15장 행원자이장 行遠自邇章 208

제16장 귀신장 鬼神章 212

제17장 순기대효장 舜其大孝章 222

제18장 문왕무우장 文王無憂章 236

제19장 주공달효장 周公達孝章 240

제20장 애공문정장 哀公問政章 246

제21장 자성명장 自誠明章 280

제22장 천하지성장 天下至誠章 286

제23장 기차치곡장 其次致曲章 292

제24장 지성여신장 至誠如神章 298

제25장 성자자성장 誠者自成章 302

제26장 지성무식장 至誠無息章 308

제27장 존덕성장 尊德性章 316

제28장 오종주장 吾從周章 324

제29장 왕천하장 王天下章 328

제30장 중니조술장 仲尼祖述章 334

제31장 총명예지장 聰明睿知章 338

제32장 성지천덕장 聖知天德章 342

제33장 무성무취장 無聲無臭章 346

후기 後記 352

부록 아름다운 우리말 중용을 독송합시다 354

찾아보기 378

서序

중용을 국민에게

어제 얼핏 신문 제1면 톱기사가 눈에 띄었는데, 지식경제부 협력기관인 연구·개발전략기획단의 단장 되시는 분이 우리나라 경제의 지나친 대기업 편중현상을 엄중히 경고했다는 내용이었다. 우리나라 10대 그룹 자산이 국내총생산(GDP)에서 차지하는 비중이 2008년 55%에서 지난 해 75.6%로 높아졌다는 것이다. 또 10대 그룹 계열사 시가총액이 전체 주식시장의 50%를 차지할 정도로 대기업 집중현상이 심화되고 있다는 것이다. 대기업들이 지금 잘 나간다고 현실에 안주할 것이 아니라, 미래를 내다보고 좀 더 창의적이고 도전적인 기업정신을 발휘하여 "위험감수risk-taking"를 위한 노력을 해야 한다. 대기업과 중소기업, 주력산업과 신산업, 시스템과 부품, 하드웨어와 소프트웨어 등 국가경제를 구성하는 중요 요소들이 균형있게 발전해야 하는데 우리나라는 전혀 그러하지 못하다고 지적하면서 심각한 우려를 표명했다. 노키아가 애플의 아이폰에 제대로 대응하지 못한 결과로 핀란드라는 국가가 추락의 위기상황에 봉착하고 있는 현실을 우리도 심각하게 받아들여야 한다는 것이다(2011년 7월 14일 『경향』 제1면). 이러한 현실적 사회문제에 등장하고 있는 핵심적 언어가 "균형발전"이라는 단어이다. 그런데 이런 말을 우리의 언어로 바꾸게 되면 "우리나라는 중용을 상실해가고 있다"라는 명제로 환원될 수 있다.

남·북문제를 한번 가슴을 가라앉히고 차분히 생각해보자! 남한과 북한은 별개의 민족, 별개의 나라가 아니다. 최근까지도 북한·남한은 하나의 나라였다. 지금도 고향을 그리워하는 북한출신 실향민들이 우리 주변에 너무도 많다. 남·북한이 갈라지기 시작한 것은 일본제국주의의 강점식민지사태를 종결짓는 과정에서 강대국의 개입이 불가피했기 때문이었다. 일제패망의 공백을 놓고 강대국들은 이 조선에서 땅따먹기 놀음을 벌인 것이다. 그 결과 이 땅에 삼팔선이라는 분단의 선이 그어졌고 6·25한국전쟁이라는 비극이 연출되었다. 그리고 분단은 두터운 이념의 장벽과 함께 고착되었다. 그러나 남한에 민주화가 이루어지고 강대국의 조종에 꼭두각시 노릇만 하는 자신의 모습에 대한 반성이 심화되면서 남·북을 소통시키고자 하는 꾸준한 노력이 진행되어 왔다. 그리고 양측에 모두 도움을 주는 구체적 성과도 축적되어 갔다. 그런데 현 정권이 들어서면서 한 관광객의 죽음을 계기로 그동안 소통되었던 모든 루트들이 경색되기 시작하였고, 그동안 우리 민족끼리 서로를 이해하고 도우려고 했던 많은 성과들이 무산되어 버렸다. 그리고 개전開戰의 벼랑끝까지 몰고가는 몰상식한 제스츄어들만이 난무하게 되었다. 이 모든 사태에 대하여 나는 북한의 잘못이 없다는 것을 말하는 것이 아니다. 북한의 지도자들도 세계를 바라보는 안목이 경직되어 있으며 특히 국민의 자연스러운 욕망들을 충족시켜주는 데 있어서는 너무도 리더십의 질이 빈곤하고 무책임하다. 그리고 북한 사회 전반에 깔려있는 이념의 경직성은 그들의 삶의 내면을 공동화시켜가고 있다. 그러나 북한이 잘못한다고 남한 또한 잘못한다는 것은 있을 수 없는 일이다. 그것은 너무도 "중中"과 "화和"의 원칙을 위배하는 것이다. 다시 말해서 우리 사회에 "중용의 정치"가 부재한 것이다. 남북의 화해가 없이는 대한민국의 경제는 영구한 안정을 획득할 길이 없다. 코스피나 코스닥의 수치도 주체적인 안정성을 확보하기 어렵다. 남북의 경색은 강대국의 조작적 개입의 틈새를 쉽게 제공하며, 따라서 북한은 북한대로, 남한은 남한대로 주체적 역사의 진로를 모색하기가 어렵게 된다. 우리 역사의 진로를 우리 스스로 이니시어티브를 장악하여 운영해나가지 못하고 강대국의 개입의 의사나 이권에 의하여 조작된다는 것은 매우 슬픈 일이다. 내 인생을 내 스스로 결단하여 살지 못한다면 그것은 노예와도 같은 것이다. 남북한의 경색은 한 민족내의 분열을 심화시키며 남·북한의 사람들을 모두 노예로 만들고 만다. 그런데 이러한 슬픈 이야기를 만들어가야 할 아무런 필연성이 없는 시대에 이러한 슬픈 이야기를 계속 조장해가는 사람들의 가치관을 지배하는 것은 황당무계한 이데올로기의 발호일 뿐이다.

그런데 이 세계는 이미 냉전의 이데올로기로부터 너무도 진화되어 있다. 부지런히 "실리"만을 추구해도 따라가기 바쁜 시대에 냉전 이데올로기의 관성에 집착하고 있다는 것은 무명無明의 극상이다. 중용을 상실한 것이다. 우리는 "6·25질병"을 너무도 혹독하게 앓고 있는 것이다. 그 어느 누구도 자유로울 수 없는 죄악에 대하여 책임을 묻거나 원망이나 보복을 일삼는 것은 결국 자기 무덤을 파는 것이다.

대중이 읽어야 할 이 책의 모두冒頭에서 내가 이런 발언을 너무 선명하게 밝혀놓으면, 많은 사람이 도올은 너무 "진보적"인 사람이 아니냐고 질문할 것이다. 그러나 나는 말한다. 나는 진보주의자가 아니다. 그렇다고, 물론 퇴보주의자는 아니겠지만, 나는 보수保守라는 술어가 상징하는 진정한 가치를 사랑하는 사람이다. 나는 고전학자이며 정치학자가 아니다. 더구나 정치가는 더욱 아니다. 고전학의 일반적 정서는 지킬 것을 지키고, 보전해야 할 것을 보전하려고 노력하는 성향을 노출시킨다. 나는 우리사회의 "지킴이" 가치에 헌신하는 사람이다. 그래서 고전과 더불어 살아가는 것이다.

내가 서구적 개념으로서의 진보주의자이기를 거부하는 이유는 "진보"라는 말의 배면에는 역사정칙주의歷史定則主義의 극심한 빈곤the poverty of historicism이 깔려있기 때문이다. 나는 역사를 "진보"라는 관점으로 바라보지 않는다. 나는 역사를 "중용"의 관점에서만 바라본다. 역사정칙주의historicism라는 것은 인류 역사의 미래를 확정적으로 예견할 수 있다는 모든 망상을 의미한다. 물론 맑시즘이나 공산주의도 그러한 망상의 한 전형이다. 기독교종말론의 사관이나 헤겔의 변증법적 사관 또한 그러한 망상의 전형임에는 더 말할 나위가 없다. 우리가 보통 "진보"라 말할 때, 그 진보의 가치의 디프 스트럭쳐에는 맑시즘이 규정하는 바의 "계급투쟁"이나 "인간해방"과 관련된 일련의 관점들이 내장되어 있다. 나는 인류역사를 계급투쟁으로 바라보지 않는다. 그리고 나는 인간존재를 "해방"의 대상으로 파악하지 않는다. 따라서 나는 "자유주의자"도 아니며, "평등주의자"도 아니다. "중용"은 하나의 주의-ism가 될 수 있는 성격의 것이 아니기 때문에 나는 나를 "중용주의자"라고 부르지는 않겠지만, 하여튼 나는 이러한 문제에 관하여 철저히 "중용"의 입장을 취한다. 그렇다고 "중용"이 자유와 평등의 "가운데"일 수는 없다. "중용"은 오직 자유와 평등을 포섭하는 가치로서만 우리의 심성에서 꽃을 피운다. 이런 이야기가 과연 무엇을 의미하는지는 독자들이 오직 이 책을 읽어나가면서 깨닫게 될 것이다.

자아! 한번 이런 생각을 해보자! 현 정권이 4대강정비사업이나 운하사업 대신에 서울에서 빼이징까지 KTX를 놓았다고 하자! 혹은 부산에서 속초, 원산, 신포, 단천, 라진, 선봉을 거쳐 하산, 블라디보스톡, 하바로프스크에까지 고속철을 놓았다고 하자! 과연 어느 사업이 대한민국의 미래를 위하여 더 효용가치가 높은 일일까? 이에 대한 대답은 천하의 어느 삼척동자라도 다 알 수 있는 일이 아니겠는가? 국민의 피땀서린 세금으로 모아진 국고를 다 거덜내는 규모의 거국적인 사업이라면 보다 진취적인 비젼과 합리적인 의견수렴과정과 지속적인 효용가치에 대한 치밀한 계산이 있어야 하지 않겠는가? 이것은 진보다 보수다 하는 문제이기 전에 실리의 문제요, 당위의 문제인 것이다. 이것은 결코 이념과는 무관한 것이다. 극소수의 특정 리더십에 의한, 대중의 의견과 전문가의 판단을 무시하는 막가파적인 강행, 이런 것을 이 『중용』이라는 서물은 "무기탄無忌憚의 정치"라고 규정한다. 여기서 "기탄忌憚," 즉 "거리낌"이 없다는 것은 "공적 마인드public mind"가 부재하다는 것을 의미한다. 이러한 무기탄의 정치가 초래하는 것은 국민의 마음에 깊은 분열의 골을 파놓을 뿐 아니라, 공적 마인드의 상실로 도덕적 해이가 만연하게 되고, 무엇보다도 사람들이 "염치廉恥"를 모르게 된다는 것이다. 부도덕적 행위에 대한 "수치감"이 실종되는 것이다. 사회지도급인사들의 이러한 행태는 젊은이들에게 악영향을 끼치게 된다. 오늘 대한민국의 가장 개탄스러운 사태는 젊은이들이 "대의大義"에 대한 감각을 상실하고 소강小康적인 안락에 집착하며, 사회정의에 대한 헌신을 저버렸다는 것이다. 『논어』와 쌍벽을 이루는, 공자의 말씀을 모아놓은 『공자가어孔子家語』「예운禮運」편에는 대도大道가 행하여질 때에는 사람들이 천하를 공公으로 삼지만(大道之行, 天下爲公) 대도가 은폐되게 되면 사람들이 천하를 사가私家로 삼는다(大道旣隱, 天下爲家)는 말이 있다. 현재 대한민국은 천하위공天下爲公이 아닌, 천하위가天下爲家의 세태를 표출하고 있다고 누구나 말할 수 있을 것이다. 천하위가의 세상이 되면 그 특징은 어떠한가? 이에 공자는 대답한다: "세상사람들이 각기 지 애비에미만 애비에미로 여기고, 지 자식만 자식으로 여긴다. 재물이란 재물은 모두 자기 한 몸만을 위해서 저축하고, 힘들 일은 자기가 하지 않고 남에게 넘겨버린다.各親其親, 各子其子, 貨則爲己, 力則爲人." 그리고 더욱 놀라운 공자의 통찰은 대인大人(=사회의 지도자)이라는 사람들이 대대로 녹을 후하게 타먹는 것을 당연한 상식으로 알고, 성곽만 높이 쌓고 도랑만 깊게 파는 짓만 일삼아 쓸데없는 일만 벌인다는 것이다(大人世及以爲常, 城郭溝池以爲固). 다시 말해서 "천하위가天下爲家"의 세상이 되면 국민의 실수요와 무관한 토목공사만 늘어나게 된다는 것이다. 합리적인 예禮에 근본하지 아니 하는 자가 최고의 지위에 있는 사회를 "앙殃"이라고 불렀다(如有不由禮而在位者, 則以爲殃). 다시 말해서 "재앙의 사회"라는 것이다. 모든 사람들이 공적인 가치를 실현하며 서로 돕고 서로 나누며 서로 인정하고 서로 감시하지 않으며, 균등한 기회를 향유하는 "대동사회大同社會"의 반대되는 개념으로 "재앙사회"를 제시하고 있는 것이다.

우리사회의 중용의 상실에 관해서 우리는 너무도 많은 이야기를 할 수 있을 것이다. 그러나 이러한 이야기는 이론이 아닌 실제라는 것이며, 매우 절박한 실천의 과제상황이라는 것이다. 20세기 인류문명의 주축은 뭐니뭐니해도 미국이었다. 미국문명은 20세기를 통하여 19세기 서유럽문명이 인류의 근대성Modernity의 형성에 기여한 모든 혁명적 요소를 집약화시키고, 효율화시키고, 보편화시키고, 생활화시킴으로써, 인류사의 근대적 흐름의 대세를 확고한 것으로 만들고 그 리더십을 장악하였다. 19세기 서유럽문명의 장점으로 우리는 과학Science과 기술Technology의 융합, 산업혁명, 그리고 정치제도의 혁명적 변화, 그리고 평범한 개인의 존엄성과 자유의 가치의 제고라는 제 측면을 열거할 수 있을 것이다. 미국은 이러한 제 측면의 성과를 "대중문화"의 성장이라는 새로운 사회기반 속에 뿌리내리게 만들고, 대중문화를 효율적으로 가동시키는 다양한 측면의 문명사적 전기를 작위作爲하였던 것이다. 전기, 전화, 자동차, 비행기, 마천루도시, 째즈, 영화, 청바지, 집적회로의 정보혁명에 이르기까지 여타 문명이 흉내낼 수 없는 창의력으로 인류의 생활구조를 지배하는 끊임없는 혁명적 변화를 주도해왔다. 그리고 그 주도를 통하여 미국식 금융자본주의를 세계화의 대세로 만들고 또 그 과정에서 막강한 군사력을 확보하였던 것이다. 그러나 미국이라는 레바이아탄은 현재 깊게 병들어가고 있다. 로마제국의 말기에서 보여지는 온갖 쇠락과 해체와 패망의 증후들이 나타나고 있다. 1세기 동안 없었던 큰 지진(5.9°)이 워싱톤 D.C.를 비롯한 미국 중심부를 강타하는가 하면, 허리케인으로 맨하탄 대피소동이 일어나는 요상한 일들이 벌어지고 있다. 그리고 본시 자연의 진화이든 사회의 진화이든 꼭 강자가 생존에 유리한 것은 아니다. 세계질서에도 그 리더십의 축을 보유하는 탁월한 나라를 필요로 하게 마련이다. 그러나 그 나라는 리더십을 지속적으로 보유할 만큼의 도덕성을 지녀야 한다. 강국이라 해서 주변의 나라들을 괴롭히고 탄압하고 사기치고 착취하는 행태를 통하여 자국만의 힘의 우위를 유지하려 든다면, 그러한 강국은 힘의 우위조차 유지할 수 없게 된다. 이것은 앗시리아와 같은 호전적인 무력제국의 흥망과 패턴을 공유하는 수없는 제국들의 사례가 예증하여 온 것이다. 제2차세계대전이래 미국은 한국전쟁을 계기로 강력한 냉전체제를 구축하면서 주변국가들에게 도덕성을 상실하는 수많은 나쁜 짓들을 자행하여 왔다. 나의 이익을 위하여 타국에 전쟁을 일으키는 것은 결코 아름다운 일이 아니며 궁극적으로 그러한 방법이 자신의 패권을 유지시켜 주지도 않는다. 미국의 외교·군사전략은 지나치게 아군과 적군, 선과 악의 이원론을 유지한다. 월남이 미국의 그 수많은 젊은이들이 목숨 걸고 싸워야 할 아무런 이유가 없는 나라였으며, 또 이슬람문화권이 끊임없이 미국의 적대세력으로서 부상해야 할 아무런 이유가 없다. 석유나 유대인의 헤게모니 때문에 그러한 적대구도가 계속 조장된다면, 그것은 미국이 이미 자신의 세계리더십에 대한 정의로운 판단력이나 합리적인 장악능력을 상실해버렸다는 것을 의미한다. 미국이 중용의 정치를 상실하고 부동浮動하고 있는 것이다. 천박한 도덕적 이원론 때문에 국가정신이 근원적으로 부패하여 가고 있는 것이다.

그뿐인가? 미국에 대한 종속성을 충실하게 고수하는 한국 같은 나라에 대해서도 미국은 자국의 이익만을 우선할 뿐, 더 이상 호혜적 관계의 아량 같은 것을 베풀 생각을 하지 않는다. 자기네 군대의 발호를 위하여 충직하게 기지를 제공하는 한국의 금수강산에 온갖 독극물을 몰래 파묻는가 하면, 자기들이 못먹을 음식을 종속국가들의 사람들에게 퍼멕이는 것을 도덕적 금기로 생각하지 않는다. 평범한 인간들의 관계에 있어서도, 내가 먹어 해로운 음식을 자기는 먹지 않으면서 타인에게 권하는 사람은 더 이상 어찌해볼 도리 없는 인간말종으로 간주된다. 우리네 습속에, 쉰 음식은 자기가 먹을지언정 손님에게는 따끈한 새 밥 한상 차려드리는 것이 너무도 당연시되는 미덕이었다. 미국은 국가정책에 있어서 칸트가 말하는 정언명령의 도덕률을 태연하게 어기고 있다: "너 자신에게 있어서나 타인에 있어서나 인간성을 결코 단순한 수단으로서만 취급하지 않고 항상 목적으로서 취급하도록 행위하라." 그들은 돈을 벌기 위해서 식품을 수단으로서만 취급하는 것이다. 내가 자라날 때는 미국식품은 믿을 수 있는 도덕적 식품의 대명사였다. 그런데 지금 미국산 식품은 먹기에 불안감을 느끼는 하천下賤한 음식이 되어가고 있는 것이다. 이러한 통념이 국민의 보편적 정서가 되어가고 있는 것이다.

미국은 아직도 고등교육에 있어서 인류문명의 최상위권을 점유하고 있을 뿐 아니라, 자연과학과 인문과학을 리드하는 창조적 지식생산을 게을리하지 않는다. 미국의 힘은 우수한 대학에 있다고 말해도 과언이 아니다. 그러나 미국의 초등·중등의 공교육은 걷잡을 수 없는 혼돈 속에 방치되어 있으며, 따라서 일반대중의 지식적 민도는 너무 낮다. 세금관계 서류를 스스로 해독하고 기입할 수 있는 능력을 기준으로 말하면 문맹률이 인구의 반을 넘는 나라이다. 우리나라에 비교해보아도 지식이나 도덕의 상식적 기준이 훨씬 저열하다. 따라서 미국에서 생활해보면 모든 공공서비스 기능의 균일성이 확보되어 있지 않고, 효율성이 너무도 떨어진다. 암트랙과 같은 주요간선 기차가 시각을 준수하는 예는 희소하다. 1시간 정도의 연착은 당연한 일이며, 미안하다는 방송조차 없다. 비행기도 마찬가지다. 죤 에프 케네디 에어포트에서 비행기가 제시간에 뜰 것을 기대하는 것은 어리석은 일이다. 한마디로 케네디 에어포트는 아수라장이다. 우체국, 은행, 공공기관에서 줄서서 하염없이 기다리는 것은 다반사이다. 생활에서 비근하게 부닥치는 행정업무 처리과정에서 책임있는 담당자를 만나기란 거의 불가능에 가깝다. 모든 것은 당한 후에 법적 소송과 돈으로 해결해야 할 뿐이다. 돈없는 놈은 죽쑬 뿐이다. 미국사회는 모든 부문에 있어서 주인의식이 있는 공동체의 협동적 기반이 상실된 것이다. 서로가 서로를 수단화하고 뜯어먹기만 하는 카오스 속에 묘한 질서가 유지되고 있는 듯이 보이지만, 이제 그러한 질서감조차 믿을 만한 것이 못된다. 자연의 카오스 속에는 분명

거룩한 질서가 있지만, 인간세의 카오스는 패망적인 해체만 기다리고 있을 뿐이다. 한마디로 미국에서 사는 것은 재미가 없다. 생활의 질감이 혐오스러울 정도로 저열한 것이다. 세계여행을 하는데 한국여권이 유리할까, 미국여권이 유리할까? 몇십 년 전만 해도 이런 질문은 성립할 수조차 없는 질문이었다. 그런데 지금의 현황은 단언컨대 한국여권이 훨씬 더 유리하다고 말할 수밖에 없다. 미국여권이 한국여권보다 더 제약이 많다. 못 가는 곳도 많다. 불이익을 당하는 곳도 많다. 과거에는 미국여권을 소지하기만 하면 세계 어느 곳에서든지 1등국민으로서 대접을 받았다. 그런데 지금은 혐오스러운 3등국민으로 대접받는 것이다. 미국인이 전세계에 뿌려온 죄악의 업보인 것이다. 미국인이 아직도 추앙받는 나라, 활개치고 다닐 수 있는 나라는 한국이나 일본 정도일 것이다. 미국문명의 도덕성의 상실은 이러한 대중적 삶의 해체와 깊은 연관이 있다. 그런데 그러한 대중적 삶의 도덕적 질서를 새롭게 재건하는 일은 거의 불가능에 가깝다고 판단된다. 이미 미국이라는 레바이아탄을 가동시키고 있는 주요세력들이 도덕적인 방향으로 엔트로피를 감소시키는 행위를 도저히 할 수 없도록 구조지워져 있기 때문이다.

그럼에도 불구하고 미국은 막강한 군사력의 우위와 첨단산업과 높은 학문수준을 유지하고 있기 때문에 앞으로도 최소한 3·40년 동안은 세계패권주의의 리더십을 확고하게 장악할 것이다. 따라서 21세기 전반의 인류사는 진정한 왕도의 리더십이 부재한 상태에서, 미국의 형식적 패권구도 속에서 새로운 세계질서의 태동을 위하여 열국이 기묘한 각축을 벌이는 역사가 연출될 것이다. 이 새로운 역사의 장에 확고하게 부상하는 대국이 중국이라는 사실에는 이론의 여지가 없다.

우선 중국과 미국은 매우 성격이 다른 나라라는 것을 염두에 두지 않으면 안된다. 가장 크게 다른 두 요소가 인구와 역사다. 미국 인구는 3억 정도이다(2011년 기준 3억 1300만 명). 그런데 중국인구는 14억 정도이다. 정확한 금년 통계는 13억 3천만 정도로 나와 있지만 센서스에 잡히지 않는 미등록 인구가 많아 실제로는 17억 정도에 이른다고 보는 사람도 있다. 하여튼 세계최다인구의 보유국이다. 그런데 국토면적은 미국과 중국이 비슷한데 중국이 조금 더 크다(미국은 916만 km^2, 중국은 956만 km^2). 그러니까 미국은 땅이 텅텅 비어있는데 반해 중국은 전 땅덩어리가 사람들로 꽉 차있다고 말할 수 있다. 그런데 꽉 차있는 것은 사람뿐 아니라 역사라는 것이다. 세계 고문명 중의 하나로 유구한 역사가 사람들과 함께 어디에든지 꽉꽉 들어차 있는 것이다. 그런데 비하면 미국은 신생국가이다. 어디에든지 위대한 자연은 있는데 위대한 역사의 흔적은 찾을 길이 없다. 워싱턴의 연필탑 앞 광장에 미국의 상징으로 웅장하게 조각되어 있는 것이 링컨 대통령이다. 그러니까 근세국가로서의 미국의 실제적 출발의 기점이 링컨이라는 뜻이다. 즉 남·북문제가 해결되고 노예해방이 이루어지고 통합된 국가로서 규모를 갖춘 것은 남북전쟁Civil War이 끝난 시점이라는 것이다. 이승만이 도미하여 처음 만난 사람이 당시의 국무장관 죤 헤이John Hay, 1838~1905였는데 헤이는 1861년부터 65년까지 아브라함 링컨의 비서를 지냈던 사람이었다. 그는 중국을 포함한 동방정책에 있어서 매우 개방적이고 자율적인 협동위주의 건강한 사유를 견지한 사람이었다. 그가 한국을 위하여 아무 일도 못해주고 곧 사망한 것은 매우 안타까운 일이다. 하여튼 이승만이 만난 사람이 링컨의 비서를 지낸 사람이니까 미국역사의 일천함을 여러분들은 실감할 수 있을 것이다. 미국이 남북전쟁의 포화에 휩싸인 시절이 바로 최수운이 득도하여 동학사상을 세상에 펴던 시기와 일치한다. 미국은 무력으로 통일된 국가의 염원을 이루었지만, 우리민족은 조선왕조의 패망을 앞두고 인간을 신(=하늘님)의 위치에까지 올려 그 존엄성을 확보하는 인내천人乃天의 인문주의적 보편사상을 만들었다. 우리민족이 동학을 통하여 근대적 인간의 철학을 형성한 과업은 어찌 보면 링컨이 미국이라는 강력한 근대제국의 패권적 기반을 형성한 것보다 더 본질적으로 인류사에 기여한 업적일지도 모른다. 하여튼 내가 말하려 하는 것은 미국역사가 우리 근대사의 한토막과 비견할 정도의 일천한 것이라는 사실일 뿐이다. 그러니 중국은 미국과는 역사적 전승에 있어서는 전혀 차원을 달리한다는 것이다. 역사가 오래되었다고 장땡은 아니다. 역사가 오래되었기 때문에 비실거리는 나라는 이 지구상에 너무도 많다. 그러나 역사적 전승의 축적태를 바르게 활용하고 그 에너지를 미래의 창조적 창조성Creative Creativity으로 발현할 수만 있다면 그 가능성은 가히 폭발적이라고 말할 수 있는 것이다. 중국이 그러한 포텐셜의 나라임에는 더 말할 나위가 없다.

중국은 이미 "세계최강국"으로 부상하고 있다고 말한다. 그런데 이런 말은 몹시 어폐가 있는 말이다. 국내총생산(GDP)을 기준으로 보면 워낙 양적으로 우세하니까 그런 말을 할 수 있으나, 일인당GDP로 따져보자면 중국이 갈 길은 요원하다. 그러나 한 국가의 운명이 일인당

GDP의 숫자로 결정되는 것은 아니다. 일인당GDP의 숫자가 지고한 나라가 아주 메마르고 재미없는 인간세일 수도 있고, 자살률이나 정신병이 많은 나라일 수도 있다. 다시 말해서 세칭 서구인들이 말하는 "잘산다"는 것이 결코 바람직한 것이 아닐 수도 있다. 금호동 판자촌에서 옹기종기, 물지게 나르고, 뒷간에서 방구를 풍풍 뀌면서 똥누던 시절이 결코 황량한 아파트가 들어서고 모든 것이 콤파트 단위로 격절되고 인간해후human encounter가 사라지고 부동산개발업자 사기꾼들만 득실거리는 세상보다 더 바람직하지 않은 것이라는 보장은 전혀 없다. 그러나 안타깝게도 지구상의 인류는 행복의 기준을 자율적 결단 하에 묶어두지 못하고 주어지는 외재적 대세에 맡겨버리는 뜬구름의 세상을 살고 있다.

하여튼 국내총생산량이 압도적으로 높다는 사실은 중국의 서민에게보다, 중국이라는 국가를 이끌어가는 지도자들에게는 매우 큰 의미를 갖는다. 막강한 국제적 발언권이 생기기 때문이며, 국가를 한 단위로 볼 때 그들이 주력할 수 있는 정책방침에 따라 세계경제나 정치·외교의 흐름이 바뀔 수도 있기 때문이다. 더구나 미국이나 한국의 경우, 정치권력의 최고지도자를 최대공약수로서의 자유비밀선거에 의하여 선출하는 민주제도를 정착시킨 나라들이지만, 그 결과로 선출된 리더십의 질이 끊임없이 하락하고 있다는 현실에 직면하지 않을 수 없는 데 반하여, 오히려 그러한 민주제도의 소모적 과정을 거치지 않고 주기적인 리더십을 교체하는 방식을 채택한 중국의 경우 리더십의 일정한 퀄리티가 유지되고 있다는 사실을 시인하지 않을 수 없게 된다. 더구나 최고의 권력자라 할지라도 중앙정치국 상무위원회 9명의 집단지도체제의 견제를 무시할 수는 없다. 하여튼 중국은 바른 지도자가 바른 비견을 가지고 바른 정책방향을 설정하여 국가를 바르게 추동해나간다면 문명의 대세를 효율적으로 형성할 수 있는 절호의 챤스를 맞이하고 있다고 나는 생각한다. 이 "절호의 챤스"를 나는 매우 안타깝게 생각하는 사람이다. 왜냐하면 원래 "절호의 챤스"라는 것은 오래 유지되는 것이 아니기 때문이다. 지금 중국의 정치가 불필요한 낭비가 없는 강력한 효율성을 과시할 수 있는 결정적인 이유가 국가國家 위에 당黨과 군軍이 군림하고 있기 때문이다. 중국공산당이 홍군 즉 인민해방군을 만들었고, 인민해방군이 중화인민공화국을 만들었기 때문에(1949. 10. 1.) 당과 군은 제도적으로 공화국을 초월하는 권력이다. 우리나라 사람들이 혼동하지 말아야 할 것은, 중국의 "공산당"은 "당"이라는 명사가 붙어있기는 하지만 그것은 본질적으로 우리가 말하는 "당Party"과는 전혀 차원을 달리하는 것이라는 사실이다. 우리가 말하는 "당"이란 정당政黨political party을 의미하는 것으로, 대의민주주의제도에 있어서 국회를 구성하는 하나의 요소, 즉 공통의 가치체계에 합의하고 정치권력의 획득과 유지를 목표로 하여 결집한 복수의 인간집합체를 의미하는 것이다. 그러나 중국공산당은 그런 당이 아니다. 그것은 국가권력을 초월하는 권력이며 이념이며 당위이다. 따라서 재미있는 사실은 중국의 군대는 "당군黨軍"이지 "국군國軍"이 아니라는 사실이다. 군대가 국가의 군대가 아니라 당의 군대라는 사실이다. 이러한 기초적인 사실에 혼동을 일으키면 중국사회와 그 체제를 이해할 수 없게 된다. 그러나 이 당의 지도체제가 인류사에 공헌할 수 있는 시기는 필연적으로 극히 제한된 시간에 국한될 수밖에 없다는 것은 기나긴 인류사의 체험이 말해주는 것이다. 개혁·개방에 의하여 경제발전이 진행되고, 일정소득수준 이상의 계층이 의미있는 비율로 증가하고, 다양한 사회집단간의 관용의 요구가 고조되면, 다수의 참여에 의한 정책결정을 선호하는 방식으로 비권위주의적 지향성이 생겨날 수밖에 없다.

중국이 대국으로서 다시 궐기한다는 사실이 해체되어가는 미국사회를 대신하여 그와 똑같은 방식의 패권주의나 제국주의를 계승한다는 것을 맥락적으로 의미한다면 그것은 진실로 인류의 재앙이다. 그것은 재앙으로 끝나는 것이 아니라 인류가 새로운 방식으로 삶의 자리를 구성할 수 있는 패러다임 쉬프트의 마지막 기회를 유실하는 것과도 같은 통한이다. 중국지도부에게는 이러한 문제에 관하여 책임이 부과되어 있다고 나는 감언한다.

중국의 상층지도부에는 비젼있는 청렴한 인물들이 많이 포진되어 있지만, 권력 하이어라키의 중간층, 그리고 말단에 이르기까지 근시안적 욕망에 눈이 어두워 국민 삶에 해악을 끼치는 부패한 인물이 많다. 길거리에서도 하찮은 말단 공안公安 한 명이 함부로 거들먹거리는 태도는 보아주기 힘들다. 공복으로서의 자세가 근원적으로 결여되어 있는 것이다. "리깡사건李剛事件" 등등의 사태가 말해주듯이 그러한 사태가 속시원하게 즉각적으로 정의롭게 처리되지 않는 이유는 부패의 고리가 만연된 유기체적 관련을 맺고 있어 어디서도 과감한 결단을 내리기가 힘든 형편이라는 것을 말해주고 있는 것이다. 한국에는 상층지도부의 부패와 비전의 결여가 터무니없는 수준에 머물러 있는 데 반해, 모든 사회조직의 대중적 중간계층에는 그래도 합리적 질서가 정착되어 있는 편이다. 그러나 한국도 지금과 같이 10대그룹 자산이 국내총생산에서 차지하는 비중이 75.6%라고 한다면, 한국사회도 급격히 미국스타일로 해체되어갈 가능성이 높다. 평화롭게 오순도순 잘 살던 사람들이 잘 알지도 못하는 부동산개발업자들의 농간적 사기계약에 놀아나 공동체의 안락감을 상실하고 하루아침에 삶의 터전을 잃어버린 부랑민이 되어버리거나, 동네 구멍가게까지 모조리 대기업의 마트체제로 편입되고, 모든 유통구조가 대기업의 수중으로 집약되게 되면, 아무리 자유경쟁, 소비자보호, 효율성증대 등등의 구호를 내걸어도, 결국은 제품의 질의 저하와 중소기업에 대한 착취구조만 강화되며 최종적으로 국민의 삶의 질이 저하되는 것이다. 불건강한 소비와 불건강한 마음과 몸만 남게 되는 것이다. 도대체 순대까지 대기업이 독점하는 사회, 거기서 우리 국민이 얻을 것이 도대체 무엇인가? 제 몸 버려가면서 물건 싸게 사서 무엇하겠다는 것인가?

중국이 이러한 방식의 경제구조에 선두를 달리며 세계유통을 독점하고, 에너지를 갈취하고, 군사력의 강화만을 일삼는다면 중국이라는 레바이아탄의 해악은 미국이라는 레바이아탄의 해악보다 훨씬 더 흉악한 비도덕적인 그 무엇이 될 것이다.

중국이 미국이 20세기에 누렸던 정도의 인류문명의 패러다임 주축성을 누리려고만 해도, 아주 구체적으로 말해서, 북경대학이 하바드대학의, 청화대학이 MIT의 학술수준의 심도와 폭을 가지지 못한다면 불가능한 일이라고 나는 생각한다. 그러나 그것은 현재 비교의 수준조차 잘 되지 않는다. 21세기 인류문명을 향도할 수 있는 새로운 작위를 독자적으로 수행해야 하는 것이다. 그러나 중국이 과연 미국과 이러한 경쟁을 할 수 있는가? 더 본질적인 질문은 이런 것이다. 과연 그러한 경쟁을 해야만 할까? 할 필요가 있을까? 중국이 힘써야 할 것은 20세기 미국문명의 장점과 동일한 수준의 문명패턴을 창출하는 데 있지 않다. 20세기 미국문명의 성과는 이미 실효를 다한 것이다. 19세기 산업혁명 이래의 인위적 문명의 무제한적 확대에 대한 낙관적 신념, 그 낙관적 신념을 효율화시키는 데 많은 에포크를 창출한 미국문명은 더 이상 자체의 논리에 의하여 긍정적인 가치를 생산하지 못한다. 그렇다면 그러한 진로를 이제 다시 중국문명이 더듬는다면 그것은 자연의 파괴, 도덕의 파멸, 사회의 해체를 초래할 뿐이다. 중국문명이 힘써야 할 것은 여태까지 구미근대문명이 지향하지 못했던 새로운 문명의 패러다임을 창출함으로써 인류에게 새로운 희망을 주는 것이다. 서구인들은 비록 이러한 신념이 있다 하더라도 그것을 실천할 수가 없다. 언어, 종교, 습관, 감정, 가치의 모든 원초적 바탕이 그러한 새로운 스트럭쳐를 수용할 수 없는 방식으로 이미 고착되어 있기 때문이다. 인간은 궁극적으로 언어의 노예다. 자기가 만들어 놓은 언어의 굴레를 맴돌 뿐이다. 이러한 근원적 사고의 전환의 핵심에 있는 것이 바로 이 『중용』이라는 것이다.

럿셀Bertrand Russell, 1872~1970은 우리민중이 일제에 항거하여 3·1운동을 일으킨 다음 해에 중국을 갔다. 그는 그때 중국에서 중국의 젊은

이들에게 강연한 내용을 모아, 『중국의 문제*The Problem of China*』라는 책을 썼는데, 그 책 속에서 그는 다음과 같은 말을 하고 있다. 희랍은 에집트에게 배웠고, 로마는 희랍에게 배웠고, 아랍은 로마제국에게 배웠고, 중세유럽은 아랍에게 배웠고, 르네상스 유럽은 비잔틴에게 배웠다. 그런데 대체적으로 선생보다 학생이 더 낫다. 지금 중국이 서구에게서 배우는 학생노릇을 하고 있다면 인류문명의 대세로 볼 때, 분명 중국이라는 학생은 서구라는 선생보다 더 나을 것이 분명하다는 것이다. 중국은 주나라로부터 3,000여 년 동안 끊임없이 주변문명으로부터 창조적인 요소들을 금기없이 적극적으로, 그리고 개방적으로 흡수하여 왔다. 우선 중국문명은 부정적인 종교적·신화적 억압이 없으며, 전통 내에서 서구과학을 배타할 아무런 요소를 가지고 있지 않다. 따라서 유교문명은 서구과학을 흡수하는 데 앞장서왔다. 그리고 재미있게도 과학은 보편적이며 가치중립적이며 양적인 것이라서 문명간의 전이가 가장 정확하고 쉬운 것이다. 중국인이나 여타 수도작水稻作 동방문명의 사람들은 수리數理에 밝으며 양적인 진리를 흡수하는 데 놀라운 재능을 발휘하여 왔다.

그러나 질적인 측면의 모든 문명요소는 우리가 서구적인 것을 본받아야만 할 아무런 이유가 없다. 종교, 예술, 음식, 의상, 주거, 도시형태, 정치제도 등등의 모든 질적인 가치에 있어서 동방인은 동방인의 특유한 "맛"을 주체적으로 창조해나가야 한다. 다시 말해서 과학의 보편진리에 관해서 우리는 서구인들의 성과를 부지런히 흡수해야 할 필요가 있지만 과연 우리가 어떻게 살아야 할지, 이 지구상에 어떠한 문명을 건설해야 할지에 관해서는 보다 새로운 패러다임의 시각이 필요하다는 것이다. 이것은 19세기말 20세기의 초엽에 걸쳐 자주 이야기되었던 "동도서기東道西器"의 주장과는 차원을 달리하는 것이며, 서방의 도·기道器를 다 흡수한 새로운 차원에서의 인류문명의 새로운 비젼에 관한 것이다. 서양은 중세기를 암흑시기Dark Ages라고 부르고 세계의 역사에 모두 중세의 관념을 덮어씌우려고 하지만, 그러한 규정은 서구중심의 세계관의 오류에서 비롯되는 것이다. 서구가 종교의 질곡에 파묻혀 있는 동안 중국은 가장 화려하고 개방적인, 종교와 문학에 있어서 너무도 풍요로운 성과를 남긴 당唐문명의 전성기를 구가하고 있었다. 과연 중국이 21세기에 이러한 당문명의 영화를 다시 연출할 수 있을까, 이것이 세계무대드라마의 한 관전 포인트임에는 틀림이 없다.

조선의 유자들은 우리나라를 "소중화小中華"라고 불렀다. 이것을 결코 보수적인 노론계열의 사대주의적 발상의 소치로만 간주할 수는 없다. 중화문명의 진정한 가능성을, 그들이 깨닫지 못하고 있을 때, 우리가 그것을 압축적으로 구현할 수 있다고 하는 매우 그랜드한 자부감의 표현일 수도 있다.

중국이 19세기말부터 시작된 변혁기에 여러 가지 선택의 가능성이 있었으나 결국 공산주의라고 하는 매우 생소한 서구 오리진의 이념을 정착시킨 것은 그 나름대로 필연적 이유가 있었다. 인민대중과 친화력이 있었고, 항일투쟁에 보다 효율적이었으며, 아편전쟁이래 지속된 서구제국주의의 질곡을 그 본질로부터 해체시킬 수 있었으며, 또 핍박받는 제3세계의 구심점노릇을 할 수 있게 만들었다. 중화인민공화국이 성립되기까지 마오쩌똥이념과 결합된 공산주의라고 하는 것은 매우 도덕적이었으며 농민대중과 함께하는 실천철학이었다. 그러나 그러한 실천성이 관념성으로, 희망이 절망으로, 영구혁명이 영구권력으로, 인민의 존엄이 인민의 억압으로 변질되어간 과정은 구태여 나의 상설詳說을 요하지 않는다. 그러나 떵 샤오핑의 개혁·개방이래 진행되어온 일련의 혁신적 조치들은 인류에게 희망과 우려를 동시에 안겨주는 것이다. 공산주의이념과 자본주의의 현실적 수용이라는 융합적 테제는 중국의 지도부에게 귀에 걸면 귀걸이 코에 걸면 코걸이식의 편리하고도 효율적인 경제발전의 모델을 제공하였을지 모르나, 중국인민대중을 정신적으로 공동화空洞化시키고, 빈부·도농·지역간의 격차를 극대화시키고, 관료의 도덕적 해이와 함께 금권만능의 불건강한 사회풍조를 만연케 하며, 특히 무차별한 개발독재의 논리는 중국이라는 대륙을 오염의 블랙홀로 빨려들어가게 만들고 있다. 이러한 개혁·개방의 백크래쉬를 근원적으로 해결하기 위해서는 하루 빨리 공산주의이념이 지향하는 근원적인 가치만을 보전하고 과감하게 그 서구이념의 틀을 토착적 가치관으로 탈바꿈시키고 인간과 자연이 조화되는 새로운 도덕적 문명비젼을 제시하여야 하는 것이다. 도농간의 조화로운 발전, 발전지역과 저발전지역간의 조화로운 발전, 계층간 균형과 조화를 강조하는 통일적 경제사회발전, 친환경 개발정책으로서 사람과 자연의 조화로운 발전, 그리고 국내발전과 대외개방을 조화시키는 계획을 골자로 하는 "사회주의화해사회社會主義和諧社會"의 구호도 결국 그러한 구호를 뒷받침할 수 있는 새로운 화해이념의 전면적 구성과 표방과 교육과 실천이 이루어져야 한다. 서구계몽주의의 말류로서의 맑시즘이 주창하는 배타적 "물질"의 실체관으로써 도저히 천인화해天人和諧의 웅혼한 세계관을 건설할 길이 없다.

이러한 문제와 관련하여 우리 한민족이야말로 "소중화"의 새로운 가능성을 구현할 수 있다고 나는 믿는다. 중국문명의 미래적 방향의 모델을 우리 한국문명이 제시하여야 하는 것이다. 이것이 바로 우리나라 젊은이들에게 주어진 세계사적 사명이라고 나는 감언한다. 이 모델 제시의 일차적 전제가 바로 남북의 화해이다. 남북의 대결을 심화시키면 심화시킬수록 우리는 우리역사 운명을 우리 스스로 결정해갈 수 있는 아름다운 기회들을 상실한다. 그리고 북한은 더욱 더 중국에 종속될 수밖에 없으며 남한은 더욱 더 미국의 꼭두각시 노릇밖에 더 할 것이 없게 된다. 그리고 남한은 일종의 고립된 섬나라가 된다. 그리하면 우리 한반도는 세계사적 사명의 호기회를 유실하게 된다. "남북통일"이란 전혀 어려운 문제가 아니다. 우선 우리는 "통일"이라는 술어나 개념으로써 대내외적으로 스트레스를 주는 자기기만적 행위를 해서는 아니 된다. "고려연방제" 운운하면서 개념적인 압박감을 국민의 마음에 심어줄 필요가 없다. 막말로 "통일"은 안 해도 좋다. "통일"이란 말 자체가 사라져도 좋다. "우리의 소원은 통일"이라는 노래를 부르면 부를수록 "통일"은 우리에게서 멀어져만 가고 있다. 우리가 당장 실천해야 하고, 또 할 수 있는 것은 "교류"다. 자유로운 호상왕래만 보장되면 통일은 저절로 이루어지는 것이다. 이념적이고도 개념적인 청사진을 먼저 제시할 것이 아니라, 교류 속에서 단계적으로 청사진을 만들어가야 한다. 옆나라 일본은 무비자로 다니면서 왜 한 민족의 나라인 북한은 자유롭게 다닐 수 없단 말인가? 그것이 근원적으로 불가능한 시대라면 몰라도, 노력하면 쉽게 가능할 수도 있는 이 첨단 정보시대에 왜 적대를 자처하는 것인가? 대만과 중국대륙의 "양안관계兩岸關係"만큼의 유연성도 지니지 못하는 우리민족의 작태는 너무도 한심한 꼬라지가 아닌가?

후쿠자와 유키찌福澤諭吉, 1835~1901가 "탈아론脫亞論"을 외친 것은 어떠한 정당성 평가에도 불구하고, 근세 일본지성의 최대의 오류에 속하는 것이다. 일본은 탈아입구脫亞入歐를 외치면서 결국 아시아를 객체화시키고 종속화시키고 약탈과 억압의 대상으로 비하시켰다. 이러한 후쿠자와 유키찌의 입론에 대한 비판적 입장은 일본해군의 창설자이며, 난학자蘭學者이며, 메이지유신의 출범을 가능케 한 장본인인 카쯔 카이슈우勝海舟, 1823~1899의 동양평화에 대한 포용적인 사상에서 찾아볼 수 있다. 그것의 대체적 골격은 안중근安重根, 1879~1910의 "동양평화론"과 일치하는 것이다.

오늘날 미국에 대한 종속만을 우선적 가치로 여기는 보수적인 한국 정치인이나 대체적으로 상층계급에 속하는 기독교편향의 지식인들은 암암리 후쿠자와 유키찌의 오류를 아직도 범하고 있다. 20세기 미국문명의 주축성은 결코 미국의 자생적 힘으로만 달성된 것은 아니다. 세계의 지성들이 미국을 도운 것이다. 유럽의 억압적 현실에 대하여, 전통에서 해방된 미 신대륙의 새로운 개인주의적 자유의 감각을 인류의 희망으로 소중하게 받아들이고 그 발전에 기여하였다. 히틀러의 유대인 박해는 유대인 지성의 "미국접수"를 가능케 만들었다.

오늘날 한국의 지성인들은 미국사랑의 10분의 1만큼의 "중국사랑"을 가지고 있어도 미국사랑의 10배 이상의 세계사적 공능을 달성할 수 있다. 우리는 중국이 바른 가치관을 가지고 세계문명의 새로운 에포크를 만들 수 있도록 도와야 한다. 한국인의 역할은 결정적일 수 있다. 우리가 깨달아야 할 사실은 결국 미국은 한국을 버린다는 사실이다. 1945년 8·15 직후에도 미국은 한국이 어떤 나라인지도 몰랐다. 어디에 쑤셔박혀 있는 나라인지도 잘 몰랐다. 근원적으로 관심이 부재했다. 그런데 결국 소련의 북한진주 때문에 미군정을 시작하지 않을 수 없었고, 일본과의 관계의 중요성 때문에 상대적으로 한국의 중요성을 깨닫기 시작한 것이다. 그리고 브루스 커밍스가 말하듯이 미국의 한국에 대한 근원적인 무지가 6·25전쟁이라는 처참한 비극을 야기시킨 것이다. 전쟁을 야기시키지 않고서도 얼마든지 한반도의 문제는 해결될 수 있었다. 내가 "버린다"고 말한 것은 상황의 변화가 오면 한미관계는 매우 진부한 관계로 변질될 수 있다는 것이다. 21세기 중엽쯤에만 가도, 한국의 위상은 동아시아 국제관계에 있어서 독자적인 자기 정체성을 확고하게 확보하지 않는 이상, 미국에 종속적이라는 사실 하나만으로는 아무런 존재가치를 지니지 못하게 될 것이다. 세계는 변한다, 매우 급격히 변한다. 한국은 남북화해와 교류를 통하여 인류문명의 새로운 전기를 만들어 중국문명이 가야할 길을 제시하지 못하면, 존립조차 어려운 한비자의 한韓나라와도 같은, 매우 초라한 틈새의 소국이 되고 말 것이다. 이 모든 문제에 대한 해답이 나는 이 『중용』 한 권에 집약되어 있다고 확신한다. 나의 호언에 의구심을 품는 자라면 이제 『중용』을 진지하게 접근해보아야 할 것이다.

『중용』은 자사子思의 작作이다. 이 말은 나 도올의 말이 아니라 사마천司馬遷, BC 145(or 135)~c.87이라는 중국의 위대한 사가史家가 「공자세가孔子世家」라는 공자의 전기 속에서 언급한 말이다. 사마천은 이 말을 풍문을 듣거나 추측해서 한 말이 아니라, 젊은 날에 실제로 공자가 살던 곡부曲阜의 집을 방문하여 그 현장을 자세히 살펴보고 자료도 수집하여 한 말이다. 그러니까 사가로서 정확한 근거를 가지고 한 말이다. 그런데 많은 사람이 이 말을 신빙성 있는 사실로서 받아들이지를 않았다.

『중용』이라는 책은 원래 단행본으로서 존재했을 것이다. 그런데 중국역사에서 이 책이 『효경孝經』처럼 단행본으로서 돌아다닌 것은 아니고, 삼례三禮 중의 하나인 『예기禮記』라는 방대한 분량의, 예禮 관련 전집의 한 편으로(제31편) 보존된 것이다. 그리고 송나라 때 학자인 주희朱熹, 1130~1200가 『예기』 속에 있는 이 『중용』과 『대학』(제42편)을 끄집어내서 『논어』와 『맹자』와 함께 "사서四書"라는 이름으로 묶어 주를 달아 『사서집주四書集註』라는 책으로 펴냄으로써, 명대 이후에는 사서 중의 한 책으로 알려져 왔다. 그러나 『중용』은 지금도 『예기』 속의 한 편으로 엄존하는 것이다. 그러니까 12세기 이전에는 "사서 중의 하나로서의 『중용』"이라는 개념은 있을 수 없다는 것을 알아두어야 한다. 그 전에는 『중용』은 오직 『예기』의 한 편이었을 뿐이며, 『예기』를 통달한 사람만이 아는 책이었다는 것을 상기할 필요가 있다. 그러나 사마천이 "『중용』은 자사가 지었다子思作中庸"라는 말을 그 유명한 『사기』 「공자세가」 속에서 해두었기 때문에, 한대 이래로 많은 사람들이 자사의 작으로서의 『중용』을 기억했다.

그런데 근세에 들어서면서부터 많은 학자들이 사마천의 "중용자사작"설을 회의하기 시작했다. 청나라 때부터 시작된 의고풍疑古風은 민국 초년에 그 극에 달했다. "의고疑古"란 소위 옛것이라고 말하는 것들의 진실성을 회의한다는 뜻이다. 복고적인 생각을 가진 사람들이 옛것이라면 무조건 숭상하기를 좋아해서 후대의 물건이라도 모두 옛것이라고 해버리는 통에 역사가 왜곡되었다는 것이다. 우리가 장작을 쌓을 때 나중에 쌓는 것일수록 위로 올라간다. 이것은 후대의 사료를 옛것으로 둔갑시키는 폐단을 지적한 재미있는 비유이다. 그리고 의고를 주장하는 사람들에게는 매우 진보적인 시대정신이 있었다. 청나라를 근원적으로 타도하고 새로운 공화국을 설립하는 것보다는, 황제제도를 유지하면서 의회제를 도입하는 입헌군주제 정도의 타협을 선호하던 사람들이 대부분 공자를 숭상하고 공자를 유교라는 종교의 교주인 것처럼 신비화하는 경향을 보였기 때문에, 그러한 보수적 경향에 대한 안티적인 학문방법으로서 의고풍을 채택하였던 것이다. 의고풍은 의고풍 나름대로 옛것에 대한 학문의 정밀성을 제고시키는 많은 성과를 내었지만, "의고" 자체가 또 하나의 도그마가 되면 불필요한 파괴적 논설을 획일적으로 강요하게 된다. 이러한 의고풍의 학문은 일본학자들의 치밀한 치학방법에 의하여 계승되기도 하였다.

그러나 이러한 의고풍의 학문성향에 결정적인 쐐기를 박는 사건이 터졌다. 1970년대에 들어서서 본격화되기 시작한 고분묘의 발굴에서 드러난 간백簡帛자료가 그 실마리였다. 우리가 말로만 듣던 자료나, 의고를 통하여 의심해온 자료들의 역사적 실상을 두 눈으로 확인한다는 것은 나와 같이 그 방면에 한평생을 헌신해온 학자들에게는 매우 충격적인 사건이 아닐 수 없다.

우리가 『중용』이라는 문헌이 자사라는 역사적 개인의 저작일 수 없다고 의심해온 이유는 아마도 다음과 같은 몇 가지의 추론으로 정리해 볼 수 있을 것이다.

1) 『중용』이라는 문헌의 성격이 전일한 양식을 취하고 있지 않다. 따라서 한 사람의 저작일 수가 없다. 다양한 갈래의 전승이 취합된 것이다.

2) 다양한 양식의 문헌이 제각기 독특한 언어를 가지고 있으며 그것은 시대정신이나 사용습관을 달리하고 있으므로 다양한 시기에 걸쳐서 성립된 것이다. 따라서 한 시점의 문헌으로 보기 어렵다.

3) 『중용』은 기본 내용이 『논어』와 같은 산발적 말씀(로기온)자료를 취합해놓은 것이라기보다는, 매우 개념적인 테마를 중심으로 논설형식으로 풀어나간 것이기 때문에 이것은 매우 고도의 논술·논박·논변을 거친 이후의 작품으로 볼 수밖에 없다. 그렇다면 전국시대의 제자백가의 갑론을박을 거친 이후의 아폴로지로서 이 작품을 규정할 수밖에 없으므로 대강 전국말에서 한초에 걸쳐 형성된 것으로 추정된다.

그런데 무덤에서 나온, 물리적으로 BC 350년 이전으로 소급될 수 있는 자료들이 이러한 가설의 부동의 신빙성을 하루아침에 무너뜨려 버렸다. BC 4세기의 문헌이 우리가 생각하는 것보다 훨씬 더 개념적이고, 테마틱하며, 철학적이고, 추상적이며, 우주와 인간에 대한 근원적인 성찰을 체계적으로 포섭하고 있다는 놀라운 사실이 드러난 것이다. 따라서 BC 5세기에도 『중용』 정도의 논술양식이 얼마든지 가능하다는 견해가 성립할 수 있게 되었다. "진한지제秦漢之際"의 패러다임이 많이 올라가면 3세기를 소급시켜야 하는 당위성이 발생한다. 앞에서 말한 가설을 새로운 간백자료의 시각에서 논박하면 다음과 같이 될 것이다.

1) 『중용』이라는 문헌이 다양한 양식을 취하고 있는 것은 사실이지만 그 다양한 양식 자체가 자사라는 한 사상가에 의하여 매우 의도적으로 오케스트레이션된 것이다. 테마와 테마의 발전적 연결이 분명하며 그 사이에 삽입되어 있는 할아버지 공자의 로기온 자료들은 자신의 테마를 정당화하기 위하여 그 테마와 관련된 내용을 선택적으로 나열한 것이다.

2) 양식을 달리하는 문헌의 언어간의 불일치는 해석 여하에 따라 충분히 조정가능하다.

3) 자사시대에 이미 철학적 성찰이 심화되었으며, 다양한 학파들의 도전이 있었다. 자사는 공자의 사상을 유교의 조종祖宗으로 확립하기 위하여 『중용』을 지은 것이다.

이 책은 전문적 지식을 요구하지 않는 일반대중을 위하여 내가 다시 쓴 것이다. "다시 썼다"는 것은 곧 "원본"이 있다는 뜻이다. 그 원본이 통나무 출판사에서 이미 출간된 『중용한글역주』(2011)라는 책이다. 688페이지에 달하는 방대한 분량의 책으로서 매우 자세한 학술적 논의와 그 논의에 대한 문헌적 전거를 모조리 밝혀놓고 있다. 궁금하거나 보다 자세한 내용을 알고 싶어하는 사람들은 반드시 그 책을 읽어야 한다. 본서에서는 그 책의 내용을 반복하지 않는다.

결론적으로 『중용』은 공자의 손자로서 역사적 존재성이 확실한 자사子思라는 대사상가에 의하여 일관된 의도를 가지고 지은 역저라는 것이 나의 결론일 뿐 아니라 사계斯界의 공통된 의견이다. 이 견해는 앞으로도 과격한 수정은 거치지 않을 것으로 사료된다. 그러니까 과거에는 『맹자』『순자』『장자』『묵자』『여씨춘추』 등의 서적에서 논의된 주제들을 추상하여 『중용』이 성립했다고 보았다.

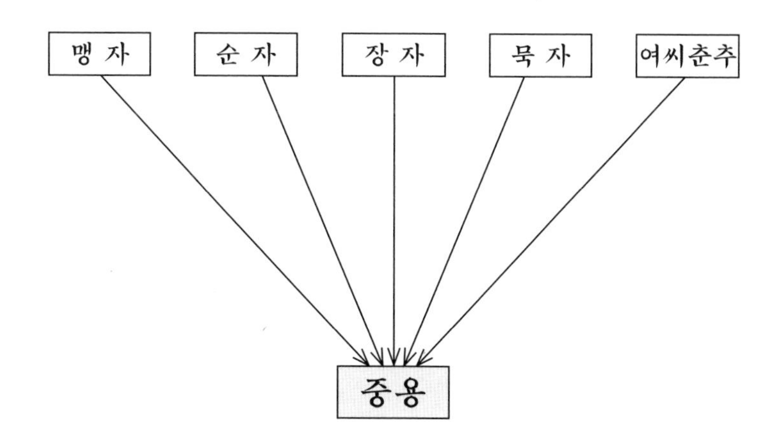

그러나 이제 이 깔대기가 뒤집어져야 한다.

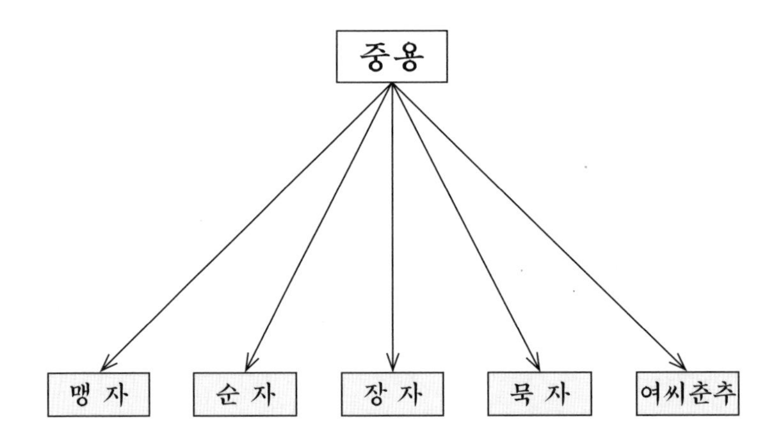

이것은 『중용』이 선진사상의 모든 가능성을 집약하고 있는 창조적인 디프 스트럭쳐이며, 이 디프 스트럭쳐로부터 제자의 책이 성립했다는 것을 의미한다. 그만큼 중국의 선진문명을 이해하는 열쇠가 바로 이 『중용』 일서에 들어있다는 것을 의미하는 것이다.

『중용』은 한 사람의 창조적인 사상가에 의하여 어떠한 조직적인 주제를 전달하기 위하여 쓰여진 책이라는 시각으로 바라볼 때 비로소 그 풍요로운 가치가 드러난다. 그리고 그 유기적 관련의 총체성이 나의 삶의 체험을 파고든다. 정자程子가 『논어』의 독서법을 이야기하면서 "이 책을 읽기 전에도 그 사람, 이 책을 읽은 후에도 그 사람이면, 그 사람은 이 책을 읽지 않은 것이다. 如讀論語, 未讀時, 是此等人; 讀了後, 又只是此等人, 便是不曾讀。"라고 말했는데 『중용』이야말로 그 말을 되풀이해야 될 것 같다. 『중용』을 읽고 "일상적 삶의 혁명"이 일어나지 않은 사람은 결코 『중용』을 읽지 않은 것이다. 과연 그런가 아니 한가? 이 책을 다 읽은 후에 다시 한 번 자기의 삶을 반추해보라!

본 서는 편의상 주희의 『중용장구中庸章句』체계를 따랐으나 주희의 해석을 따른 것은 아니다. 훌륭한 주석가로 간주하고 참고하였을 뿐이다. 주희의 시대와 우리의 시대는 다르므로 그 해석의 시대정신이나 방법론도 당연히 달라져야 한다. 판본은 송대의 판본을 참고하여 교정한 『주자전서朱子全書』(上海古籍出版社, 2002)판본을 기준으로 하였다. 명나라 때 나온 판본들은 별로 좋지가 않다. 번역에 관한 나의 입장은 『중용한글역주』 192~3에 기술되어 있다.

凡 人 唯(雖) 又(有) 眚(性) 心 亡 奠

志 走(待) 勿(物) 而 句(後) ⿱乍又(作) 走(待) 兑(悅)

而 句(後) 行 走(待) 習 而 句(後)

奠 憙(喜) 惹(怒) ⿰忄衣(哀) 悲 之 ⿱既火(氣)

眚(性) 也

凡人雖有性, 心亡定志, 待物而後作, 待悅而後行, 待習而後定。喜怒哀悲之氣, 性也。

모든 사람은 비록 성性을 가지고 있지만 그 심心 자체는 하나로 정해진 지향성을 가지고 있지 아니 하다. 그 심心은 외계의 사물과 접촉이 이루어진 후에야 비로소 지향성의 원형이 생겨나기 시작하며, 기쁨의 감정을 맞이한 후에나 비로소 발출하는 활동을 시작하며, 또 학습을 거친 후에 비로소 그 지향성은 안정된 틀을 갖게 된다. 희喜·노怒·애哀·비悲의 기氣야말로 성性이다.

곽점죽간郭店竹簡, 『성자명출性自命出』 BC 4세기

중용
中庸

第一天命章

tiān mìng zhī wèi xìng shuài xìng zhī wèi dào xiū dào zhī wèi jiào
1 天命之謂性，率性之謂道，脩道之謂教。
천 명 지 위 성 솔 성 지 위 도 수 도 지 위 교

dào yě zhě bù kě xū yú lí yě kě lí fēi dào yě shì gù
2 道也者，不可須臾離也。可離，非道也。是故
도 야 자 불 가 수 유 리 야 가 리 비 도 야 시 고

jūn zǐ jiè shèn hū qí suǒ bù dǔ kǒng jù hū qí suǒ bù wén
君子戒愼乎其所不睹，恐懼乎其所不聞。
군 자 계 신 호 기 소 불 도 공 구 호 기 소 불 문

mò xiàn hū yǐn mò xiǎn hū wēi gù jūn zǐ shèn qí dú yě
3 莫見乎隱，莫顯乎微，故君子愼其獨也。
막 현 호 은 막 현 호 미 고 군 자 신 기 독 야

xǐ nù āi lè zhī wèi fā wèi zhī zhōng fā ér jiē zhòng jié
4 喜怒哀樂之未發，謂之中；發而皆中節，
희 노 애 락 지 미 발 위 지 중 발 이 개 중 절

wèi zhī hé zhōng yě zhě tiān xià zhī dà běn yě hé yě zhě
謂之和。中也者，天下之大本也；和也者，
위 지 화 중 야 자 천 하 지 대 본 야 화 야 자

tiān xià zhī dá dào yě
天下之達道也。
천 하 지 달 도 야

zhì zhōng hé tiān dì wèi yān wàn wù yù yān
5 致中和，天地位焉，萬物育焉。
치 중 화 천 지 위 언 만 물 육 언

제 1 장【천명장天命章】

[1]천天이 명命하는 것, 그것을 일컬어 성性이라 하고, 성을 따르는 것, 그것을 일컬어 도道라 하고, 도를 닦는 것, 그것을 일컬어 교敎라고 한다. [2]도道라는 것은 잠시須臾라도 떠날 수 없는 것이다. 도가 만약 떠날 수 있는 것이라면 그것은 도가 아니다. 그러므로 군자君子는 보이지 않는 데서 계신戒愼하고, 들리지 않는 데서 공구恐懼한다. [3]숨은 것처럼 잘 드러나는 것이 없으며, 미세한 것처럼 잘 나타나는 것이 없다. 그러므로 군자는 그 홀로있음獨을 삼가는愼 것이다. [4]희노애락喜怒哀樂이 아직 발현되지 않은 상태를 중中이라 일컫고, 그것이 발현되어 상황의 절도節에 들어맞는 것을 화和라고 일컫는다. 중中이라는 것은 천하天下의 큰 근본大本이요, 화和라는 것은 천하사람들이 달성해야만 할 길達道이다. [5]중中과 화和를 지극한 경지에까지 밀고 나가면, 천天과 지地가 바르게 자리를 잡을 수 있고, 그 사이에 있는 만물萬物이 잘 자라나게 된다.

天命之謂性, 率性之謂道, 脩道之謂敎。

천天이 명命하는 것, 그것을 일컬어 성性이라 하고, 성을 따르는 것, 그것을 일컬어 도道라 하고, 도를 닦는 것, 그것을 일컬어 교敎라고 한다.

沃案 『논어』를 펼치면 이와 같은 공자의 말씀이 적혀있다: "배워 때로 익히니 또한 기쁘지 아니 하뇨?學而時習之, 不亦說乎?" 이것은 공자가 말년에 자기 전 일생을 회고하면서 내친 탄영歎詠 같은 것이지만, 그것은 성격상 어떤 개념적 사유의 진술이라기보다는 자신의 일상적 삶에 대한 진솔한 소회라고 보아야 할 것이다. 물론 그 진술의 배면에도 "호학好學"이라고 하는 공자가 가장 비중을 둔 생의 주제가 깔려있다. 그러나 "하늘이 명하는 것, 그것을 일컬어 성性이라고 한다天命之謂性"라는 『중용』의 첫머리는 그러한 『논어』의 로기온(말씀)자료와는 매우 성격이 다르다. 우선 "천天"이니 "명命"이니 "성性"이니 하는, 일상생활에서 잘 쓰지 않는 형이상학적 개념들을 진술의 주요부분으로 하고 있으며, 따라서 일상적 삶의 소회에 대한 영탄이라기보다는, 어떤 체계적 의도를 가지고 논리를 전개해가는 철학적 논술이라고 말할 수 있다.

예수의 바이오그라피적 자료라고 말할 수 있는 복음서의 다양한 형태를 한번 살펴보자! 4복음서 중에서 가장 먼저 성립했다고 학자들의 소견이 일치하는 마가복음은 다음과 같이 시작한다: "하나님의 아들 예수 그리스도 복음의 시작이라 … 세례 요한이 이르러 광야에서 죄사함을 받게 하는 회개의 세례를 전파하니 … "

아주 짧은 말이지만 그 속에 이미 "복음"(유앙겔리온, εὐαγγέλιον)이 단순히 "전기"라는 뜻이 아니라 "기쁜 소식"이라고 하는 선포양식임을 말하고 있고, 그 소식의 내용은 예수라는 역사적 인간은 보통 사람이 아니라 기름부음을 받은 자인 그리스도이며 또 동시에 하나님의 아들이라고 하는 것을 전하고 있다. 그리고 그 기쁜 소식에 관하여 예수와 비슷한 성격의 예언자였으며 당대에 팔레스타인 사람들에게 예수보다는 훨씬 더 잘 알려져 있었던 "요한"이라는 "광야의 사람"의 "세례 βάπτισμα, baptism"라고 하는 특수한 "회심"(회개라고 번역하지만 그것은 의도적 오역이며, 원어는 메타노이아 μετάνοια, 즉 "생각을 돌린다"는 뜻이다)의 사건을 언급함으로써 그 시작을 알리고 있는 것이다. 그러나 마가복음은 유앙겔리온이라는 양식을 빌린 사건중심의 드라마라는 것을 알 수 있다. 더 정확히 말하자면 마가라는 작가가 "복음"이라는 드라마양식을 창조했다고도 말할 수 있다.

이에 비하면 마가복음보다 약 30년 정도 늦게 성립했다고 보는 요한복음의 첫 구절은 다음과 같다: "태초에 말씀이 계시니라. 이 말씀이 하나님과 함께 계셨으니, 이 말씀이 곧 하나님이시니라."

이 첫마디만 보아도 요한복음은 마가복음과 같은 "복음"의 양식에 속하는 것이기는 하지만 매우 다른 관점에서 쓰였다는 것을 알 수 있다. 그럴듯한 역사적 사건중심의 내러티브narrative가 아니라, 어떤 철학적 논점을 관철시키기 위한 추상적 논리의 전개라는 느낌이 든다. "태초"(ἀρχή, 아르케), "말씀"(λόγος, 로고스), "하나님"(θεός, 테오스) 등의 개념은 일상적인 단어들이 아니며, 매우 무거운 철학적 함의를 지닌 말들이다. 더구나 "A는 B와 같이 있었다"라는 명제와 "A는 B였다"란 명제는 상식적으로 하나의 문장으로 연접되기는 곤란한 것이다. "도올이 예수와 함께 있었다"와 "도올은 예수였다"라는 말은 하나의 사태를 동시에 진술하는 문장의 성분들은 아니다. 이러한 문제에 관하여 궁금한 사람은 나의 『요한복음강해』(서울: 통나무, 2007) 67~100을 참고하면 된다. "말씀이 하나님과 함께 계셨다"는 구원론적 측면soteriological aspect을 말한 것이고, "말씀이 곧 하나님이시었다"는 우주론적 측면cosmological aspect을 말한 것이다.

내가 지금 말하려는 것은 난해한 문헌비평적 이야기가 아니라, 『논어』의 "배우니 기쁘다"라는 말과 『중용』의 "하늘이 명하는 것이 성이다"라는 말의 차이, 그리고 마가복음의 "복음의 시작이다"라는 말과 요한복음의 "태초에 말씀이 계시었다"라는 말의 차이에는 공통의 유비관계가 있을 수도 있다는 것이다. 마가는 대승불교의 사람들이 불상이라는 구체적 형상을 만들어(초기불교에서는 금기시되었던 것임) 싯달타라는 역사적 각자覺者의 이미지를 구체적으로 부각시켰던 것처럼, 예수라는 어떤 사건이 복수적 사태일 수도 있거나 혹은 신화적 이미지에 머물러 있을 수도 있었던 희미한 것을 매우 구체적인 갈릴리의 지평 위의 구체적 사건으로서 드라마타이즈시키는 데 성공했다. 그러나 요한은 그러한 마가의 복음서 드라마 장르를 로고스기독론Logos Christology이라는 당대의 영지주의Gnosticism와 헬레니즘의 철학적 사유를 결합시킨 추상적 논리의 결구 속에서 철저히 재해석했다. 로고스와 예수의 결합은 예수라는 사건에 심오한 철학적 해석의 지평을 제공했다. 예수는 로고스를 통하여 하나님과의 아이덴티티를 확보하며, 또다시 로고스의 육화Incarnation를 통하여 인간과의 유대감을 확보하고 구속사적 사명을 달성하며, 부활과 재림에 관하여 우주이법적 해석을 부여받는 것이다.

『논어』를 편찬한 사람들은 공자에 대한 개념적 해석을 거부했다. 로고스기독론과도 같은 어떤 일관적 틀 속에서 공자를 바라보기를 거부했다. 일상적 공자를 포와 폄의 두려움 없이 있는 그대로 기술함으로써 독자 자신들이 스스로 공자에 관하여 판단하도록 방치했다. 바로 이러한, 궁극적으로 방관자적 편찬태도가 아이러니칼하게도 『논어』 속의 공자에게 영원한 생명력을 부여했다. 『논어』의 공자상은 꾸밈없고 발랄하며 일체의 신화와 신성을 거부한다. 신성을 거부한다는 맥락에서만 오히려 신적divine이라고 말할 수 있을 것이다.

그런데 『중용』은 확실히 『논어』와는 다르다. 우선 『논어』는 『중용』에 비하면 내용이 방대하다. 『논어』가 13,700여 자인데 『중용』은 3,560여 자이다. 『논어』는 한 사람에 의한 단일한 편찬일 수 없으며 시대적으로도 긴 시간에 걸쳐 축적된 것으로 볼 수밖에 없다. 그런데 비하면 『중용』은 한 사람에 의한 단일한 저작으로서 기원전 5세기 중엽에 성립한 것이다. 따라서 『중용』은 자사子思라는 탁월한 사상가가 공자의 언행을 철학적 테마를 표방하는 시스템으로서 규합하여 하나의 사상운동으로서 제시한 것이다. 그 사상운동이 결국 우리가 후세에 "유교儒敎Confucianism"라고 부르는 어떤 문명흐름의 프로토타입이 된 것이다. 물론 공자 이전에도 유교pre-Confucian Confucianism는 있다. 유교는 결코 공교孔敎가 아니다. 그러나 공문孔門의 학파성을 띤 유교의 원형은 『중용』에서 찾아질 수밖에 없다. 독자들은 이러한 나의 말을 이 책의 후반에서 깨닫게 될 것이다.

그렇다면 요한에게 로고스기독론이 있었듯이, 자사에게도 어떤 규합개념organizing concept의 핵심이 있었을까?

물론 있다! 그것은 무엇인가? 대부분의 사람들은 그것이 바로 "중용"이라는 테마가 아니겠냐고 반문할 것이다. 이 책의 제목이 『중용』이기는 하지만 이 책은 전체적으로 볼 때, 꼭 "중용"이라는 한정된 테마를 전달하기 위하여 쓴 책이 아니다. 제1장은 『중용』 전체의 사상을 요약한 집약된 논설의 명작으로 잘 알려져 있다. 그런데 『중용』 제1장에는 "중용中庸"이라는 말은 등장하지 않는다. "중용"이라는 개념이 하나의 주요한 독립개념으로서 다루어져 있기는 하지만 그것은 자사의 말로서 등장하는 것이 아니고, 공자의 말로서 제2장에서 제11장에 걸쳐 산만한 로기온 단편 속에 등장하고 있다(제27장에 단 한 번 자사의 말로서 나온다). 다시 말해서 "중용"은 공자의 단편적 말씀자료 속에 비쳐진 개념일 뿐이었으며 체계적 논설의 테마는 아니었던 것이다. 자사의 철학적 사유를 유발시킨 계발적 계기였을 뿐, 자사가 말하고자 하는 것은 "중용"을 실마리로 해서 들어가는 어떤 새로운 총체적 가치의 우주였던 것이다. 그 우주가 바로 "성誠의 우주"인 것이다. 그 우주를 바라보는 시각이 바로 자사의 "성론誠論"이다. 따라서 "중용"이라는 테마는 "성誠"이라는 우주 속에 포섭되는 것이다. 따라서 지금 여기 제1장의 대강의 논조는 공자의 "중용"보다는 자사의 "성론"이라는 전체적 틀 속에서 이루어지고 있다는 것을 상기할 필요가 있다. 자사의 성론은 제20장 말미에 등장하기 시작하는 공자의 말씀자료를 계기로 하여 제21장부터 본격적으로 시작하여 제26장까지 그 웅장하고도 치밀한 모습을 드러낸다. 여기 제1장의 모두冒頭의 논의는 제21장의 첫머리의 논의와 내면적으로 일치하는 구조를 과시하고 있다는 사실도 우리가 주목해야 할 텍스트상의 문제이다.

주제 \ 장	제1장	제21장
성性	천명지위성天命之謂性	자성명위지성自誠明謂之性
교教	수도지위교脩道之謂教	자명성위지교自明誠謂之教

그러니까 요한에게 로고스기독론이 있었다면 자사에게는 성론이 있었다는 것이다. 그러니까 『중용』을 읽고 "중용"만을 말하고 "성誠"을 말하지 않는 자는 『중용』을 읽지 않은 것이다. 요한의 로고스기독론은 영지주의적 색채를 띤 신화적 세계관이었지만 자사의 성론은 일체의 신화적 테마나 인식의 틀이나 어휘가 거부되는, 과학과 종교와 윤리와 미학이 통합되는 순결한 인문주의적 세계관이었다는 사실은 동·서문명 대세의 탈주술적 심도의 차이를 너무도 극명하게 예시하는 것이다.

그런데 "중용"에 대한 가장 큰 일반인들의 오해는 그것이 우리의 삶의 자세에 있어서 어떤 행동규범상의 "가운데"를 지칭하는 것이라고 하는 근거없는 통념에 관한 것이다. 나는 좌파도 아니고 우파도 아닌 중용의 길을 걸어가겠다고 호언하는 자는 결국 회색분자도 안되는 소인배에 지나지 않을 것이다. 그러한 "중용"은 우리가 인생을 살아가는 데 문제의 핵심을 도피하거나, 적당한 타협을 유도하거나, 이것도 저것도 아닌 우유부단한 머뭇거림의 비겁한 방편을 제시하는 그런 말장난에 지나지 않는다. 공자나 자사는 그러한 "중용"을 말한 적이 없다. 대개 그러한 "중용"의 개념은 서양철학에서 온 것이며, 특히 아리스토텔레스의 『니코마코스윤리학*Ethica Nicomachea*』을 가득 메우고 있는 언어에 대한 피상적 이해로부터 온 것이다.

아리스토텔레스의 전체철학을 지배하는 세계관의 일반적 정서가 매우 목적론적teleological이라는 데 아무도 이의를 달지 않는다. 그는 플라톤에 비하면 매우 생물학적이고 자연주의적이고 현상론적이라고는 하지만, 자연의 인과관계를 파악하는 데 있어서도 그는 "목적인"을 중시하며, 형상과 질료의 하이어라키에 있어서도 형상을 항상 가치의 우위에 둔다. 기실 알고보면 아리스토텔레스의 철학체계는 좀 변형된 플라토니즘에 불과할 수도 있다. 플라토니즘에 대한 근원적으로 새로운 테제는 아닌 것이다. 인생을 바라보는 데 있어서도 그는 인생이 그냥 있는 그대로 있다라는 생각을 수용할 수가 없다. 사람이란 태어나서 살다가 죽는다. 이런 단순한 사실을 있는 그대로 수용할 수 없을까? 도가계열의 사상가들에게는 너무도 당연한 이러한 사실이, 서양의 철학자들에게는 단 한순간도 수용된 적이 없다. 그러한 방치는 인간의 삶을 무의미하게 만들 뿐이라고 생각한다. 그러나 실상은 그러한 무의미성이야말로 모든 의미성의 기초가 되어야만 한다. 이것이 바로 자사의 성론이 서방의 사람들에게 이해되기 어려운 이유 중의 하나일 수도 있다.

서구인들이 말하는 삶의 의미는 진정한 삶의 의미가 아닐 수도 있다. 인간을 순수하게 방치하지 못하고 그것에 반드시 어떤 의미를 부여해야만 한다고 생각하는 모든 논의는 기실 알고보면 인간을 체제나 신화의 질곡 속에 예속시키기 위한 음모이다. 아리스토텔레스의 목적론적 세계관은 중세기 토미즘Thomism에 전승되어 헤겔철학에까지 뻗쳐내려오고 있는 것이다. 아리스토텔레스의 윤리설도 목적론적 틀을 가지고 있다고 말할 수 있다. 칼은 그냥 칼로서 존재하는 것이 아니라, "물건을 베기 위하여" 즉 그런 목적을 구현하기 위하여 존재한다. 그런 목적을 구현하기 위하여서는 칼의 날이 매우 날카롭고 단단하여 잘 들어야 한다. 칼이 "벰"의 기능을 최고로 잘 수행하는 그러한 성질을 "칼의 덕德"이라고 한다. 이때 "덕"이라는 말을 희랍어로 "아레떼 *aretē*"라고 하는데, 이것은 "탁월함" "훌륭함excellence"의 의미를 갖는다.

인생의 궁극적인 목적이란 무엇인가? 인간이 "인간으로서" 가장 탁월한 기능을 발휘케 하는 그러한 궁극적 목적이란 무엇인가? 궁극적 목적이란 그것이 다른 무엇의 수단이 될 수 없다는 뜻의 궁극성과, 더 이상 아무것도 보탤 필요가 없는 자족함이라는 뜻의 완전성의 두 측면을 모두 갖추어야 한다고 아리스토텔레스는 말한다. 이 두 가지 성질을 갖춘 그 궁극적 목적을 아리스토텔레스는 "행복*eudaimonia*"라고 말한다. 다시 말해서 인간은 있는 그대로 있는 것이 아니라, 행복해지기 위해서 존재한다는 것이다. 이러한 아리스토텔레스의 윤리관은 "천당가기 위해서 존재한다"든가, "신이나 신의 중개자에 의하여 구원받기 위하여 존재한다"는 후대 서구기독교의 종말론적·구원론적 세계관과는 매우 다른 것이다. 그리고 훨씬 비종교적인 건강함이 있다. 그리고 인간을 신 앞에 왜소하게 비하시키지도 않는다. 그런데 문제는 "행복"이 무엇이냐에 관한 것이다.

우리는 『니코마코스윤리학』을 읽을 때도 "행복*eudaimonia*"이라는 말을 현대인들의 심리적 개념으로 전적으로 오해하는 경향이 있다. "행복"은 "기분좋게 몽롱한 심적 상태a mental state of euphoria"가 아니다. 대개 현대인이 "행복하다"는 말을 쓸 때는 애인을 만나 몽롱하게 기분좋거나, 상을 받아 흥분되었다거나 하는 심리적 상태를 표현한다. 아리스토텔레스가 말하는 "유다이모니아"는 심적 상태가 아닌, "성공적 삶"을 말하는 것이다. 그것은 정적인 상태가 아닌 동적인 활동dynamic activity이다. 물론 "성공적 삶"이란 "아레떼"라는 희랍인들의 일반적 관념과 분리해서 생각할 수 없다. 당연히 "성공적 삶"이란 인간이 인간으로서의 특유한 총체적 기능을 가장 잘 발현하는 활동을 구현하는 것이다. "잘 산다"는 것은 "잘한다"는 것이다. 여기서 "잘함"이란 요리사가 요리를 잘한다는 국부적 기능을 말하는 것이 아니라, 인간이 인간다움의 최상을 구현한다는 매우 추상적이고도 일반적인 총체적 기능의 구현을 의미하는 것이다.

아리스토텔레스는 "인간은 이성적 동물이다"라고 말한다. 이 명제는 인간이라는 종을 타 동물의 종과 구분시키는 가장 근원적인 종차種差가 "이성*logos*" 혹은 "지성*nous*"이라는 사실을 언명하는 것이다. 따라서 인간을 인간다웁게 만드는 기능은 이성이고, 인간이 인간으로서의 아레떼를 구현하는 것도 바로 이성과 지성의 기능 및 그 활동에서 실현되는 것이다. 결국 "유다이모니아"라는 것도 아레떼와 합치되는 지성의 활동an activity of the soul in accordance with excellence으로서 규정되는 것이다. 중용은 인간에 있어서 이성적인 것과 비이성적인 것의 상호관계설정을 위한 준거로서 제시된 것이다. 중용에 일치하는 훌륭한 상태야말로 윤리적인 덕으로 불리운다. 그런데 아레떼의 경우 품성의 탁월함excellences of character과 지성의 탁월함excellences of intellect이 있다. 그러나 우리가 보통 윤리적인 덕성이라고 부르는 것은 품성의 탁월함과 더 직접적으로 관계되어 있다. 아리스토텔레스는 『니코마코스윤리학』(Bk.II, Ch.6, 1107a 1~8)에서 탁월성(아레떼)을 다음과 같이 정의하고 있다:

> 탁월성은 이성적 선택과 결부되어 굳어진 품성의 상태이며, 중용, 즉 우리 삶과 상관관계에 있는 중용에서 구현되는 것이다. 이 중용은 어떠한 합리적 원리에 의하여 결정되는데, 실천적 지혜를 가진 사람은 그 이성적 원리에 의하여 그리고 행위와 관련하여 결정함직한 방식으로 중용을 결정하게 된다. 중용이란 어디까지나 두 악덕 사이의 중용이다. 하나의 악덕은 과도함에 의존하고, 또 하나의 악덕은 결핍에

의존한다. 그리고 또 그것이 중용인 까닭은 악덕은 우리의 감정과 행위에 있어서 옳은 것에 미치지 못하거나 지나치게 넘어서지만, 탁월함(덕)은 중간의 것을 발견하고 선택하기 때문이다. 이런 까닭에 탁월함은 그 실체와 그 본질을 규정하는 정의에 있어서는 중용이지만, 최선의 것과 가장 옳은 것을 추구한다는 점에서는 정점(극단)을 따르는 것이다.

윤리란 본시 실천적인 것이다. 선이 무엇이냐라는 질문과, 어떻게 선한 사람이 되느냐라는 질문은 차원을 달리하는 것이다. 윤리는 전자보다는 후자에 속하는 것이다. 선인이 된다고 하는 것, 즉 성공적인 삶을 산다고 하는 것은 일차적으로 품성의 문제이다. 그것은 지적인 훌륭함이라기보다는 인격적 훌륭함의 문제인 것이다. 그런데 인격적 훌륭함이란 습관*ēthos*의 축적된 결과로 생겨나는 것이다. 윤리적*ēthikē*이라는 말은 습관*ēthos*이라는 말의 형용사형이다. 즉 윤리와 습관은 같은 어원을 가지는 말들이다. 인격적인 또는 윤리적인 훌륭함은 습관을 통하여 형성되는 것이다. 인격적인 또는 윤리적인 탁월함은 천성으로 생기는 것이 아니라는 것이다. 용감한 사람이 되는 것은 용감한 행위를 계속해 버릇함으로써 그러한 습성*hexis*이 생겨나고 그러한 성격상태가 형성된다는 것을 의미한다. 그것은 일시적으로 우발적으로 하는 행동이 아니라, 그러한 방식으로 마음상태가 지속되는 "굳어진 습성"이다. 이러한 윤리적 탁월함을 발현하는 데 있어서 지적 탁월함도 판단의 기준으로서 같이 계발될 수밖에 없다. 그런데 지적 탁월함 또한 오랜 세월을 노력하고 반복하여 계발되는 지성의 굳어진 습성이다.

그러나 중용은 일차적으로 인격적 훌륭함과 관련되는 것이다. 인격적 또는 윤리적 훌륭함이란 우리가 누구나 삶에서 겪는 일이나 감정, 정서*pathē*, 그리고 행위*praxis*와 관련된다. 이것들에는 지나침*hyperbolē*과 모자람*elleipsis*, 그리고 중간상태*to meson*가 있다. 훌륭함(덕)이란 중간상태를 목표로 하는 성질을 반드시 지녀야 한다. 그러나 중용은 고정적인 것이 아니다. 상황에 따라 그리고 사람에 따라 중용은 유동적일 수밖에 없다. 그래서 앞의 인용문에서 "탁월성은 이성적 선택과 결부된 품성의 상태"라고 말했던 것이다. 중용은 그 상황상황에서 선택*proairesis*을 요하는 것이다. 선택은 반드시 이성의 개입을 동반한다. 선택은 가볍게 하는 그런 성격의 것이 아니라, 목적과 심사숙고*bouleusis*가 수반되어 있다.

인격적 또는 윤리적 훌륭함(덕)은 같은 유형의 행위나 감정 내지 정서와 관련하여 그때마다 한결같이 중용의 원칙에 따라 선택을 함으로써, 마침내 그런 행위방식이 그 행위자의 습성으로 또는 성격상태로 굳어질 때에야 실현을 본다. 그러나 정작 이 선택을 제대로 하기 위해서는 "지적인 훌륭함"이 요구될 수밖에 없다(박종현, 『헬라스 사상의 심층』 65). 아리스토텔레스가 말하는 "중용"이란 이런 것이다. 용기courage는 비겁cowardice과 만용rashness의 중용이며, 너그러움liberty은 낭비prodigality와 인색meanness의 중용이며, 긍지proper pride는 허영vanity과 비굴humility의 중용이며, 기지ready wit는 익살buffoonery과 아둔boorishness의 중용이며, 겸손modesty은 수줍음bashfulness과 몰염치shamelessness의 중용이다. 아리스토텔레스는 이런 식으로 윤리적 덕의 항목들을 끊임없이 나열하면서 자세한 상황적 설명까지 덧붙이고 있다. 우선 용기라는 덕목 자체가 우리가 삶의 체험 속에서 느낄 수도 있고, 사회적 공감 속에서 어느 정도의 개념적 공통성을 가질 수도 있기는 하지만, 그것은 근본적으로 이렇게 실체적으로 취급될 수는 없는 것이다. 더구나 비겁과 만용의 중간항이라는 양적·직선적 비교의 대상이 될 수는 없는 것이다. 용기에 대하여 비겁과 만용이 독자적인 극단항목으로서 실체화될 수 없는 것이다. 어떤 때는 비겁한 듯이 보이는 행동이 용기가 될 수도 있고, 어떤 상황에서는 만용이 위대한 용기의 전범이 될 수도 있다. 재미있는 사실은 아리스토텔레스가 이 양 극단을 실체화하고 그것을 악덕vice이라고 확고하게 규정하며, 동시에 반드시 그 가운데the intermediate를 따로 지목하고 있다는 것이다. 악덕은 과過와 불급不及에 의존하는(쏠리는) 상태이며, 선덕이란 인간의 삶의 감정과 행위에 있어서 그 중간항을 선택하는 것이라고 말한다.

공자는 『중용』 제4장에서 "과過" "불급不及"을 언급하고는 있지만, 그것은 지혜롭다 자부하는 자들이 좀 지나치는 경향이 있고, 어리석은 자들이 못미치는 경향이 있음을 지적한 것이지 과過·불급不及의 중간항목으로서의 중용中庸을 규정하거나 언급한 적이 없다. 중용을 "과·불급이 없는 상태"로 규정한 것은 송유, 특히 주희朱熹의 발상일 뿐, 공자–자사의 발상이 아니다. 더욱이 중요한 사실은 공자는 과·불급을 추상으로 언급하기는 했어도, 과·불급에 해당되는 덕성을 구체적으로 지목한 사례는 없다. 공자가 "과·불급"을 언급한 사례는 『논어』에도 단 한 번밖에는 나오지 않는다. 그런데 그것은 근원적으로 "중용"이라는 덕성을 규정키 위한 철학적 논술의 맥락이 아니다. 제자들의 언행이나 위인을 평가하는 데 있어서 대체적인 경향성을 평론하는 단편적 표현으로 나오고 있는 것이다.

자공子貢이 공자에게 여쭌다: "사師(자장子張)와 상商(자하子夏)을 비교한다면 누가 더 훌륭합니까?師與商也孰賢?" 여기에 "훌륭하다賢"는 표현은 희랍철학에서 말하는 "아레떼"와 상통처가 없다고는 말할 수 없겠지만, 기능적 측면보다는 인격이나 타고난 성품 그 전체를 가리키는 것이다. 특히 행위의 방식을 지칭하고 있다. 이 자공의 질문에 대하여 공자는 사師는 과過하고, 상商은 불급不及한 경향이 있다고 평한다. 그러자 자공은 이렇게 말한다: "그렇다면 사師가 상商보다는 더 나은 인간이겠군요.然則師愈與?" 자공은 후배들의 인품이나 행동방식을 비교해보기 좋아하는 습관이 있다. 자공은 상행위와 외교의 달인이었으므로 자연히 소극적인 성격보다는 적극적인 성격을 선호하였을 것이다. 그래서 사師(자장子張)가 상商(자하子夏)보다는 더 쓸모가 있겠다고 되물은 것이다. 이에 대하여 공자는 명답을 내린다: "과한 것이 불급한 것보다 더 나을 것은 없다.過猶不及。"

여기 "과한 것이 불급한 것보다 더 나을 것은 없다"라는 나의 번역은 "과한 것이나 불급한 것이나 다 비슷하다"라는 표현을 맥락적으로 해석한 것이다. 그런데 과한 것이 불급한 것보다 더 나을 것이 없다는 것이 곧 공자가 "중용"의 덕성을 예찬한 것으로 해석하는 오류를 범해서는 아니 된다. 공자의 근원적 관심은 "인仁"에 있었으며, "인仁"이란 주어진 삶의 사태를 감지하고 결단하는 심미적 감수성이며 그것은 근원적으로 상황적이며 역동적인 것이다. 어떠한 중용이라는 실체를 지향하는 것이 아니다. 한마디로 중용은 과·불급의 상대적 사태에 의하여 양적으로 결정되는 그런 덕이 아니다. 단언컨대 중용은 "무과불급無過不及"이 아니다. 중용을 "무과불급"으로 말하는 주희는, 근대정신의 한 표현이기는 하나, 틀렸다. 주희 한 사람만 틀린 것이 아니라 중용을 말하는 대부분의 사람이 틀렸다.

아리스토텔레스의 유치무쌍함은 이루 다 말할 길이 없다. 어찌하여 대한민국의 학동들의 논술고사를 위해 『니코마코스윤리학』이 주요교재처럼 가르쳐지고 있는지 도무지 그 어리석음을 헤아릴 길이 없다. 양극단의 악덕은 모두 중간의 것에 대립하며, 또 동시에 자기들끼리도 대립한다. 그리고 중간은 두 극단에 대해 대립한다. 이런 까닭에 양 극단에 있는 사람들은 중간에 있는 사람을 각기 자기와 반대되는 극단으로 밀어내버린다. 그래서 비겁한 사람은 용감한 사람을 보고 무모하다고 하고, 무모한 사람은 용감한 사람을 비겁하다고 생각한다(Bk. II, Ch.8). 그러면서 그는 중용에 도달하기 위한 실천적 지침으로서 『오디세이아』에 나오는 시구를 인용한다: "배를 저 큰 파도와 물보라 바깥으로 멀어지게 하라. Hold the ship out beyond that surf and spray." 이 시구는 중간의 것을 목표로 삼는 사람은 먼저 중간에 더욱 반대되는 것으로부터 멀어져야 한다는 것을 뜻한다. 두 극단 중에 하나는 더 잘못된 것이며, 다른 하나는 덜 잘못된 것이다. 그래서 중간을 맞추기가 어렵다. 차선의 방법은 그러므로 악 가운데 가장 적은 악을 취하는 것이다. 하여튼 우리는 잘못을 범하는 것으로부터 멀리 떨어짐으로써 중용에 도달할 수 있다. 이 모든 것에서 가장 경계해야 할 것은 즐거움이나 쾌락이라고 말한다.

> Now in everything the pleasant or pleasure is most to be guarded against.(Bk. II, Ch.8).

이러한 류의 아리스토텔레스의 번쇄한 언어로부터 우리는 그가 얼마나 인간의 덕목을 실체적으로 생각하고 있으며, 또 중용을 이 덕목들의 양화된 개념들의 직선적 나열선상에서의 "가운데"로서 규정하고 있는가를 알 수 있다. 이것은 희랍인들의 인간이해의 저급성을 잘 대변해주는 것이다. 아리스토텔레스는 생물학자로서 그의 스승과는 다른 기질의 사람이라고는 하지만 결코 플라톤의 기하학적인 사고를 근원적으로 벗어나지 않고 있다는 것을 알 수 있다. 아리스토텔레스의 윤리학은 정치학의 일부이다. 인간은 군집동물이며 정치적 동물로서 규정되기 때문에 고립된 개체일 수가 없다. 따라서 좋은 친구가 없이는 인간으로서의 아레떼, 즉 중용을 발현할 길이 없다. 그래서 그는 우정에 대해서도 장황한 언변을 토한다. 그리고 친구의 적당한 수의 범위까지 논하고 있다. 참으로 논의하는 방식이 번쇄하고 구질구질하다.

중용은 일차적으로 품성의 탁월함과 관련되는 것이지만, 그래서 후천적 습관의 축적을 강조했지만, 결국 이 모든 중용에 대한 지향성은 인간을 인간다웁게 만드는, 즉 인간을 다른 동물과 구분짓게 만드는 인간성의 가장 고귀한 특질인 이성 혹은 사유의 힘의 발현을 목표로 하는 것이다. 중용을 선택함에 있어서 우리는 이성의 도움을 받지 않을 수 없다. 뿐만 아니라, 중용을 선택한다는 것 자체가, 이성을 한결같이 발현케 하기 위한 습성의 바탕을 형성하는 것이다. 실천적 지혜는 궁극적으로 이성의 기능을 유감없이 잘 발현시키는 것이다. 그러므로 완전한 유다이모니아는 최고의 인간활동인 사색활동에서 이루어진다. 그것은 명상의 삶이며, 관조의 삶이다. 아리스토텔레스의 윤리학이 궁극적으로 주지주의적으로 흐르는 이유는 그는 인간의 궁극적 가치를 이성에서 발견하기 때문이다. 이성은 인성에 내재하는 신성神性이다. 이성은 인간 속에 신이 존재한다는 것을 입증하는 사태이다. 우리가 관조적 삶을 산다는 것은 우리 안에 있는 **하나님을 재배하는 것이다.** 관조적 삶이란 궁극적으로 인간의 문제에 관하여 신에 의한 관조를 획득한다는 것을 의미한다. 따라서 지적인 탁월함을 획득하는 것이야말로 인간으로 가장 진정으로 쾌락적인 삶을 획득하는 것이다. 아리스토텔레스는 품성의 덕에 있어서는 중용을 말했지만 지성의 덕에 있어서는 중용을 말하지 않는다. 자기 자신의 이성의 올바른 활동을 발현시키고 그것을 육성해나가는 사람은 그 영혼이 최선의 상태에 있다고 하겠으며, 신들로부터도 가장 큰 사랑을 받게 될 것이다. 신들이 인간세의 사건들에 어떤 관여를 한다면, 모든 사람들이 그렇게 믿고 있듯이, 신들은 자기 자신에게 가장 바람직하고 가장 가까운 것, 즉 인간의 이성적 삶을 가장 기뻐하리라는 것은 너무도 당연한 이치이다. 그리고 신들은 이 이성을 가장 사랑하고 명예롭게 만드는 사람들에게 보상을 주리라는 것 또한 당연하다. 왜냐하면 그들이야말로 신들이 가장 아끼는 것들을 보살폈고 또 정당하고 고매하게 행위하였기 때문이다. 그런데 이 모든 속성이 누구보다도 철학자에게 속한다는 것은 분명한 사실이다. 그러므로 철학자야말로 신들에게 가장 사랑스러운 존재이다. 그리고 철학자야말로 가장 치열하게 유다이모니아를 구현하는 셈이다. 철학자야말로 그 어느 누구보다도 행복한 사람이기 때문이다(Bk. X, Ch.8, 1179a 23~33). 이렇게 하여 그의 "철학자"논의는 정치학으로 넘어가는 브릿지 역할을 하게 된다. 유다이모니아와 일치하는 "선한 삶"이란 궁극적으로 개인에 의하여 성취되는 것이라기보다는 국가에 의하여 성취되는 것이다. 그것은 철인정치에 의하여 구현되는 것이다. 유다이모니아는 궁극적으로 국가가 존재하는 목적이다. 다시 말해서 그의 정치론 또한 목적론적이다. 그의 정치론에서는 퓌지스와 노모스가 자연스럽게 결합되고 있다.

아리스토텔레스의 유다이모니아와 중용의 논의는 아리스토텔레스 사상이 중세기를 통하여 철저히 기독교와 융합된 측면과는 달리, 분명 후대의 기독교적 인간관과는 매우 색다른 것이다. 그러나 내가 여기서 자사의 중용논의와 구분짓고자 하는 것은 인간의 행복의 핵심을 이성으로 보는 그의 시각의 신화성에 관한 것이다. 이성을 신적으로 보는 것은 그의 체계내에서는 정당할 수도 있으나, 이성을 신화적으로 실체화하는 위험성이 결국 르네상스이래의 인간이성에 관한 논의를 또다시 신적인 특수한 인간의 인식기능으로 초월화시켰다는 것이다. 데카르트의 에고가 칸트에게서 선험적·초월적 자아로 발전하고 그것이 또 다시 헤겔의 절대이성으로 확대되어가는 과정의 프로토타입을 우리는 이미 아리스토텔레스에게서 발견할 수 있다. 그러한 이성주의가 아이러니칼하게도 중용에 대한 아리스토텔레스의 논의를 양화시키고, 직선의 가운데로 만들었다고도 역설적으로 말할 수도 있다. 다시 말해서 중용에 대한 포괄적 인간학적 이해의 총체적 바탕이 마련되지 않았다는 것이다. 중용이라는 습성적 덕의 축적과 관련하여 이성이 과연 어떠한 방식으로 그 습성 혹은 품성에 관여하는지에 관해서도 구체적인 규정성이 없으며, 자질구레한 덕목에 관하여, 럿셀이 평가하듯이, 감성의 심도를 가진 사람이라면 혐오감을 느낄 수밖에 없는 너무도 일반적인 "개구라"를 나열해놓고 있는 것은 저질스럽다고 말할 수밖에 없다. 불교에서도 "중中"을 말하지만, 그것은 반드시 "공空"이라든가 "무아無我"라고 하는 포괄적 형이상학의 체계의 바탕 속에서 총체적으로 추상적으로 논의되는 것이다. 자질구레한 덕목의 중간을 모색하는 것이 아니다. 중용을 신화적 이성의 목적론적 수단으로 간주할 것이 아니라, 그 자체로써 심오한 감성·품성·습성적 우주론의 배경을 확보해야만 하는 것이다. 실천적 지혜 그 자체가 심오한 원리가 되어야만 하는 것이다. 이러한 나의 논의가 과연 무엇을 말하고 있는지는 현재로서는 독자들이 『중용』을 읽어나가면서 감지해야 할 과제상황일 뿐이다. 중용적 인간은 결코 이성적 인간이 아니다. 그것은 성誠적 인간이 되어야만 하는 것이다.

자아! 『중용』의 첫구절인 "천명지위성天命之謂性"은 과연 무엇을 뜻하는가? 이 문제를 논의하기 전에 이 구문을 영역한 사례들을 한번 살펴보자!

거의 최초라 말할 수 있는, 그리고 아마도 가장 위대한 중국고전 번역가라고 말할 수 있는 영국 런던선교회 소속의 선교사 제임스 레게James

Legge, 理雅各, 1815~1897의 번역은 다음과 같다.

> What Heaven has conferred is called THE NATURE; an accordance with this nature is called THE PATH of duty; the regulation of this path is called INSTRUCTION.

비슷한 시기에 중국인으로서 유럽에 유학한 꾸 홍밍(辜鴻銘, 1857~1928: 장쯔동張之洞의 막료. 북경대학 교수)은 자신의 시대정신을 부여하면서 다음과 같이 번역하였다.

> The ordinance of God is what we call the law of our being(*xing*). To fulfill the law of our being is what we call the moral law(*dao*). The moral law when reduced to a system is what we call religion(*jiao*).

아주 재미있고 의미심장한 번역이다. 우리 시대의 가장 스탠다드 영역 텍스트를 제공했으며 주자학의 세계적 권위라 자타가 공인하는 재미활약 중국인학자 윙칫 찬(Wing-tsit Chan, 陳榮捷, 1901~1994: 廣東開平縣 출생)의 번역은 다음과 같다.

> What Heaven(*T'ien*, Nature) imparts to man is called human nature. To follow our nature is called the Way(Tao). Cultivating the Way is called education.

최근 프린스턴대학의 동아시아학과 교수 앤드류 플라크스Andrew Plaks

가 번역한 펭귄 클래식 『중용』의 역문은 다음과 같다.

> By the term 'nature' we speak of that which is imparted by the ordinance of Heaven; by 'the Way' we mean that path which is in conformance with the intrinsic nature of man and things; and by 'moral instruction' we refer to the process of cultivating man's proper way in the world.

이 외에도 수없는 번역을 찾아낼 수 있을 것이다. 내가 대표적인 영역문 몇 개를 나열하는 이유는 그 수사학적 차이를 상술하려는 의도가 아니라, 어차피 『중용』의 문장은 현대인에게 있어서는 "해석"의 대상일 수밖에 없으며, 어떠한 해석의 입장을 취하냐에 따라 무한히 가변적일 수밖에 없다는 단순한 사실을 지적하려는 데 있다. 그런데 많은 사람들이 그 "입장standpoint"에 대한 명료한 인식이 없이 "한문실력"이라는 검토되지 않은 애매한 능력으로써 그 해석을 얼버무리고 있다는 것이다.

우선 『논어』「공야장公冶長」12에 보면 자공子貢이 한 말로서 이런 로기온 자료가 수록되어 있다.

> 夫子之文章, 可得而聞也; 夫子之言性與天道, 不可得而聞也。
>
> 선생님께서 문장文章에 관하여 말씀하시는 것은 얻어 들을

> 수 있으나, 선생님께서 성性과 천도天道에 관하여 말씀하시
> 는 것은 얻어 들어 볼 수가 없다.

여기 문장文章이라는 것은 오늘날 현대어에서 말하는 "센텐스sentence"의 뜻이 아니라, "문명文明의 장규章規"라 할 수 있는 것으로 우리가 사는 현실 문명세계의 질서를 의미하는 것이다. 주희가 "문장이란 덕이 밖으로 드러난 것으로 위의威儀·문사文辭가 다 이에 속한다. 文章, 德之見乎外者, 威儀文辭皆是也。"라고 주해한 것도 결국 같은 맥락이다. "문장文章"은 형이하학적인 질서를 말하며 『중용』 제1장의 성性·도道·교敎로 말한다면, "교敎"의 개념과 밀접히 관련되는 것이다. 따라서 자공의 말은 전통적으로 공자가 형이하학적 규범이나 현실세계의 질서에 관한 것은 제자들과 자주 이야기를 나누었으나, 형이상학적인 추상적 개념인 성性이나 천도天道 등에 관해서는 별로 언급한 적이 없다는 뜻으로 새겨왔다. 내가 생각하기에 이 자공의 말은 후대에 한 세트의 픽션으로 꾸며진 말이라기보다는 자공의 진실한 소감을 적어놓은 리얼한 파편이라고 판단한다. 만약 그러하다고 한다면, 자공의 이러한 소회所懷 그 자체가 공자가 형이상학적 문제에 관하여 관심이 없었다는 것을 말하는 것이 아니라, 이미 공자에게나 자공에게나 그러한 형이상학적 문제에 관한 담론이 당대의 디스꾸르*discours*로서 보편화되어 있었다는 것을 입증하는 것이다. 공자가 말하고 말하지 않고는 둘째 문제이다. 성性과 천도天道에 관해 말씀하시는 것을 들어본 적이 없다는 언명 그 자체가 이미 성性과 천도天道에 관해서는 당연히 말씀하심직한 분위기와 사상적 풍토가 무르익어 있었다는 것을 암시하는 것이다. 재미있게

도 "성여천도性與天道"라는 글자를 다 분해해보면 『중용』 첫머리에 나오는 "천天" "성性" "도道" 세 글자와 일치하는 것이다. 따라서 자사의 논의는 공자의 시대에 없었던 논의를 새롭게 창안했다기보다는, 공자의 시대에 이미 보편적으로 통념화되어 있던 담론의 잠재태를 손자 자사子思의 시대에 명료하게 조직된 사상적 체계로 등장시켰다는 의미로 재해석되어야 할 것이다.

"천명지위성天命之謂性"은 최근에 곽점 간백자료로서 나온 『성자명출性自命出』에는 "성자명출性自命出, 명자천강命自天降"(성性은 명命으로부터 나오고, 명命은 천天으로부터 내려온다)라고 되어있다. 결국 "성자명출性自命出"과 "명자천강命自天降"이라는 두 명제를 하나로 합치면 "천명지위성天命之謂性"이 된다.

성자명출 性自命出	+	명자천강 命自天降	=	천명지위성 天命之謂性

『성자명출性自命出』이 『한서』「예문지」에 유가儒家문헌으로 그 목록이 등재되어 있는 『자사子思』 23편 중의 한 편일 가능성이 높다는 견해는 현재 사계의 통론이다. 따라서 『중용』을 해석하는 데 있어서도 『성자명출』의 내용과 문맥을 같이하여 새기는 것이 정당하다는 견해가 지배적이다. 『성자명출』은 『중용』의 배경적 논의였을 가능성이 높다.

그런데 과연 공자는 성性과 천도天道에 관하여 말하지 않았을까? 아마도 후대 인상으로 보면 성性은 맹자의 전공분야이고, 천도天道는 장자의 전공분야라고 말할지 모르겠다. 그러나 공자가 결코 이 분야에 관하여 언급하지 않은 것이 아니라, 그의 생각이 보다 소박하고 포용적이고 간결하고 단순하여 후대의 장황한 관념의 유희에는 잘 포착이 되지 않을 뿐이라고 말하는 것이 보다 진실에 가까운 평론일 것이다. 공자는 매우 명료하게 성性과 천도天道에 관하여 언급하였다. 공자는 말한다:

性相近也, 習相遠也。

성性이라는 것은 서로 가까운 것이다. 그런데 습習에 의하여 서로 멀어지게 된다(17-2).

이 공자의 언급은 매우 간략한 것이지만 후대의 어떠한 논의보다도 더 포괄적인 것이며, 진실한 것이며, 원융적이며, 원론적인 것이다. 그 메시지의 위대함은 "무규정성indefinability"에 있다. 그런데 그 무규정성의 웅혼함을 있는 그대로 해석하지 않고 후대의 규정성의 기준에 의하여 공자의 사상을 원초적인 소박성으로 낮잡아 처리했다는 데 여태까지의 논의의 조잡성이 문제시되는 것이다. 여기 공자의 논의에서 성性이 과연 사람의 성性만에 국한하여 말한 것인지 여타 유기체(물物)를 포괄하여 말한 것인지도 확실하지 않다. 그러나 일단 사람의 성性이라고 해도, 그것에 대하여 일체 그것이 선善이라든가, 악惡이라든가 하는 가치론적 규정성을 내포하지 않는다. 성선性善이니 성악性惡이니 하는 말들은 맹자孟子 이후의 논의들이며 이러한 논의가 반드시 공자사상의 적

통이라고 말할 수는 없는 것이다. 공자는 성性을 후천적 습득이나 학습(“습習”이라고 하는 것은 조류가 날개를 퍼득여서 나는 것을 배우는 과정과 관련있는 말이다) 이전의, 즉 문명적 규정성 이전의 타고난 그대로의 보편성으로만 제시한다. “서로 가깝다相近”는 뜻은 모든 개체간에 생득적으로 공통적인 그 무엇을 의미한다. 공자의 시대에만 해도 “성性”이라는 글자는 “생生”이란 글자와 구분이 없는 동형자同形字였다.

여기 성性에 대한 논의는 모든 “본질주의essentialism”적 사유나 언어가 거부되고 있다는 사실을 기본 특질로 하는 것이다. 나는 여태까지 성性을 논의하는데 “본성本性”이라는 말을 사용하지 않았다. “본성本性”이라는 말 자체가 본질주의적 왜곡을 내포하는 말이기 때문이다. “본성本性”이 있으면 반드시 “말성末性”이 있어야 하고 “가성假性”이 있어야 한다. 지금 공자의 사상에는 본·말, 진·가의 규정성이 없다. 바로 자사子思의 논의는 이러한 공자의 무규정성을 충실히 계승하고 있다. “하늘이 명하는 것” 그것이 “성性”이다라는 자사의 명제는 바로 공자의 논의를 있는 그대로 재천명한 것이다. “하늘이 명하는 것”은 현재진행형이며, 동적인 과정Dynamic Process이며, 따라서 시종始終이 없으며 간단間斷의 휴식이나 정지가 없는 것이다. 따라서 끊임없이 변하는 것이며, 헤라클레이토스적인 것이며, 무규정적인 것이다. 그것은 영원한 로고스나 이데아나 누우스가 아니다. 자사의 논의는 “성性”에 대한 아무런 정의를 내리지 않는다. “성性”은 오직 “하늘이 명하는 것”이라는 동명사구로 환치되었을 뿐이다. 성性은 천명天命이며, 천명天命은 성性이며, 그것은 영원한 과정Process이다.

주희는 「중용장구서中庸章句序」라는, 『중용』의 성격을 포괄적으로 논의하는 매우 공들인 일문에서 "중용은 자사 선생께서 도학道學이 그 전승을 잃을까 걱정하시어 지으신 것이다.子思子憂道學之失其傳而作。"라는 말을 모두冒頭에 언급함으로써 그 서序를 열고 있다. 이 말은 이미 『중용』을 도학道學으로서 바라보겠다는 규정성을 강력히 표방한 것이며, "실기전失其傳"이라는 말은 이미 자사 시대에 제자백가가 난립하여 공문 도학의 적통을 흐려놓은 사실에 대한 배타적 아폴로지로서 이 『중용』이 성립했다는 것을 의미하고 있는데, 이것은 곧 주희시대에 유학의 도통이 도·불에 의하여 실종되었다고 하는 자신이 당면한 시대의식 Zeitgeist을 투영한 것이다. 그리고 이어 말하기를 요임금이 순임금에게 왕위를 전할 때 "윤집궐중允執厥中"이라는 이 한마디로써 치세의 모든 방편과 적통성을 부여하였다고 말한다. 그 뜻인즉 "진실로 그 중中을 잡아라!"라는 것이니, 그것은 중화민족의 대헌장과도 같은 것이다. 모세에게 배타적인 유일신관의 십계명을 내림으로써 살육적이고 복종강요적이며 독선적인 팔레스타인의 역사를 지어낸 야훼의 언설에 비하면 참으로 포용적이고 상황적이고 화평한 높은 격조의 인문세계 언설이라 할 것이다. 주희는 이어, 그 후에 순임금께서 우임금에게 왕위를 물려주실 때에는 그 "윤집궐중允執厥中"이라는 한마디 앞에 "인심유위人心惟危, 도심유미道心惟微, 유정유일惟精惟一"(인심은 위태롭고 도심은 은미하니, 정밀하게 생각하고 한결같이 행동하라)이라는 3마디를 더 보태어 4마디로 만들어 전하였다고 했다. 그런데 여기 주희가 "도학道學"이라는 개념과 관련하여 가장 중시하는 구문은 바로 "위태로운 인심人心과 은미한 도심道心"이라는 인심人心과 도심道心의 구분이다. 도심道心이란 성명지정性命之正이며, 인심人心이란 형기지사形氣之私이다. 물론 도심이나 인심이나 모두 인간의 심心에 속하는 것이나, 인간의 마음은 항상 성명지정에 근원할 때는 도심道心의 측면이 발현되고, 형기지사에 물들어 생겨날 때에는 인심人心의 측면이 발현된다는 것이다. 따라서 주희가 이런 말을 할 때에는 자사의 첫 구절인 "천명지위성天命之謂性"의 "성性"을 인심을 양기揚棄하는 도심의 측면에서 바라보겠다는 강력한 윤리적 이원론의 규정성을 표방하는 것이다. 이것은 물론 송대의 신흥 사대부계급의 윤리체계를 확립하기 위한 근대적 방편으로서 매우 명석하고 유용한 것일지는 모르지만, 과연 그것이 공자-자사의 본의本義인가에 관해서는 우리는 판단을 유보하지 않으면 아니 된다. 아리스토텔레스의 중용도 결국 비이성적인 가치에 의하여 이성적 가치가 함몰되면 아니 된다는 것을 표방한 것이며, 비이성적인 악덕의 가장 보편적인 경계대상으로서 그는 "즐거움" "쾌락"을 언급하고 있다.

그가 중용의 덕목을 다양한 측면에 걸쳐 구질구질하게 나열하고 있지만 결국 중용이란 그 심층구조에 있어서는 "절제temperance, moderation"나 "신중prudence"을 의미하는 것이다. 여기에는 분명 인심과 도심의 구분이 있다. 유대민족이 원죄Original Sin를 말하는 것도 인심의 형기지사形氣之私에 앞에 도심의 성명지정性命之正이 항상 무릎을 꿇고마는 인간의 나약성에 대한 직시이다. 그러나 이러한 논의는 주희가 불교를 통하여 인도-유러피안어계의 사유구조를 부지불식간에 흡수한 결과로 명료하게 드러나는 것이지, 결코 중화민족의 본래적 사유패턴으로 간주할 수는 없는 것이다. 주희의 배불排佛은 이미 불교적 사유의 바탕 위에 서있다. 주희의 도학道學은 "유교의 불교화"라고까지 혹평할 수도 있다.

그렇다면 공자-자사가 말하는 성性이란 무엇인가? 상근相近의 생生 그대로의 성性이란 무엇인가? 다시 반복하지만 이에 대한 해답은 이미 주어져 있다. 그것은 "하늘이 명하는 것"이라는 동명사구를 떠나서는 한 치도 발설될 수 없는 것이다. 그렇다면 도대체 "하늘이 명하는 것" 이란 무엇인가? 여기서 "하늘" 즉 "티엔*Tian*"이란 본시 하나의 단독명사로 쓰일 때는 분명히 인격신의 개념이 있었다. "천天"이라는 글자에서 제일 위의 한 획을 제거하면 "대大"라는 글자가 되는데 "대大"는 분명하게 사람이 손발을 벌리고 있는 정면상()임에 분명하다. 사람을 옆에서 본 측면상이 "인人"이라는 글자인데(), 사람을 옆에서 본다는 것은 객관적으로 거리를 두고 보는 것이기 때문에 위압감을 느끼지 않는다. 그러나 앞에서 정면으로 보면 그 사람에 대하여 위압감을 느끼게 되며, 더구나 북면하는 신하가 남면한 왕을 대할 때는 그의 마제스틱한 거대함을 느끼게 된다. 그래서 사람의 정면상이 "크다"는 의미를 갖게 된 것이다. "크다"라는 뜻은 고대사회에서는 당연히 "초월"의 의미도 내포한다. 그런데 이 "대大" 자 위에 작대기를 걸친 "천天"이라는 글자는() 상식적으로 생각할 때 사람의 머리 꼭대기를 강조해서 무엇인가를 지칭한 것일 수도 있고, 머리 위로 펼쳐지는 하늘을 상징한 것일 수도 있다. 그러나 머리 위에 관을 쓴 모습일 수도 있고 또 머리가 잘려 나가는 형벌을 상징할 수도 있다. 하여튼 일찍부터 고대중국에서 철학적 개념이라기보다는 외경의 대상으로서 종교적 의례儀禮의 주신

主神으로서 인식되어온 것이다.

그러나 이러한 인격신의 개념은 주나라의 인문혁명을 거치면서 철저히 그 종교적 함의를 탈색시켜갔다. 주공周公은 정치적 혁명을 하나님의 명령에 의한 것이 아니라, 철저히 인간의 힘에 의한 것으로 이해하였다. 즉 하나님에게 미쳐 인간을 저버린 통치자들에 대한 인간의 징벌로서 이해하고, 새로 혁명된 신 왕조는 인간이 인간을 위하여 인간의 힘으로 그 모든 예악형정禮樂刑政의 질서를 수립해야만 한다고 다짐하였다. 이러한 변화가 하루아침에 이루어지는 것은 아니지만 문文·무武·주공周公·성왕成王으로 이어지는 주나라의 컬쳐 히어로우들이 인문人文주의의 원칙을 확립했기 때문에, 그 뒤로 공자의 시대에 이르기까지 꾸준히 그 인문정신은 확대일로를 걸을 수밖에 없었다. 이 주나라의 인문정신이야말로 공자가 집대성함으로써 확고하게 그 틀을 구축한 것이며 인류의 여하한 고대문명에 그 유례가 없을 뿐 아니라, 현재 미국문명조차 그러한 주대의 인문정신의 수준에도 훨씬 미치지 못한다. 주나라 수준만 되어도 창조론을 공교육과정에 의무적으로 가르쳐야 한다고 믿는 사람이 전 인구의 반수에 가까운 그런 광기는 있을 수가 없는 것이다.

따라서 자사의 시대에 이미 "천天"이라고 하는 것에 관하여, 초월적 인격신의 구체적 이미지는 실제로 그림자도 찾아볼 수가 없다. 그러나 수천년 내려온 "천天"의 신적인 인격성의 함의는 "천天"이라는 글자 속에 투영되어 그 잔상이 겹치고 있는 아이러니칼한 측면도 부정할 수

만은 없다. 이 "천天"의 신성과 인성, 초월성과 내재성, 종교성과 인문성, 성聖과 속俗, 인격성과 자연성의 충돌과 공재共在와 융합融合은 『중용』의 언어의 심도와 다양성을 형성하고 있다.

그러나 후반의 성론誠論에 가서 명료하게 드러나겠지만 자사에게는 이미 "천지코스몰로지Tian-Di Cosmology"라고 하는 독특한 우주론의 체계가 인식의 틀로서 장착되어 있다. 따라서 여기의 "천天"은 거의 "천지天地"의 줄임말이라고 해도 크게 잘못되지 않는다. 그러나 『성자명출』에서 "명자천강命自天降"이라는 표현을 쓴 것을 보면 인격신적인 함의가 완전히 사라진 것만은 아니라는 것을 알 수 있다.

그러나 여기 "명命"이라는 것도 "천天"이 인간에게 하명下命한다, 즉 일방적으로 명령을 내린다는 뜻으로 새길 수는 없다. 그렇다면 "명命"도 일방적인 것이 아니라 쌍방적인 것이 되며, 그것은 궁극적으로 "교섭mutual comprehension" 정도의 의미내용을 지니게 될 것이다. 따라서 "성性"을 "하늘이 명하는 것"이라고 일컫는 것의 궁극적 의미는 "성性"은 "천지와의 교섭 속에서 형성되어가는 과정적인 성향"이라는 의미 정도로 번역될 수 있을 것이다. 그렇다면 과연 그 "성향tendency"이란 무엇을 가리키는 것일까? 우리는 이러한 질문을 집요하게 계속 던져볼 수도 있는 것이다.

일단 우리의 논의의 성과로 볼 때, "성性"은 인심과 도심이 분열된 상태에서의 도심을 말하는 것이 아니며, 주희가 말하는 리기론理氣論적

구조 속에서의 "리理"를 말하는 것이 아니라는 것은 너무도 확연하다. 그리고 나는 "천명지위성天命之謂性"의 "성性"이 인간의 "성性"에 국한된다고 보지도 아니 한다. 천지와 교섭하는 존재가 반드시 인간에 국한될 수는 없기 때문이다. 나는 서재에서 벌써 만 4년째 닭을 키우고 있는데, 내가 인간의 성性에 관하여 말할 수 있는 만큼의 복잡한 언설을 닭의 성性에 관해서도 응용할 수 있다고 생각한다. 맹자도 이런 말을 한 적이 있다: "사람이 동물과 다를 바가 거의 없다. 人之所以異於禽獸者幾希。"(4b-19) 인간중심의 편견을 벗어날 때, 대자연의 모든 개체는 무한한 성性의 깊이를 가지고 나에게 다가온다. 돌멩이 하나에도 매우 복잡한 성性의 구조가 있다. 이것은 도道·유儒의 차별적 세계관의 문제가 아니다.

아까 몇 개의 영역英譯을 나열했지만, 우리가 보통 "인간본성"(나는 "본성本性"이라는 말을 거부한다. 그러나 일상언어의 용례에 따라 때때로 사용하지 않을 수 없다)이라고 말할 때 그것을 표현하는 서양언어는 예외없이 "휴먼 네이쳐human nature"가 된다. 다시 말해서 "성性"은 "nature" 이외의 다른 적당한 말이 없다. 그런데 "nature"는 분명히 동시에 문명이 아닌 대자연大自然, 혹은 천연天然의 자연을 의미한다. 그러니까 "nature"는 "본성"과 "자연"을 항상 동시에 의미한다. 즉 성질이라는 의미도 갖고, 또 천지대자연이라는 의미도 갖는 것이다. 이것은 서양언어의 기나긴 역사와 관련되는 것이다. 자연에 해당되는 희랍어는 "퓌지스*phýsis*, φύσις"이다. 플라톤이나 아리스토텔레스는 소크라테스 이전의 자연철학자들을 "퓌지코이*physicoi*"라고 불렀다. "퓌지스"를 연구하는 사람들이라는 뜻이다. 그런데 희랍인들에게 있어서 자연이란 생명이 없는 무기물의 집합체가 아니라 생명원리로서의 혼(푸쉬케*psychē*)을 그 자체 내에 내포한 유기적 자연이었다. 인간과 신도 그 속에 포함되어 생성되는 조화적 통일체였다. "퓌지스"라는 말 자체가 "퓌오마이*phyomai*," 즉 "태어난다"라는 동사와 관련이 있다. "탄생" "성장" "생성"의 기본의를 내포한다. "자기자신 내에 운동의 원리를 내포하는 것"이라고 아리스토텔레스는 퓌지스를 규정했다. 그것은 자기형성의 계기를 상실한 죽은 자연이 아니라, 그 속에 생성·발전의 가능성을 항상 담지하는 생명으로 가득찬 유기적 자연이었다. 따라서 그러한 자연은 "실험"이라는 "고문행위"를 통하여 지배하고자 하는 그런 대상이 아니었다. 따라서 "퓌지스"는 성장·생성의 의미로부터 필연적으로 "성질" "본성"의 의미를 지니게 되었으며, 또한 생성을 가능케 하는 "힘" "능력"의 의미를 지니게 되었다. 그리고 그렇게 성장·생성하는 삼라만상 전체를 통괄하는 개념으로서의 "만물의 자연"을 의미하게 된 것이다. 이 "퓌지스"가 로마와 중세 그리스도교 세계에 와서 "나투라*natura*"로 번역되었는데, 그것도 "퓌지스"와 똑같이 "태어난다"는 의미의 "나스코르*nascor*"라는 동사에서 유래되었으며 "퓌지스"와 거의 같은 의미로 쓰이게 된 것이다. 그리고 그것이 기독교세계관에 오게 되면 신과 인간과 자연은 완전히 계층적으로 분리된다. 신은 초월자로서 자연에 내재하지 않는다. 자연은 신의 창조의 대상으로 전락하고, 인간 또한 자연의 일부가 아닌 것으로 인식된다. 인간과 자연은 신에 의하여 따로 따로 창조된 것이며, 인간은 자연외적 존재로 소외된다. 인간은 자연과 동질적인 것이 아니라 자연을 초월하며, 자연의 위에 군림하면서 신의 소명을 받아 자연을 지배하는 자가 된다. 따라서 자연은 인간과 무관한 객체로서 소외되며 실험적 조작을 통하여 과학적으로 파악될 뿐이다.

이러한 근세적 "자연"의 개념은 희랍인들의 사유에나 공자-자사의 사유에 적용될 수가 없다. "자연"은 데카르트가 말하는 기하학적 "연장extension"으로 환원될 수 있는 그러한 것이 아니다. 하여튼 서양언어에서 왜 "네이쳐nature"가 "성질" "본성"의 의미와 "자연"의 의미를 동시에 갖게 되었는지는 충분히 이해되었을 것이다. 그런데 재미있는 사실은 서양언어의 번역술어로서의 "자연"은 실제로는 "천지만물"을 가리키는 것이며, 본래적 한문으로서 "자연自然"은 천지만물의 존재양식을 설명하는 술어적 표현이며, 그것은 도가사상의 특징을 나타내는 것이다.

"자연自然"은 "스스로自 그러함然"이며 "nature"로 번역되는 것이 아니라, "naturally so" 혹은 "what-is-to-of-itself"라고 번역되는 것이다. 그러나 희랍어의 "퓌지스"를 "자연自然"으로 번역하는 것은 여러가지 의미에서 정당성이 있다. 즉 인위적 가공이 가해지기 전의 "스스로 그러한 상태" 혹은 "스스로 그러한 사물의 성질"이라는 뜻을 "퓌지스"는 갖기 때문이다. 따라서 공자가 "성상근性相近"이라 했을 때의 "성性"은 문명의 훈도가 가해지기 전의 인간이나 사물의 본래적 "퓌지스"를 의미한다고 말한다면 그것은 결코 틀린 말은 아니다.

인간에게 보편적인 문명 이전의 "퓌지스"는 무엇인가? 그것이 "도심道心"일까? 지고의 "로고스"일까? 주희가 말하는 "리理"일까? 이 문제에 관하여 우리의 상식을 뒤엎는 발언이 『성자명출』에 나온다.

喜怒哀悲之氣, 性也。

희喜·노怒·애哀·비悲의 기氣야말로 성性이다.

이것이 물리적으로 BC 4세기로 거슬러 올라가는 무덤 속에서 나온 죽간의 언어라는 사실에 우리는 경악을 금할 수 없다. 『중용』이 말하는 "성性"이 지고의 도덕적 천리天理나 칸트가 말하는 최고선이 아니라, 매우 평범한 희노애비의 감정의 기氣라는 것이다. 이 말을 기고봉과 논쟁하던 이퇴계가 들었다면 얼마나 상심할 것인가? 자기가 그토록 존중하던 주희가 가장 존숭해마지 않던 유학의 조종격인 자사子思가 직접 단안을 내린 언어가 이러한 단순한 명제라는 사실에 얼마나 충격을 받을 것인가? 모든 규범윤리의 본질주의가 단숨에 해체되어버리는 충격을 받을 것이다. 그것은 포스트모더니즘의 해체주의보다 더 본질적인 해체일 수도 있다. 이것은 포스트모더니즘적인 해체주의의 저돌성에서 그치는 문제가 아니다. 우리를 지배해온 모든 서양철학적 사유를, 그리고 모든 신화적-종교적 형이상학적 폭력을 해체시켜야 하는 것이다. 공자는 『공자가어』「예운」에서 다음과 같은 유명한 얘기를 했다.

何謂人情? 喜怒哀懼愛惡欲七者, 弗學而能。

도대체 인정人情, 즉 사람의 감정이라는 게 무엇이냐? 그것은 기뻐하고, 노여워하고, 슬퍼하고, 두려워하고, 사랑하고, 증오하고, 욕심내고 하는 일곱 가지 감정인데, 이것은 인간이 배우지 않고서도 매우 잘하는 것이다.

여기 "불학이능弗學而能"이라는 말이 매우 중요하다. "배우지 않고서도 잘한다"라는 것은 곧 문명의 규정이나 규율이나 구속이나 억압이 있기 전에 원초적으로 잘한다는 뜻이다. 그렇다고 이것을 프로이드식으로 "원초적 본능"이라고 말해서도 아니 되는 것이다. 희喜·노怒·애哀·구懼·애愛·오惡·욕欲의 칠자七者야말로 우리가 말하고자 하는 "하늘이 명하는 것"의 진실이었던 것이다. "불학이능弗學而能"이야말로 "성상근性相近"의 "근近"을 말하는 것이다. 이러한 공자의 진술한 언사를 자사는 희노애비의 기氣야말로 성性이라고 표현한 것이다. 이 말을 이해하기 위하여서는 우리는 우리가 부지불식간에 인간을 이해하기 위하여 전제해온 서구적·근대적 모든 인간관의 편견을 근원적으로 "메타노이아"시킬 필요가 있는 것이다. 아리스토텔레스는 품성의 아레떼가 결국에 지성의 아레떼에 종속된다고 생각했다. 과연 그럴까? 이성이 그토록 인간 삶의 궁극적 가치를 구현하는 것일까? 역으로 지성의 아레떼를 품성의 아레떼에 종속시켜야 하지 않을까? 칸트의 철학체계에 있어서도 감성과 오성과 이성은 가치론적으로 암암리 하이어라키를 형성한다. 감성이라는 직관은 단순하고 원초적인 것이다. 그러나 공자-자사가 말하는 "인정人情"이라고 하는 것이 과연 칸트가 말하는 저급한 감각소여 수준의 감성Sinnlichkeit을 의미하는 것은 결코 아니다. 우리가 흔히 이성을 전 경험에 관여하는 오성 사용의 전체를 원리 위에 통합하는 지고의 기능으로 간주한다고는 하지만 실제로 일상적 의미에 있어서 이성*ratio*이라는 것은 "계산능력"의 수학적·논증적 지식체계에 머무는 것이다. 그리고 인간의 인식능력이나 삶의 활동에 관여하는 의식기능의 제 측면이 감성과 오성과 이성이라는 콤파트먼트 compartment로 분할되는 것도 아니다. 이성은 오히려 인간 삶의 가장 초보적인 당위성을 의미할 수도 있다.

"1+1"이 "2"가 된다는 것은 서구인들에게는 토톨로지의 형식일지는 모르지만 동방인들에게는 당위의 초보일 뿐이다. 궁극적으로 수학도 윤리와 분리될 수 없다. 수학을 잘한다고 그가 선한 행위를 한다는 것이 보장되는 것은 아니다. 1+1이 2가 되는 진리를 믿는 사람이 1+1이 1,000이 되는 마술적 행위에 삶을 도박하는 사기꾼인 경우는 얼마든지 있다. 우리는 가깝게 우리사회의 정치인들 중에서 그런 사기꾼들을 무수히 목격하여 왔다. 순수 수학의 학인 중에는 멍청한 자는 있어도 그런 사기꾼은 비교적 적다고 말할 수 있을지 모른다. 그러나 경영수학의 도사라고 하는 자들 중에는 아마 나라를 말아먹고 세상을 미혹케 하는 그런 야망에 불타있는 광인이 무수히 많을 수도 있다. 아무리 칸트가 순수이성에 대한 실천이성의 우위를 논해도, 그것이 형식적·원리적 이성의 기능인 한에 있어서는 결코 소기한 바 선의지의 발로로서의 도덕적 행위를 보장하지는 못한다. 아리스토텔레스가 품성의 아레떼는 구체적인 "습성의 반복에 의한 굳음"이라고 말했다면 그러한 논리를 치열하게 관철시키는 어떤 형이상학을 구상했어야 했을 것이다. 이성이라는 것은 섬세한 인간의 감성적 판단에 구체적으로 관여하지 못하는 한에 있어서는 한낱 레토릭에 지나지 않는다. 이성은 비트겐슈타인의 말대로 실체가 아니라, 언어사용상의 한 방편적 개념에 불과할 수도 있다. 공자-자사가 말하는 "인정人情"이란 칸트가 말하는 감성·오성·이성을 통섭하는 보다 포괄적이고 보다 능동적이며 보다 최종적인 판단의 기능일 수도 있다. 인간을 교육한다고 하는 문제는 이성만을 배양하는 것이 아니라, 이성을 포섭하는 심미적 감수성을 배양하는 것이다. 그 감수성을 공자-자사는 "인仁"이라고 불렀다. 그리고 "인仁"이란 "극기복례克己復禮"를 말하는 것이다(12-1). 다시 말해서 인간의 칠정七情을 예禮로써 순화시키는 것이다. 칠정은 단순히 프로이드가 말하는 맹목적 이드Id가 아니다. 동방인이 말하는 "정情"이란 개념은 반드시 "대의大義"와 관련이 있다. 정情은 의義를 구현치 못하면 온전한 정이 되지 못한다. 정은 반드시 사회적 차원social dimension을 갖는 것이다. 곽점죽간의 하나인 『어총2語叢二』의 제29간에 다음과 같은 말이 있다: "희생어성喜生於性, 낙생어희樂生於喜, 비생어락悲生於樂。" 이것은 성性에서 발현된 "기쁨喜"이라는 감정이, "즐거움樂"으로 발전되고, 또 그것이 "슬픔悲"으로 전화된다는 것을 말하고 있다. 옛 사람들이 정情이라는 것을 단순하고 맹목적인 "쾌락"으로 생각한 것이 아니라, 매우 복잡한 인식론적 중층성의 구조를 가지고 있는 인간학적 과제상황으로서 파악했다는 것을 짐작할 수 있다. 또 『성자명출』은 다음과 같이 말한다.

道始於情, 情生於性。始者近情, 終者近義。

> 도道라는 것은 정情으로부터 시작하는 것이며, 정情이라는 것은 성性으로부터 생겨나는 것이다. 도道의 시작은 정情에 가까운 것이다. 그러나 학습을 거쳐 완성되는 종착지는 의義에 가까운 것이다.

여기서 이미 우리는 『중용』 2번째 구절인 "솔성지위도率性之謂道"와 3번째 구절인 "수도지위교脩道之謂敎"가 해설되고 있는 것을 목격할 수가 있다. 도道가 정情에서 시작하고 정情은 성性에서 생겨나는 것이라는 언급은, "천명지위성天命之謂性"의 "성性"이 궁극적으로 "불학이능弗學而能"한 정情의 문제라는 것을 말해준다. "불학이능"한 것이야말로 인간이 태어나서 죽을 때까지 배양하지 않으면 아니 되는 것이다. 그리고 그것이야말로 인간을 지속적으로 지배하는 것이다. 따라서 "솔성率性"이라는 말을 주희는 "천리天理를 따르는 것"이라고 생각했으나, 나의 해석은 인간의 감정상태를 바르게 선택하는 것이다. "솔率"에는 선택*proairesis*의 의미가 들어가 있다. "길道"이라는 것은 반드시 선택되어 반복적인 습성을 통하여 형성되는 것이다. 그러나 그 선택된 길道은 계속 끊임없이 사람이 다니고 보수공사를 해야만 유지되는 것이다. 다니지 않고 수리하지도 않으면 금방 자연에 묻혀버리고 만다. 길은 사라져버리는 것이다. 그 "수도脩道"의 과정을 자사는 "근정近情"에서 "근의近義"로 가는 과정이라고 표현했다. 수도脩道의 궁극적 목표는 대의를 구현하는 것이다. 모든 사람들이 당당히 그 길을 걸어가도록 만드는 것이다. 그러나 의義는 리理에서 시작하는 것이 아니라 정情에서 시작하는 것이다. 20세기를 리理의 세기라고 한다면 21세기는 정情의 세기가 되어야 한다고 나는 생각한다. 인간을 교육시킨다고 하는 문제는 결코 이성적 인간을 만드는 데만 그 목적이 있지 아니 하다. 이성은 상식이다. 우리가 배양해야 할 것은 정감情感의 윤리성과 심미성이다. 심미적 감성을 결여한 윤리는 독선적이고 맹목적일 수 있으며, 윤리적 당위를 결여한 심미는 나른하고 자기기만적일 수 있다. 분석철학이 지배한 서양의 20세기에 유일하게 형이상학적 체계를 구축한 화이트헤드 Alfred North Whitehead, 1861~1947가 『교육의 목적*The Aims of Education*』이라는 일문을 어떻게 시작하고 있는지를 한번 살펴보는 것도 매우 유익할 것이다.

> 문화라고 하는 것은 사유의 활동인 동시에 아름다움과 인간적 느낌에 대한 감수성이다. 평범한 이성적 정보의 더미들은 이 문화와 아무런 관련이 없다. 아주 정보에 밝기만 한 유식자는 하나님이 만든 이 지구상에서 가장 쓸모없는 지루키만 한 인간일 수도 있다. 우리가 교육을 통하여 배양하고자 하는 목적은 특정한 방향으로 발양되는 문화와 전문적 지식을 동시에 소유하는 훌륭한 인간을 양육하는 데 있다. 그들의 전문적 지식은 그들의 삶에 출발의 근거를 제공하고, 그들의 문화는 그들의 삶을, 높게는 예술로 깊게는 철학으로 끌고 갈 것이다.
>
> Culture is activity of thought, and receptiveness to beauty and human feeling. Scraps of information have nothing to do with it. A merely well-informed man is the most useless bore on God's earth. What we should aim at producing is

> men who possess both culture and expert knowledge in some special direction. Their expert knowledge will give them the ground to start from, and their culture will lead them as deep as philosophy and as high as art.

인간의 모든 정신적 활동 중에서 우리가 궁극적으로 의존할 수밖에 없는 것이 바로 심미적 감성이며, 그것이 가장 배양키 어려운 것이다. 나는 말한다. 교육의 궁극적 목적이란 인仁을 배양하는 것이다. 그 인仁을 배양하는 구체적 방법론이 바로 이 『중용』이라는 책의 언어를 구성하고 있다. 과학문명에 뒤떨어져서 허덕여야만 했던 20세기 우리민족의 과제가 "이성의 교육"이었다고 한다면 이제 우리는 그 이성의 교육을 통섭하는 새로운 "인성의 교육"의 세기를 열어야 한다. "인성의 교육"을 입버릇처럼 뇌까리면서 『중용』을 도외시한다면 그 얼마나 어리석은 일인가!

본래 이 책은 한 장씩을 단위로 해서 내 머리에 떠오르는 단상만을 간략하게 적으려 했는데, 하도 머리에 떠오르는 것들이 많아 이렇게 길어지고 말았다. 아직도 할 말이 너무도 많다. 미진한 부분은 나의 『중용한글역주』를 참고해주기 바란다. 21세기 우리민족의 역사와 인류의 미래를 관망하는 나의 심정에는 이 『중용』이 한국의 젊은이들에게 이해되어야만 한다는 절박한 심정이 있다. 이제 독자들은 『중용』이라는 텍스트를 접근해 들어가는 최소한의 거점을 마련했으리라고 믿는다.

道也者，不可須臾離也。可離，非道也。是故君子戒愼乎其所不睹，恐懼乎其所不聞。莫見乎隱，莫顯乎微，故君子愼其獨也。

도道라는 것은 잠시須臾라도 떠날 수 없는 것이다. 도가 만약 떠날 수 있는 것이라면 그것은 도가 아니다. 그러므로 군자君子는 보이지 않는 데서 계신戒愼하고, 들리지 않는 데서 공구恐懼한다. 숨은 것처럼 잘 드러나는 것이 없으며, 미세한 것처럼 잘 나타나는 것이 없다. 그러므로 군자는 그 홀로있음獨을 삼가는愼 것이다.

沃案 이 단락의 중요한 주제는 "도道는 잠시라도 떠날 수 없다"는 것과 "홀로있음을 삼간다"는 이른바 "신독愼獨"의 사상이다. "수유須臾"라는 것은 후대에 "찰나刹那kṣaṇa"와 같은, 인도말이 불교용어로서 통용되기 이전에 짧은 시간의 단위를 나타내는 중국적 표현이다. "찰나"도 손가락을 한번 튕기는 시간을 65분分하여 그 하나를 일컬은 것이라고 한다. "순간瞬間"이나 "순식지간瞬息之間"은 눈을 한번 깜박거리는 시간을 의미한다.

앞 단의 성性, 도道, 교敎 중에서 도를 주어로 삼아 이야기한 것은, 성性을 자연Nature이라 하고 교敎를 문명Culture이라 한다면 도道는 그 중간자적 위치에 있으면서 그 양자를 통섭하는 개념이기 때문이다. 도道라는 것은 자연과 문명을 매개하며, 존재Sein와 당위Sollen를 통합한다.

이 도는 나의 실존에 있어서 잠시라도 떠날 수가 없다. 떠날 수가 없다는 것은 곧 그것이 나의 실존으로부터 외재화될 수 없다는 것이다. 도道Dao는 나의 존재, 즉 나의 몸Mom으로부터 떨어질 수 있는 객관적 존재 an external objective Being가 아니다.

이 말을 쉽게 이해하기 위해서는 이렇게 생각해보면 된다. 하나님은 잠시라도 떠날 수 있는가, 없는가? 기독교인들은 대뜸 떠날 수 없다고 허풍을 떨 것이다. 그러면 이렇게 물어보자! 하나님은 이 우주를 주재하시는 객관적 인격체로서 나 밖에 존재하는가? 이 말에 "그렇다"고 대답하지 않으면, 그것은 당연히 이단이 될 것이다. 그것은 사도신경을 거부하는 것이기 때문이다. 당연히 하나님은 나 밖에 신앙의 대상으로서 존재한다고 말해야 한다. 그래야 믿을 수 있다. 믿는다는 것은 내가 기댈 그 무엇으로 나 밖에 그 믿음의 대상이 존재한다는 것을 의미한다. 나 밖에 하나님이 있는 한, 하나님은 나를 떠나 있는 것이다. 비록 떠나있지만 하나님은 항상 나와 함께 하신다고 말할 것이다. 그런데 "함께 하는 존재"는 깜빡깜빡 졸듯이 잊어버릴 수가 있다. 구약의 역사는 유대민족의 야훼라는 하나님을 깜빡깜빡 잊어버리는 데 대한 응징의 역사이다.

기독교인들이 하나님을 믿는다고 하지만 하나님을 잊고 사는 순간은 수없이 존재한다. 교회를 안 나가면 하나님은 나에게서 떠나간다. 사실 신앙은 선택의 대상이다. 미국의 대표적인 철학자 죤 듀이John Dewey, 1859~1952가 그의 명저, 『보통 신앙*A Common Faith*』에서 지적했듯이, 20세기 대중사회의 최대특질은 종교를 구속력있는 문명의 보편관습이라는 사태로부터 개개인의 선택으로서 해방시켰다는 데 있다. 종교의 자유가 없으면 민주사회의 헌법요건이 성립하지 않는다. 그러니까 종교는 우리가 백화점 쇼핑바구니에 담는 것과도 같은 기호의 문제이며, 선택의 행위라는 것이다. 백화점에 아무리 근사하게 진열되어 있는 물건이라도 안 사면 그만이다. 마찬가지로 아무리 전도사가 근사하게 구라를 까도 안 믿으면 그만이다. 쇼핑바구니에 예수를 담아도 좋고, 그 대신 알라를 담아도 좋고, 알라가 싫으면 만신이 걸어놓는 최영장군을 담아도 좋다. 또한 종교를 안 믿으면 큰일나는 것처럼 생각하는 것은 원시시대의 관습의 관성에 아직까지도 지배당하는 어리석은 짓이다. 이러한 관습의 관성은 이미 주나라의 역성혁명 때 단절된 것이다. 그 단절의 선포자가 바로 공자가 그토록 꿈속에서조차 그리워하는 주공周公 단旦이다.

여호와 하나님은 안 무서워하면 그만이고, 예수는 안 믿으면 그만이고, 교회는 안 나가면 그만이다. 사교에 걸려들어 목숨이나 재산의 위협을 당하는 그러한 상황이 아닌 이상, 한국의 교회는 안 나오는 자에게 협박을 하지는 않는다. 목사나 장로에게 인간적으로 좀 미안하다는 감정 정도야 가져 무방하겠지만. 요즈음 신교가 하도 지랄스럽고 온갖 사회적 악덕과 부패의 행패를 저지르니까 많은 사람이 구교 가톨릭으로 옮긴다고 한다. 이렇게 옮겨다녀도 아무 문제없는 것이 종교적 자유가 보장된 민주시민사회라고 죤 듀이는 말한다. 미국의 역사는 프로테스탄트들이 "신앙의 자유"를 획득하기 위하여 만든 역사이지만 그

역사적 과정 속에서 종교 그 자체를 자유화하고 자율화시켰다. 미국역사가 인류에 이바지한 가장 큰 공헌 중의 하나라고 할 것이다. 종교가 교회단위로 자율화되면서, 상업화된 것이다.

종교는 안 믿으면 그만이고, 교회는 안 나가면 그만이다. "그만이다"라는 말은 곧 신앙의 대상은 항상 나를 떠나 있다는 것이다. 그런데 자사는 말한다: "도는 잠시라도 떠나 있을 수가 없는 것이다." 하나님은 잊을 수 있지만, 도는 잊을 수가 없다. 하나님은 떠나 있을 수 있지만 도는 떠나 있을 수가 없다. 왜냐? 떠나 있으면 그것은 도가 아니기 때문이다. 가리可離, 비도야非道也。이것은 도대체 뭔 말인가?

하나님은 나에게서 떠날 수 있는 것이지만, 도는 수유라도 나에게로 떠날 수가 없다. 도가 곧 나이기 때문이다. 내가 나를 떠날 수 없듯이, 도는 도인 나를 떠날 수 없다. 도는 나의 삶의 밖에 있는 어떤 존재가 아니라, 나의 삶의 활동 그 모든 것에 내재하는 것이다. 도Dao를 영어로 "the Way"라고 번역하지만, "웨이way"는 길인 동시에 "방법method"을 의미한다. 도는 나의 "삶의 길"인 동시에, 내가 "살아가는 방법"이다. 하나님은 믿음의 대상이지만 도는 믿음의 대상이 아니다. 나의 존재의 방식이다. 도는 내가 살아있는 한에 있어서는 나의 몸, 그 자체에 내재하는 것이다. 하나님이나 예수를 믿는 것은 쉴 수가 있고, 교회 나가는 것도 쉴 수가 있고, 기도나 성경공부도 쉴 수가 있는 것이지만, 도는 쉴 수가 없는 것이다. 삶의 모든 순간에 내재하는 것이다. 칸트는 실천이성을 설정하여 궁극적으로 영혼불멸과 신의 존재와 자유의지를 요청하지만 자사는 삶의 모든 순간에 대하여 도를 요청하는 것이다. 하나님은 요청의 대상이 아니라 내 몸에 내재한다. 아니 내 몸 그 자체이다. 내 몸의 모든 활동에 있어서 도를 구현할 때 하나님은 요청의 대상으로서의 필요가 없이 자연스럽게 내 몸에 구현되는 것이다. 차를 마실 때도 차도茶道가 있고 주먹질이나 발길질을 할 때에는 태권도跆拳道가 있고, 먹을 때도 먹는 도食道가 있고, 잠잘 때도 수면의 도가 있으며, 섹스를 할 때에도 색도色道가 있다. 나의 삶의 모든 길은 도로써 이루어져 있다. 하나님을 포기하는 것은 신앙의 대상을 포기하는 것이지만, 도를 포기하는 것은 삶의 종결을 의미한다. 하나님을 믿는 것보다 도를 실천하는 것이 훨씬 어렵다. 하나님은 기도라는 언어를 통하여 매개되지만 도는 언어를 매개로 하지 않는다. 몸으로만 전수되는 것이다. 따라서 도는 믿는 것이 아니라 닦는 것이다. 도를 닦는다는 것은 곧 몸을 닦는 것이다. 수도脩道는 곧 수신脩身이다. 수신이란 곧 내 몸속에서 하나님을 배양하는 것이다. 하나님을 닦는 것이다. 하나님은 몸속에서 완성되어 가는 그 무엇이다. 하나님은 고정된 존재가 아니고 끊임없이 생성되어가는 과정이다. 하나님은 몸의 고정태가 아니며, 몸의 끊임없는 가치평가the valuation of Mom라고 할 수 있다. 하나님의 인격성은 오직 나의 몸의 인격성일 뿐이다. 하나님의 무한은 나의 몸의 유한 속에 깃드는 무한이다. 하나님은 유한하기 때문에만 선한 것이다. 나의 몸의 유한성 속에서 무한을 구현해나가는 과정이 곧 하나님이다. 하나님이 곧 수신 그 자체이다. 수신은 나라는 주체의 심화과정이며, 그 심화의 심연에서 우리는 하나님의 가치평가를 구현하게 된다. 내가 하나님이 되는 것처럼 위대한 몸의 구원Salvation of Mom은 없다.

주체의 심화는 고독의 과정이다. 고독은 수신의 대전제이다. 하나님은 나의 고독 속에서만 온전하게 발현된다. 남이 보지 않는 데서, 남이 듣지 않는 데서 계신戒愼하고 공구恐懼하는 것, 이것이야말로 군자를 군자다웁게 만드는 일차적 조건이다. 존재의 가치는 궁극적으로 인륜관계에서 발현되지만 나의 몸을 하나님화하는 과정은 일차적으로 나 자신에게 부여되는 천명天命을 홀로, 고독하게 구현하는 것이다. 고독하게 구현한다는 것은 나의 존재의 책임을 나 홀로 짊어진다는 것이다. 하나님은 의존의 대상이 되면 하나님이 아니다. 하나님은 나의 몸의 비젼이며 이상태이다. 그것은 자기생성적이며 나의 몸의 과정에 끊임없이 참여하는 가치평가이며 새로움과 탈바꿈을 향한 끊임없는 도전이며 창진이다. 이 모든 과정이 홀로 있을 때, 아무도 알아주지 않는 고독 속에서 선택되는 것이다.

이것이 "신독愼獨"이다. 신독은 고독이지만 폐쇄가 아닌 개방이다. 노아의 방주에 들어간 짐승이나 사람들도 결국 문을 열지 않으면 구원을 얻지 못하고 굶어죽는다. 장자의 애벌레도 고치 속에서만 안주하면 나비가 되어 창공을 날아갈 기회를 잃는다. 모든 종교적 노력에 있어서 도그마의 고정성은 그 종교의 자살을 의미한다. 신독은 영원한 개방이다. 신독은 고독의 심연에서 하느님을 끊임없이 개방적으로 해후하는 것이다. "체면"차리기만 좋아하는 유자의 덕성을 말한 막스 베버Max Weber, 1864~1920는 전혀 유교의 내면을 이해하지 못했다. 악화된 사회적 표피현상만을 논의한 것이다. "신독愼獨"이 무엇을 의미하는지 전혀 이해하지 못했다. 숨어있는 것처럼 잘 드러나는 것이 없고, 미세한 것처럼 잘 나타나는 것이 없다. 은미隱微의 심화는 고독의 심화이며, 나의 몸을 하나님화하는 과정인 것이다.

喜怒哀樂之未發, 謂之中; 發而皆中節, 謂之和。中也者, 天下之大本也; 和也者, 天下之達道也。致中和, 天地位焉, 萬物育焉。

희노애락喜怒哀樂이 아직 발현되지 않은 상태를 중中이라 일컫고, 그것이 발현되어 상황의 절도節에 들어맞는 것을 화和라고 일컫는다. 중中이라는 것은 천하天下의 큰 근본大本이요, 화和라는 것은 천하사람들이 달성해야만 할 길達道이다. 중中과 화和를 지극한 경지에까지 밀고 나가면, 천天과 지地가 바르게 자리를 잡을 수 있고, 그 사이에 있는 만물萬物이 잘 자라나게 된다.

沃案 여기서 우리는 비로소 "천명지위성天命之謂性"의 "성性"을 "희노애비지기喜怒哀悲之氣"로 말한 『성자명출』의 언어가 과연 어떠한 맥락에서 『중용』에서 드러나고 있는지를 이해할 수 있게 된다. "성性"은 타고난 그대로의 모습이며 그것은 희노애락의 성정性情의 문제이다. 『성자명출』의 첫마디는 다음과 같다.

> **凡人雖有性, 心無定志, 待物而後作, 待悅而後行, 待習而後定。**
>
> 모든 사람은 비록 성性을 가지고 있지만 그 심心 자체는 하나로 정해진 지향성을 가지고 있지 아니 하다. 그 심心은 외

계의 사물과 접촉이 이루어진 후에야 비로소 지향성의 원형이 생겨나기 시작하며, 기쁨의 감정을 맞이한 후에나 비로소 발출하는 활동을 시작하며, 또 학습을 거친 후에 비로소 그 지향성은 안정된 틀을 갖게 된다.

그리고 우리는 왜 "중용"을 아리스토텔레스가 말하는 덕목의 "가운데"가 될 수 없는지를 알 수 있게 된다. 아리스토텔레스는 인간의 마음이나 몸에 대한 이해가 천박했다. 하나님의 심연을 인간의 몸에서 비신화적으로 바라보지를 못했다. 중용의 심성론적 근원을 파악하지 못하고 인간의 표피적 감정이나 행위의 현상들을 직선상에 나열하고 그 중간을 지향했다. 중용은 직선의 가운데가 아니라, 인간의 모든 행위와 감정의 발현태의 원초적 저변을 형성하는 잠재태이며 그것은 직선적인 것의 중간이 아니라 모든 상황에 대한 원융한 구심점 같은 것이다. "중中"이란 희喜·노怒·애哀·락樂이 아직 발현되지 않은 순결한 심적 에너지의 근원 같은 것이다. 미발未發이기 때문에 그것은 치우침이 없으며 분별심이 없으며 모든 가능성을 다 내포하는 것이다. "중中"은 "가운데the intermediate"가 아닌, 모든 감정이 동적인 평형dynamic equilibrium을 이루고 있는 원초적 상태와 같은 것이다. 그러나 인간은 이러한 심적 상태에만 머물러 있을 수 없다. 인간은 어차피 분별의 문명 속에서 삶을 영위해야 하는 것이다. 따라서 외계의 사물, 사건과의 접촉에 의하여 그 발현이 촉발되는 것이다. 그러나 감정의 발현은 상황성을 갖는다. 그 상황성을 여기서 "절節," 즉 "삶의 마디"라고 표현한 것이다. 우리는 상가집에 가서 슬픔을 표현해야 하며, 친구집 돌잔치에 가서는 기쁨을 표현할 줄 알아야 한다. 상가집에 가서 깔깔 웃고, 잔치집에 가서 엉엉

울 수는 없는 노릇이다. 이러한 경우는 매우 명백하지만 인간의 삶의 마디마디에서 부닥치는 감정의 표현은 웃을 수도 없고 울 수도 없는 미묘한 상황이 많다. 그리고 감정의 표현이 지적인 판단을 넘어서는 영향력을 가질 때가 많다. 인간이 인간다웁게 사는 가장 어려운 과제상황이 그 마디마디에서 가장 적절한 감정표현을 하는 것이다. 여기 감정이란 모든 과학적 계산을 포섭하는 것이다. "미발未發, 위지중謂之中"이라 할 때의 "중中zhōng"은 제1성이다. 그러나 "중절中節"의 "중中zhòng"은 제4성이며 우리가 "적중的中한다"라고 말할 때의 동사의 의미와 같다. 제1성으로서의 "중中"은 명사이며, 제4성으로서의 "중中"은 "들어맞는다"는 동사이다. "발發하여 그 절節에 들어맞는 것"을 우리가 "화和Harmony"라고 부르는 것이다. "화和"는 아름다움의 근원이다. 따라서 "중中"은 천하天下의 대본大本이다. 여기 "천하天下"라는 것은 "천지天地"와는 구분되는 것으로 "인간세human society"를 지칭한다. 중中은 인간세의 큰 근본이다. 그리고 화和는 인간세가 달성해야 할 지향처로서의 달도達道이다. 주희는 "달도達道"를 모든 사람에게 통용되는 보편적인 길이라고 해석하는데, 나는 그렇게 보지 않는다. "달도達道"는 "달성되어야 할 도"라는 뜻으로 지향의 비젼이다. 그 지향처가 곧 "화和"이다. 그러니까 조화Harmony라는 것은 현실태이기보다는 끊임없이 지향되는 달성의 과정이다. 그것은 부조화의 현실을 인정함으로써만 가능해지는 것이다. 부조화가 없이는 조화가 없다. 부조화의 요소들을 융합하여 새로운 화합을 지향하는 끊임없는 달성이 곧 조화이다. 따라서 완벽한 조화는 존재하지 않는다. 완벽한 조화는 때로 부조화보다도 더 저급한 것일 수가 있다. 이것은 동방사상이 단순한 조화사상이 아니라 부조화의 현실을 깊게 통찰한 사상임을 말해주는 것이다. 미美는 항상 추醜의 요소를 통합한다.

그러므로 중화中和를 지극히 할 때에 비로소 하늘天과 땅地이 바르게 자리를 잡으며, 그 사이의 만물이 잘 자라나게 된다.

이 마지막 구문에 대하여 누군가 주희에게 물었다: "천지가 바르게 위位하지 않고 만물이 제대로 육育하지 않는 재난의 상황에 실제로 성현이 나타나 중화中和만 치致하면 그러한 재난을 구할 수 있겠나이까?"

이 질문은 인간의 심성론적인 사태인 중中과 화和가 어떻게 객관적인 자연사태에 직접적인 영향을 미칠 수 있는가를 캐물은 매우 의미심장한 질문이다. 물론 센다이仙台의 쯔나미로 인한 비운의 사태가 내 마음의 치중화致中和로서 해결되지는 않는다.

그러나 이러한 천지의 사실은 너무도 확연하다. 북극의 얼음이 녹아내리고 있는 것은 자연의 재해가 아니라 인위의 재해라는 것이다. 북극의 얼음은 차갑기 때문이 아니라 하얗다는 색깔 때문에 광선을 반사시키고 바다의 수온을 높이지 않는다. 그러나 얼음이 녹기 시작하면 바다의 수온이 높아지고 악순환은 계속된다. 그런데 그러한 결과는 문명의 산물로 인한 재해이다. 문명에 대한 우리의 인식이 "중용"이 되어야 하는 이유는 인간의 자질구레한 덕성태들의 중간항목을 찾아 행복해지려는 데 있는 것이 아니라, 문명에 대한 절제를 통하여 천지와의 조화를 이룩해야만 한다는 당위성 때문이다. 이러한 거대담론이 희랍 인들에게는 전혀 존재치 않았다. 폴리스국가들은 작은 전쟁국가들이 었으며, 인간의 힘으로 어떻게 이상적 국가를 만들어 생존하는가 하는 데만 전력을 기울였다. 따라서 그들의 관심은 오직 문명이었고, 문명의 건설에 작용하는 "도구적 이성"이었다. 그 도구적 이성이야말로 가장 천박한 인간의 기초적 활동일 뿐이다. 인간의 도덕성은 인간세 자체의 문제로 해결되는 것이 아니라 천지天地라는 거대담론을 포섭한 일부로서 이성의 기초 위에 구축되어야 한다는 것을 깨닫지 못했다. 그래서 인간의 문명적 성취를 가소롭게 쳐다보는 웅혼한 디스꾸르는 찾아볼 수가 없는 것이다.

더구나 『중용』에서 말하는 인간은 평범한 인간인 동시에, 군자君子이다. 군자는 인간세의 영향력있는 리더들이다. 따라서 『중용』은 인간세의 리더들에게 선포되는 것이다. 그 리더들의 심성적 내면은 하늘과 땅의 위치마저 뒤바꾸어 놓을 수 있는 막강한 영향력을 발휘한다. 자사는 그들의 문명적 행위에 대하여 책임을 묻고 있는 것이다. 센다이 앞바다의 쯔나미도 후쿠시마 원전이 없었다면 그토록 큰 비극을 초래하지는 않았을 것이다. 자연재해보다 인위재해가 훨씬 더 크다는 것을 입증한 것이다. 그렇다면 원전을 만들지 않고 사는 문명의 방식을 우리는 힘써야 할 것이다. 그것은 우리의 심성의 문제이며 정감의 문제이며 "중절中節"의 문제이다. 그런데 그러한 반성은 들리지 않고 "독도"가 자기네 땅이라고 우기는 일본 자민당 국회의원들이 행패의 소리만 들린다. 그들이 중용의 교육을 받았다면 과연 그런 추태를 보일 것인가?

그들의 로고스가 과연 그들이 하는 짓이 잘못되었다는 것을 모를 것인가? 그들의 행위를 지배하는 것은 리理가 아니요, 정情이다. 막무가내 막가파의 정情이다. 정치적 리더나 기업의 리더가 자연환경에 주는 영향은 막대하다. 자연현상에 대한 인간의 책임을 묻는 고전은 인류의 고대세계에서 거의 찾아볼 수가 없는 것이다. 그런 의미에서 『중용』이야말로 에콜로지의 성전the Bible of Ecology이라고 말해야 할 것이다.

여기까지 제1장의 주해를 모두 마친다. 독자들은 인류 최고의 지혜의 서 『중용』의 총론을 배운 셈이다. 그만큼 제1장은 『중용』의 모든 것을 담고 있다. 과거에는 제1장을, 제2장부터 시작되는 공자의 로기온 자료들과 비교하여 매우 이색적인 것으로 간주하여, 후대에 성립한 추가작품으로 간주하는 견해가 있었으나 간백자료의 출토는 그러한 생각들을 불식시켰다. 제1장과 제2장 사이에 심각한 단절이 있다고 본 것이 과거 일본학자들의 문헌비평적 견해였다. 이제 우리는 그런 관점에서 벗어나야 한다. 제1장과 제2장은 양식의 차이는 있으나 철저한 연속선상에 있다.

第二時中章

zhòng ní yuē jūn zǐ zhōng yōng xiǎo rén fǎn zhōng yōng
1 仲尼曰: "君子中庸, 小人反中庸。
중니왈 군자중용 소인반중용

jūn zǐ zhī zhōng yōng yě jūn zǐ ér shí zhōng xiǎo rén zhī zhōng
2 君子之中庸也, 君子而時中; 小人之中
군자지중용야 군자이시중 소인지중

yōng yě xiǎo rén ér wú jì dàn yě
庸也, 小人而無忌憚也。"
용야 소인이무기탄야

沃案 제일 먼저 나오고 있는 "중니仲尼"라는 말은 공자의 자字이다. 어릴 때 명名이라는 이름을 얻고 커서 20세가 되었을 때 자字라는 이름을 얻는다(男子二十冠而字。『禮記』「曲禮」上). 어릴 때 이름은 태어난 모습이 유별나게 짱구라서 머리꼭대기가 언덕처럼 평평하다 하여 언덕 구丘 자를 썼다고 『사기』「공자세가孔子世家」에 적혀있다. 그리고 "중니"는 공자의 부모가 곡부에서 멀리 떨어지지 않은 니산尼山에서 빌어서 났기 때문에 붙여진 자字인 것이다. 손자인 자사가 할아버지를 자字로 부를 수 있는지 없는지에 관해서는 정설은 없다. 그러나 손자가 할아버지를 자字로써 부르는 것이 금지되어 있는 법은 없었으며, 구체적인 변별력 때문에 자로써 부르는 것은 무방하다고 『중용혹문』에 쓰여져 있다.

제2장【시중장時中章】

[1]중니께서 말씀하시었다: "군자君子의 행위는 중용을 지킨다. 그러나 소인小人의 행위는 중용에서 어긋난다. [2]군자가 중용을 행함은 군자다웁게 때에 맞추어 중中을 실현한다. 그러나 소인이 중용을 행함은 소인다웁게 기탄忌憚함이 없다."

제3장부터는 모두 "자왈子曰"로 되어 있는데 유독 제일 처음 나오는 로기온자료에 "중니왈仲尼曰"이라고 한 것은, 이미 자사子思 당대에 "자子" 즉 한 학파의 스승Master으로 불리는 사람이 많았다는 것을 의미한다. 그래서 그들과 구별키 위하여 중니仲尼라는 자字를 밝혔음에 틀림이 없다. 그리하면 다음에 나오는 "자왈子曰"은 당연히 "공자왈"의 의미가 될 것이다. 그런데 중니仲尼라는 말은 제30장에 한 번 다시 나온다. 그리고 제30장에서 "중니"가 언급되는 맥락은 중니를 극한으로 존숭하기 위한 것이다. 그러니까 제2장에서 처음으로 "중니"라는 말을 쓰고 계속 "자子"로써 일관하였다가 제30장에서 다시 "중니"라는 말을 쓰는 자사의 수법은 "중니"라는 말에 특별한 의미를 부여하고 있다고

보여진다. "중니왈"은 "나의 위대한 할아버지 중니께서는 다음과 같이 말씀하시었다"라는 식의 사적인 느낌과 공문孔門에 대한 무한한 프라이드가 담겨져 있는 표현이라 할 것이다.

다음에 문제되는 것은 "군자君子"와 "소인小人"의 테마이다. 군자와 소인에 관해서는 우리가 상식적으로 아는 그대로의 의미로 새겨 무방하다. 그러나 우리가 조심해야 할 것은 공자는 군자와 소인을 치자와 피치자의 관계라든가, 신분의 차이라든가, 부의 소유의 차이에 의하여 외면적으로 구분하지는 않는다는 것이다. 공자의 위대성은 인간을 보편적으로 바라보았다는 데에 있다. 공자 자신이 천한 출신의 인간이었기 때문에, 공자는 출신이나 신분에 의하여 인간이 규정된다는 생각을 갖지 않았다. 고대사회의 사상가로서는 찾아보기 힘든 덕성이다. 희랍의 모든 사상가가 "노예제"를 긍정한 위에서 평범한 시민을 이야기한다. 그들의 "인간"관에는 인간의 수준에도 못미치는 노예가 깔려있다. 서양의 보편적 인간관은 실제로 미국의 "노예해방" 이후에나 이야기될 수 있는 것이다.

공자는 "유교무류有教無類"라고 언명한다(15-38). 가르침이나 배움에는 류類적 차별은 있을 수가 없다는 것이다. 누구나 배우면 군자君子가 될 수가 있는 것이다. 이것은 신분차별성이 문제되지 않는다는 뜻일 뿐 아니라, 인간의 계발가능성에 대하여 차별성을 허락하지 않겠다는 강한 의지를 내포하고 있다. 참으로 위대한 사상이다. 이러한 공자의 사상이 참으로 실현된 사회가 20세기 대중사회라고 볼 수가 있다. 그런데 우리 인간들은 이러한 변화를 인식 못하고 스스로 자신에게 제약을 가하고 있을 뿐이다. 그 얼마나 안타까운 일이냐?

그렇다면 "소인"이란 무엇인가? 군자가 그러한 아레떼의 구현체라고 한다면, 소인은 계급적으로 구분되는 특수 인간부류가 아니라, 군자가 될 수 있는데도 불구하고 군자가 되지 못하는 인간일 뿐이다. 다시 말해서 군자와 소인은 어디까지나 같은 인간관의 평면 위에 서있다. 우리가 일상생활 속에서 "그 새끼 소인배야!"라고 말할 때, 그 대상은 대체로 "피어 그룹peer group" 내에서 한정되는 것이다. 기자면 기자끼리, 교수면 교수끼리, 국회의원이면 국회의원끼리, 혹은 지적 수준이 맞먹는 사람들끼리 쓰는 말이 "소인"이라는 말이다. 길거리를 지나다가 밭을 갈고 있는 농부에게, 밭을 갈고 있다고 해서 "소인"이라고 말하지는 않는다. 농부 중에는 석·박사를 받은 사람보다도 훨씬 더 의젓한 군자가 많다. 대지가 그들에게 참교육을 허락하고 있기 때문이다. 니체가 "대지에 충실하라"고 외치는 것도 그런 맥락이 조금은 있을 것이다. 그러니까 소인은 군자를 격려하기 위하여 반어적으로 설정된 개념이라는 것을 알 수 있다.

공자는 군자와 소인을 가를 수 있는 가장 결정적인 개념이 바로 "중용"이라고 언명한다. 중용을 실천하면 군자이고, 중용을 실천하지 않으면 소인이라는 것이다. 만약 내가 평소 중용을 실천하고 있다고 한다면, 중용을 실천하지 않는 동류의 인간들에게 소인배라는 규정을 내릴 수도 있을 것이다. 다시 말해 우리가 어떤 사람을 "소인"이라고 규정한다는 것은 중용을 기준으로 해야 한다는 것을 의미한다. 그런데 중용을 실천한다는 것과 중용을 실천하지 않는다는 것은 과연 무엇을 기준으로 해야되는 것일까? 중용을 실천하는 것은 무엇이고 중용에 반反한다는 것은 무엇인가? 이 질문에 대하여 공자는 매우 의미심장한 발언을 하고 있다.

본문에서 군자는 중용中庸하고, 소인은 반중용反中庸한다고 말했기 때문에, 그 다음 구문에서 "군자지중용야君子之中庸也" "소인지중용야小人之中庸也"라는 것은 문제가 있다고 주희가 지적한다. 반드시 앞구문을 받아서 "소인지반중용야小人之反中庸也"라고 해야 한다는 것이다. 그래서 왕숙본王肅本의 『중용』에 텍스트가 그렇게 되어있었다는 사실을 인용한다. 그러나 이것은 억지춘향이다. 주희는 군자와 소인에 대해서 공자와 같은 보편적 인간관의 너그러움을 결하고 있는 것이다.

군자와 소인은 중용과 반중용으로 실체적으로, 이원적으로 대비될 수는 없는 것이다. 군자와 소인은 어디까지나 가변적인 통합개념이다. 군자가 소인이 될 수도 있고, 소인이 군자가 될 수도 있다. 따라서 군자도 중용을 하고, 소인도 중용을 한다. 그런데 군자의 중용은 무엇이고, 소인의 중용은 무엇이냐? 그 둘은 어떻게 다르냐? 어떻게 구별되는 것이냐? 공자는 말한다. 군자의 중용은 "시중時中"이고 소인의 중용은 "무기탄無忌憚"이다. 공자의 이 언급은 천하에 둘도 없는 명언이라 할 수 있다.

중은 가운데가 아니다. "발이개중절發而皆中節"의 "중절中節"이요,

"중절"이라 함은 "절節"이라는 상황성이 중시된다는 것을 의미한다. 다시 말해서 인간의 모든 "중中"은 "시時" 속에 있다는 것이다. "시時"라는 것은 객관적·절대적 시간을 말하는 것이 아니라 삶의 상황성을 말하는 것이다. 모든 인간의 가치는 시時 속에 있다. 불행하게도 서양철학은 플라톤의 이데아론에서부터 요한의 예수의 종말론에 이르기까지 모두 어떻게 시時를 탈출하느냐를 궁리하는 철학이라고 말할 수 있다. 인간의 모든 진리는 시時 속에 있다. 그러나 서양인들은 이러한 공자-자사의 메시지를 이해하지 못한다. 나는 말한다. 인생이란 타이밍의 예술이다. 중中이란 오직 적절한 시時를 만날 때만이 중으로써 완성되는 것이다. 우리가 제갈공명을 위대하다고 생각하는 것은 그의 모든 움직임이 시時를 알고 있기 때문이다. 중中은 시時와 더불어 발현되는 것이다. 시간을 떠난 진리는 존재하지 않는다. 시간 속의 것이 덧없는 것이 아니라, 시간 속에 있기 때문에 영원할 수 있는 것이다. 찰나의 시간 속에 영원이 깃드는 것이다. 시간을 벗어난 천당에는 "중中"이라는 것은 존재하지 않는다. 오직 픽션의 유령들만 재미없게 살고 있을 뿐이다. 천사는 몸이 없다. 그래서 섹스도 못한다. 그런데 뭔 재미로 천사가 될 것인가? 이것은 내 말이 아니라 천주교 신학의 대부 토마스 아퀴나스Thomas Aquinas, 1225~74의 말이다.

소인의 중용은 무엇인가? 그것은 "무기탄無忌憚"이다. 요즈음 우리는 이런 말을 자주 듣는다: "기탄忌憚없이 말하라!" 참으로 개똥같은 말이다. 이것이 바로 서구의 자유주의 교육의 허상이다. 기탄없이 말하면 안된다. "기탄"이란 "거리낌"이다. "거리낌"이란 "신중함Prudence"

이다. 신중함이라는 것이 곧 이성의 원형prototype이다. 수렵생활이나 채집경제에서는 "거리낌"이 별로 없었다. 그러나 농경사회로 접어들면서 인간은 신중을 배우게 되었다. 수도작은 때를 가르쳐주었다. 그리고 겨울을 나기 위한 저축과 절제의 지혜를 가르쳐주었다. 여름에 집약적 노동을 한다는 것은 괴로운 것이다. 그러나 이 괴로움은 반드시 미래의 행복을 위하여 인내하여야만 하는 것이라는 당위성을 가르쳐주었다. 미래의 쾌락을 위하여 오늘의 고통을 인내하는 의식적 행동이 바로 이성의 출발이다. 이성은 패션passion의 절제라는 테제와 결부되어 있다.

거리낌은 인간에게 "거리"와 "여유"를 허락하며, 실수의 가능성을 줄인다. 거리낌은 겸손인 동시에 인간다움의 강함이다. 최근에 노무현이라는 사람이 우리나라 대통령을 했다. 노무현처럼 인간적으로 순결한 사람도 정치계에서 찾아보기 힘들다. 그리고 우리가 "민주정신democratic spirit"이 무엇인지에 관해 논쟁을 하기 이전에, 이미 노무현은 실천적으로 민주정신에 투철한 인물이었다. 그만큼 민주정신에 투철한 대통령을 두 번 다시 만나기 어려울지도 모른다. 그런데 그에게 딱 한 가지 흠이 있었다. 말버릇이 "무기탄"하다는 것이다. 기탄없이 말하기에 그는 그가 가지고 있는 모든 장점을 가려버렸다. 장점이 사라진 것도 아닌데 가려진 것이다. 참으로 딱한 일이다. 그는 분명 소인은 아니었다. 그러나 안타깝게도 대인의 풍도에는 못미치는 것처럼 사람들 눈에 비쳤다. 무기탄의 말버릇 하나 때문에. 이처럼 무기탄의 해악은 큰 것이다.

그런데 그 이후로 무기탄은 레토릭의 수준이 아니라 막가파의 행동으로 발전해버렸다. 사회적 죄악을 이 사회의 리더들이 행동으로 실천하는 것이다. 기탄함이 없는 정도가 아니라 막가파식으로 밀어붙이는 것이다. 이 사회의 리더들이 그렇게 행동하니까 국민들도 그러한 행동을 대수롭지 않게 여기는 요상한 풍조가 만연케 되었다. 지금 세계는 첨단정보의 시대이며, 세계사는 주축문명의 붕괴와 흥기의 역학 속에서 우리민족에게도 많은 기회를 허락하고 있다. 이러한 미묘한 경쟁의 시기에 어떻게 그 소중한 30조 원에 가까운 국민 세금이 강바닥에 퍼부어질 수 있다는 것일까? 2011년 여름 유난히 비가 많이도 쏟아졌지만 4대강사업은 재해를 증가시켰을 뿐 아무런 효용이 없다는 것은 충분히 입증이 된 것이다. 어떻게 이토록 국제상식을 위배하는 무기탄한 행동이 자행되고 이 국민에게 수용될 수 있다는 것인가? 4대강사업은 대한민국실록에 단군 이래 최대의 무기탄국책사업으로 기록될 것이 확실하다. 하루속히 무기탄의 죄악과 절망의 시대가 기탄의 신중함과 희망의 시대로 변하기만을 갈망한다. 한국의 젊은이들이여! 기탄있는 인간이 되자! 무기탄의 덕성을 발휘하지 말자!

내가 한국의 젊은이들에게 당부하고 싶은 것은 인터넷세계를 활용하는 것은 불가피한 일이지만, "무기탄의 글올리기"에 인생을 허비하지 말라는 것이다. 책상머리에 앉아 "거리낌" 있는 사고와 독서로 시간을 창조적으로 활용해야 할 인생의 중요한 시기에 쓸데없는 리플이나 달고 앉아 세월을 허송한다면, 큰 인물이 되기는 어려울 것이다. 농부가 겨울의 휴식을 위하여 봄·여름의 노동을 마다하지 않듯이, 그러한 "거리낌"의 축적을 지금 청춘의 소중한 시간 속에 쌓아나가기를 당부한다.

"군자이시중君子而時中" "소인이무기탄小人而無忌憚"이라 할 때의 "이而"는 단순한 접속사가 아니라 "연然"의 뜻이며, 따라서 그것은 "군자다웁게" "소인다웁게"라고 번역되어야 한다. 많은 주석가들이 이러한 미묘한 문제를 지나치고 있다.

흑룡강성, 옛 우리나라 부여扶餘 강토

第三能久章

zǐ yuē zhōng yōng qí zhì yǐ hū mín xiǎn néng jiǔ yǐ
子曰:“中庸其至矣乎! 民鮮能久矣!”
자 왈 중 용 기 지 의 호 민 선 능 구 의

沃案 앞서 말했듯이 제3장부터는 "자왈" 파편이 연속되고 있다. 자사는 자신의 총체적 입론立論의 구조를 제1장에서 먼저 밝혀놓고, 그것을 정당화하기 위하여, 자기 말로써가 아니라 유문儒門의 조종이라 말할 수 있는 할아버지 공자의 말씀을 인용함으로써 일차적으로 공자의 권위를 재차 부각시키고 자신의 주장을 정당화하고 있는 것이다. 복음서에서는 예수의 말씀파편과 복음서저자의 입장이 명료하게 구분되지 않는 것과 달리, 『중용』에서는 『중용』의 저자인 자사의 논술과 공자의 말씀은 명료하게 구분된다. "자왈"로 시작하지 않는 것은 자사의 말이다. 제2장부터 제20장까지는 "중용"과 관련된 공자의 말씀집으로서 『논어』의 한 편을 구성한다고 해도 무방한 성격의 것이다. 그것이 『논어』에 수록되지 않은 공자의 말씀파편으로서 별도로 전승되어 내려온 것인지, 자사가 공자의 말씀으로서 자신의 입론을 강화하기 위하여 창작한 것인지에 관해서도 명료한 단안을 내리기는 어렵다. 양 측면이 다 있을 것이지만, 내가 생각하기에는 자사가 어려서부터 들어온 공자의

제3장【능구장能久章】

공자께서 말씀하시었다: "중용이여, 참으로 지극하도다! 아~ 사람들이 거의 그 지극한 중용의 덕을 지속적으로 실천하지 못하는구나!"

말씀으로서 암송되어 내려오던 것들이 그 대부분이라고 생각된다. 아버지 백어伯魚가 세상을 떴을 때, 자사는 10살이었고 공자는 69세였다. 공자가 죽었을 때는 자사는 14살이었다. 공자가 죽기까지 자사는 공자 할아버지 무릎 위에서 많은 말씀을 들었을 것이다. 그리고 공자가 죽었을 때 그는 장손이었다. 장손으로서 공자의 제자들과 3년상을 같이 하고 또 자공子貢의 3년 연장 시묘살이를 같이 하면서 공문의 많은 이야기들을 채집하였을 것이다.

여기 공자가 "중용이여! 참으로 지극하도다!中庸其至矣乎!"라고 찬미의 언사를 발한 것은 예사로운 찬탄이 아니다. 평생을 학문에 정진한 말년의 성인이 자신의 인생에서 겪은 모든 체험, 그리고 만난 모든 사람들의 추억을 총괄적으로 회고하면서 내몰아쉬는 예찬의 심도는 어떤 형식논리적 지고함이나 완전성을 지향하는 것이라기보다는 삶의 온갖 심오한 정념이 배어있다고 말해야 할 것이다. "지의至矣"(지극하도

다) 다음에 붙은 "호乎"라는 어조사는 의문을 나타내는 것이 아니라, "지의至矣"라는 단정을 찬탄으로 바꾸는 감탄의 강조형이다. 따라서 "지극하지 아니 한가?"라는 식으로 반어적 용법으로 해석한 것은 모두 틀렸다. 중용! 그 중용이야말로 참으로 지극하고 또 지극한 것이다!

그 다음에 나오는 "민선능구의民鮮能久矣!"라는 말을 주희가 잘못 해석함으로써 우리나라 조선유자들의 『중용』 해석이 정해를 얻지 못한 측면이 있다. 오직 다산茶山이 용감하게 반기를 들었을 뿐이다. 이 구문에서 중용의 지극함에 관련하여 그것을 실천하는 인간의 태도에 관해 이야기한다면 그 본동사는 반드시 "구久"가 될 수밖에 없다. "구久"는 "지속한다"는 뜻이다. 그런데 주희는 "능能"을 본동사로 보았다. 그렇게 되면 "선능鮮能"은 "사람들이 참으로 드물게 능하다"는 뜻이 된다. "선鮮"은 부정의 뜻을 가진 부사이다. 그렇게 되면 전체문장은 "민선능民鮮能, 구의久矣!"로 끊어진다. 즉 민이 중용에 능하지 못한 지가 너무도 오래되었다는 뜻이 되는 것이다. 즉 현세에 대한 개탄으로 보는 것이다. 이렇게 해석하는 주자의 자세는 "꼰대유교"의 전형을 이룬다. 막연한 옛시대를 찬양하면서 현세적 인간들을 싸잡아 폄하하는 것이다. 다시 말해서, 말세라고 개탄하는 복덕방 노인네들의 푸념이 되고 마는 것이다.

공자의 말은 결코 이런 의미로 새겨질 수 있는 성질의 것이 아니다. "민선능구의民鮮能久矣!"에서 본동사는 "구久"일 수밖에 없다. 그것은 중용을 지속적으로 실천한다는 뜻이다. 그러면 그 앞에 있는 "능能"은 본동사가 아니라 영어의 "can"에 해당되는 조동사가 된다. 그리고 "선鮮"은 "능能"이라는 조동사에 대한 부정부사가 된다. "선능鮮能"은 "거의 …하지 못한다scarcely can"는 뜻이 된다. 그러니까 아주 쉽게 이해하면 "선능구鮮能久"는 "불능구不能久"의 좀 고상한 표현이라고 생각하면 된다. 이렇게 되면 공자의 말씀은 시대에 대한 개탄이 아니라, 인간에 대한 개탄이 된다. 일정한 세태에 대한 통시적 폄하가 아니라, 보편적 인간의 가련한 모습을 지극한 중용과 대비시키는 공시적 개탄이 된다. "중용"이란 인간이 어쩌다 잘 실현할 수도 있는 것이다. 그러나 그러한 실현이나 실천은 별 의미가 없다. 그것은 반드시 지속될 때에만 의미를 갖는 것이다. 대통령이 올방구를 뀌어 가끔 힛트를 칠 수는 있다. 그러나 그런 인기 대통령은 국정에 도움이 되지 않는다. 핵심은 그의 인격에 우러나오는 "능구能久"에 있다. 지속할 수 있음에 있다. 지속하지 않으면 그것은 중용이 아니다.

인생의 목표는 영원이나 불멸이나 불사나 불변에 있는 것이 아니다. 그러한 언어들은 모두 종교적 언어이며 속임수에서 우러나온 방편적 픽션의 언어들이다. 인생의 진리에 영원불변은 없다. 인간은 죽으면 끝이다. 아니, 죽어도 이름을 역사에 남길 수 있다. 그러나 그것도 영원한 것은 아니다. 결국 잊혀지고 만다. 인류의 역사에서 수없는 신들의 이름도 잊혀지고 말았다. 신들의 역사는 사실 알고보면 초라한 것이다. 지금 제우스를 믿는 자는 아무도 없다. 제우스는 관광상품이 되어 입장료수입으로 돈을 좀 벌고 있을 뿐이다. 야훼가 그런 신세가 되지 않으리라는 보장은 어디 있는가! 태양도 영원하지 않다. 앞으로 50억 년이면 소진해버린다. 그럼 지구도 끝난다. 생명도 끝난다. 인류의 역사도 끝나버리는 것이다. 영원은 없다. 불변은 없다. 하나님도 불변의 대상이 아니다. 그럼 인간이 믿고 살아야 할 것은 무엇인가? 그것은 삶의 "지속태"일 뿐이라고 공자-자사는 말한다. 희노애락의 삶 속에서 중용을 "지속"하는 것처럼 영원한 것은 없다. 그것처럼 지고하고 완전한 것은 없다. 지속이란 불변이 아니라, 변화이며, 시간 속에서의 유지를 말하는 것이다. 그럼 얼마만큼 지속해야 할까? 1억년? 평생? 10년?

공자는 말한다. 3개월만이라도 지속해 보아라! 아니 중용을 3개월 지속하는 것이 플라톤의 이데아보다 더 영원하단 말입니까? 공자는 힘주어 말한다: "그렇구 말구. 암~ 그렇구 말구."

공자는 말한다. 식과 색의 중용을 삼 개월만 지속해 보아라! 과연 그대는 오후불식午後不食을 삼 개월이라도 실천해본 적이 있는가? 과연 그대는 항상 데리고 잘 수 있는 아리따운 여인이 옆에 있는데 삼 개월 동안 색色을 멀리해 본 적이 있는가? 이것은 결재기간에 갇힌 스님의 이야기가 아니다. 평범한 선남선녀의 일상적 삶 속에서의 이야기이다. 중용의 "용庸"은 "범용凡庸"과 "항상恒常"을 의미하는 것이다. 공자는 말씀하신다. 삼 개월만 철저히 중용을 지킬 수 있어도, 그 후로는 날이면 날마다, 달이면 달마다 그냥 굴러가게 된다고… 선종의 바이블이라고 말할 수 있는 『벽암록』에도 "일면불日面佛, 월면불月面佛"이라는 수수께끼 같은 말이 있다. 많은 사람들이 이 구문에 대하여 신묘한 해석을 가하지만, 나는 "낮에는 해를 보는 부처처럼, 밤에는 달을 보는 부처처럼" 그저 묵묵히 세월을 견디는 돌부처 같다는 뜻으로 새긴다. 그런데 공자는 삼 개월만 철저히 중용을 지킬 수 있어도 일면불 월면불이 될 수 있다고 보았다. 과연 그럴까? 그대 스스로 시험해보라! 중용이란 삼 개월을 지속하기가 어려운 것이다. 인간에게 "영원eternity"이라는 숫자는 희노애락의 삶의 시간의 삼 개월과 상통한다는 이 공자의 말씀 속에는 허황된 진리를 추구하지 말고 구체적인 삶의 지속을 추구하라는 당부가 들어있다. 그것이 인간의 종교와 윤리에 대한 대변혁을 이야기하는 혁명적 언사로서 여러분들의 귀에 들리지 않는다면 그대는 아직 『중용』을 깨닫지 못한 것이다. 지극하도다 중용이여! 사람들이 참으로 그것을 지속하지 못하는구나!

우리나라에는 우리가 가보지 못한 귀한 문화재가 너무도 많다. 일반에게 잘 알려져 있지 않지만 이 괴산 원풍리 마애불좌상은 앞에 서 보면 그 웅장한 기운에 압도당하는 서기가 감돈다. 과거보러 서울가는 사람들이 추풍령을 지나면 추풍낙엽처럼 떨어지고 죽령을 지나면 허기져서 서울에도 당도 못하고, 이화령을 지나 이 괴산 길목을 지나야 느티나무 잎을 밟게되어 꼭 붙는다고 했다. 뭇 학인들이 여기서 꼭 장원급제를 빌고갔다. 지금도 그 기원이 부처님 모습에 서려 있는 듯 하다. 고려시대 작품으로 북위北魏의 양식이라 하나 통일신라시대로 소급될 수도 있다. 민간에서는 부부의 모습을 지닌 불상으로 숭배해왔다. 범용하고 친근한 부부상이라는 의미에서 중용의 맛이 서리고, 또 마조馬祖의 일면불, 월면불을 생각할 때면 나는 이 부처를 떠올린다.

第四知味章

zǐ yuē dào zhī bù xíng yě wǒ zhī zhī yǐ zhì zhě guò zhī
1子曰:"道之不行也, 我知之矣, 知者過之,
자 왈 도 지 불 행 야 아 지 지 의 지 자 과 지

yú zhě bù jí yě dào zhī bù míng yě wǒ zhī zhī yǐ xián zhě
愚者不及也; 道之不明也, 我知之矣, 賢者
우 자 불 급 야 도 지 불 명 야 아 지 지 의 현 자

guò zhī bú xiào zhě bù jí yě
過之, 不肖者不及也。
과 지 불 초 자 불 급 야

rén mò bù yǐn shí yě xiǎn néng zhī wèi yě
2人莫不飮食也, 鮮能知味也。"
인 막 불 음 식 야 선 능 지 미 야

沃案 제2장을 "시중時中"장이라 이름하고, 제3장을 "능구장能久章"이라 이름한다면, 제4장은 "지미장知味章"이라 이름함이 마땅하다. 제1장에서 총론을 제시한 자사는 제2장에서 제4장까지 "중용"을 깨닫게 해주는 "시중 – 능구 – 지미"를 제시함으로써 중용이라는 테마를 초장에서 이미 찬란하게 빛나게 만들고 있다. 공자의 로기온자료를 선택하고 배열하는 자사의 편집감각은 경이로울 정도로 탁월하다고 말해야 할 것이다.

중용을 과·불급의 직선상의 가치배열로 규정할 수 없다는 것은 이

제4장【지미장 知味章】

[1]공자께서 말씀하시었다: “도道가 왜 행하여지고 있지 않은지, 나는 알고 있도다. 지혜롭다 하는 자들은 도度를 넘어서서 치달려 가려고만 하고, 어리석은 자들은 마음이 천한 데로 쏠려 미치지 못한다. 도道가 왜 이 세상을 밝게 만들지 못하고 있는지, 나는 알고 있도다. 현명한 자들은 분수를 넘어가기를 잘하고 불초不肖한 자들은 아예 못미치고 만다. [2]사람이라면 누구든 마시고 먹지 않는 자는 없다. 그러나 맛을 제대로 아는 이는 드물다.”

미 내가 충분히 논술한 것이다. 그리고 여기 공자의 말씀도 도의 “불행不行”과 “불명不明”의 현상을 개탄하는 차원에서 과·불급을 지적한 것뿐이지, 과·불급의 사태를 가지고서 중용이라는 개념을 규정하려 했던 것은 아니다. 불행不行, 불명不明도 특별한 의미가 있는 것이 아니라, 수사학적 반복의 변양일 뿐이다. 불행과 불명에 관하여 특별한 의미를 부여하는 전통적 주석은 모두 졸렬한 과도해석이다. 공영달은 도의 불행不行은 눈치채기 쉽고, 도의 불명不明은 눈치채기가 어려운 사태라서, 불행不行과 관련된 지자知者－우자愚者보다는 불명不明과 관련된 현자賢者－불초자不肖者의 급이 높다고 말했다. 주자는 이와 관련하여 “지

자知者"는 지知의 측면에서는 과하고 행行의 측면에서는 불급하며, "현자賢者"는 행行의 측면에서는 과하고 지知의 측면에서는 불급하다 하여 지행知行의 문제로 대비시켜 논했는데 모두가 부질없는 말장난에 불과하다. 이와 같이 전통적 주석은 경전을 바라보는 시각이 자유롭지 못하다. 그 본래의 정신을 꿰뚫지 못하고 수사학적 궤변에 사로잡히거나 자신의 협애한 문제의식을 덮어씌우거나 하여 고경古經이 가지고 있는 자유로운 의미체계에 수갑을 채워놓는 상황이 많다. 고경이란 본시 그냥 인간의 문제를 느끼는 대로 서술해놓은 것이다. 우리가 생각하는 것보다 훨씬 단순하고 근원적이며 무학파적인 것이다.

본 장에서 가장 중요한 대목은 마지막 두 구문이다: "인막불음식야人莫不飮食也, 선능지미야鮮能知味也。" 여기 우선 우리 눈에 뜨이는 것은 "선능지미鮮能知味"와 "선능구鮮能久"의 문법적 구조가 일치한다는 사실이다. "미味"라는 목적어를 떼어버리면 "선능지鮮能知"와 "선능구鮮能久"가 되므로 본동사가 지知·구久가 될 수밖에 없다는 사실이 입증된다. 『중용』 자체의 텍스트의 맥락에서도 주희의 제3장 해석이 오류라는 것은 불박不駁하여도 자파自破하는 것이다.

부정부사	조동사	본동사
선鮮	능能	지知
선鮮	능能	구久

"막불莫不"은 이중부정이다. 사람은 마시고 먹지 않을 수가 없다. 인간이라면 누구든지 마시고 먹는다. 목마를 때 물마시고, 배고플 때 밥 먹는 것은 누구나 할 줄 아는 일이다. 생리적 욕구의 충족은 인간에게 기초적 쾌감을 제공하지만, 그러한 쾌감의 획득을 "맛"이라고 부르지는 않는다. "맛"은 생리에 기초하고 있으면서도 그것을 뛰어넘는 문명의 소산이다. 공자는 결코 중용을 과·불급이 없는 상태라고 규정하지 않았다. 과·불급은 도가 불행不行하고 불명不明한 사태에 대한 이유로서만 제시된 것이다. 중용에 대한 적극적인 규정성은 과·불급이 없는 소극적 상태가 아니라 바로 "맛을 아는 심미적 경지"에 있다고 본 것이다. 마시고 먹는 생리적 욕구충족의 단계에서는 문명은 발생하지 않는다. "맛"을 추구하는 데서 비로소 문명이 발생하는 것이다. "맛"은 인간의 감성 중에서도 가장 원초적인 것이지만 가장 고도의 복합적 체계이기도 한 것이다. 사람은 태어나자마자 "먹는다." 병아리도 부화되는 즉시 먹이를 쪼아 먹는다. 프로이드가 인간의 가장 원초적인 쾌감을 "색色" 즉 성감으로 본 것은 부차적인 것을 원초적인 것으로 간주하는 오치誤置의 오류the fallacy of misplacement이다. "식食"이 "색色"보다는 훨씬 더 원초적이다. 성욕을 느끼기 훨씬 전부터 식욕을 느끼는 것이다. 성은 굶어도 되는 것이지만, 식은 굶을 수 없는 것이다.

"맛"은 일차적으로 미각味覺을 의미하는 것으로 입口에 속하는 것이지만, "맛"은 실제적으로 구규九竅 전체의 감성에 해당된다. 시각에도 맛이 있으며 청각에도 맛이 있으며 후각에도 맛이 있으며 촉각에도 맛이 있다. 섹스에도 무궁한 맛이 있다. "색"의 문제도 단순한 성욕의 충족을 떠나 "맛"을 추구할 때는 『소녀경素女經』이나 『카마수트라』가 추구하는 도道의 세계가 되며 문화적 감각이 된다. 배설도 가장 원초적 맛의 느낌이다. 맛을 입으로만 느끼는 것이 아니라 똥구멍으로도 느끼는 것이다. 입에서 항문까지의 위장소화관gastrointestinal tract 전체가 실은 맛의 세계이다. 밥을 "맛있게 먹는" 삶보다 똥을 "맛있게 싸는" 삶이 더 도덕적 삶일 수도 있다. 배腹의 편안함이 인간에게서 가장 원초적인 쾌감이며 맛이다. "맛"은 "건강Health"의 원초적 구조이다.

맛은 일차적으로 감성에 속하는 것이지만 그것은 이성과의 조화가 없이는 달성될 수 없다. 즉 맛은 감성과 이성을 매개하며 융합하는 것이다. 맛은 개체에 따라 모두 차이를 보이지만 또 동시에 모든 개체들이 공통으로 느끼는 공통감으로서의 맛이라는 것이 있다. 과거에서 서양사람들이 "김치"는 아주 공포스러운 혐오의 대상이라고만 생각했지만 지금은 전 세계인의 사랑을 받는 맛의 대상으로 변해가고 있다. 다시 말해서 "맛"은 문화상대주의적인 소산이기도 하지만, 인간이라는 감성의 조건에 공통된 것으로 느껴질 수밖에 없는 것이기도 하다. 맛은 주관적이지만 간주관적間主觀的이기도 한 것이며, 상대적인 동시에 절대적인 것이기도 한 것이다. 즉 맛은 이성과 감성을 매개하며 주관과 객관을 통합하며 상대와 절대를 통섭하며 인간과 하나님을 융합하는 것이다.

맛은 예술이나, 인품이나, 문학이나, 과학이나, 논리, 그 모든 것에 적용되는 것으로 매우 경제적인 스타일을 형성하는 심미적 감성이다.

맛을 아는 숙달된 문장가는, 맛을 아는 숙달된 요리사가 음식의 재료를 낭비함이 없이 곧바로 최상의 맛을 내듯이, 단어를 낭비하지 아니한다. 맛을 아는 의상 디자이너는 천을 허비하지 않는다. 맛을 아는 장인은 언제고 주어진 조건에서 최상의 작품을 만들어낸다. 요리솜씨가 고도화된 장인의 손길에서는 아무리 빈곤한 재료 속에서 음식을 만들어도 일정한 경지 이하의 음식이 만들어지는 법은 없다. 우리가 치자 즉 사회의 리더들에게 바라는 것도 바로 이러한 맛의 경지이다. 순간순간의 판단력이 일정한 수준의 맛을 떠날 수 없는 것이다.

이러한 지도자를 만나면 국정의 하락이 있을 수가 없는 것이다. 따라서 교육의 궁극적 목적은 "맛"에 있는 것이다. 어떻게 맛을 아는 인간을 배양하느냐에 문명의 존재이유가 있는 것이다. "맛"은 "멋"이며, "힘"이다. "맛"은 "몸"의 가치의 총화라고도 할 수 있는 것이다. 맛은 힘을 창출한다. 소기된 바의 목적을 낭비없이 달성함으로써 힘을 증대시키며 또 동시에 힘을 제약시킨다. 절제없는 맛이란 존재하지 않는다. 음식의 맛이란 소금이나 기타 재료들의 절제에서 생겨나는 것이다. 절제없는 멋이란 존재하지 않는다. 옷의 아름다움도 결국 절제의 미학이다. 따라서 맛이야말로 중용에서 생겨나는 것이다. 맛은 인간의 몸과 마음의 궁극적 도덕성the ultimate morality of Mom이다. 맛은 상황성을 떠나지 않는다. 마당 독에 묻은 김장김치도 1월 초순의 짧은 기간에 최상의 맛을 낸다. 맛은 시중時中이다. 맛은 전문가의 특권이다. 다시 말해서 수신脩身의 결과로서만 달성되는 것이다. 맛은 공부工夫*kung-fu*의 결과이다. 공부없는 맛은 존재하지 않는다. 어떻게 엉터리 요리사나 학업의 훈련을 거치지 않은 자들에게서 음식의 맛이나 문장의 맛을 기대할 수 있겠는가? 시골 농부 아낙의 밥상이 서울의 고급식당의 요리보다 더 맛있을 수 있는 것은, 그 원초적·상대적 감각에 있는 것이 아니라 시골 아낙의 감성의 훈련의 수준이 인공조미료에 찌들어버린 고급요리사들의 전문성의 수준을 훨씬 능가하기 때문인 것이다. 맛은 교육의 정점이며, 교육의 특수성과 일반성을 통합하는 것이다. 맛은 전문성을 문명에 제공하는 끊임없는 문화이다.

이 민족의 젊은이들이 앞으로 토착적인 철학을 구성하려고 한다면 감정이니 이성이니 하는 따위의 개념들을 근원적으로 무시해버리고 "맛"과 같은 우리말의 개념을 가지고 우리 일상의 체험을 규합하여 독창적인 사유체계를 구축해나가야 할 것이다. "맛철학학회"! 있음직한 젊은 철학도들의 모임이 아닐런지.

뻬이징 국자감國子監 안에 천자가 국자감 감생들에게 강의하는 곳인 벽옹辟雍을 지나면 그 뒤에 이 공자상이 나온다. 그 공자상 뒤로 보이는 것이 이륜당彛倫堂이다. 원대에는 숭문각崇文閣으로 불리었던 것인데 명나라 영락연간에 개축하여 이륜당이 되었다. 제사, 집회, 연회, 강학 등의 다용도로 쓰였던 건물이다. 공자의 권위는 황제의 권위를 뛰어넘는 것이었다.

彝倫堂

第五道其不行章

zǐ yuē dào qí bù xíng yǐ fú
子曰: "道其不行矣夫!"
자 왈 도 기 불 행 의 부

沃案 이 짧은 한 장의 말씀에는 진실로 무한한 뜻이 숨어있다. 이 한 말씀을 제대로 이해하면 동서의 철리哲理의 오묘함이 다 풀려나간다. 우선 이것은 탄식이다. "탄식"이라는 것은 개념적 논술이 아니라, 깊은 정념의 노출이다. 다시 말해서 우리는 철학이라는 것이 꼭 개념의 분석이 되어야 한다는 생각에서 벗어나야 하는 것이다. "탄식"도 얼마든지 심오한 철학의 표현일 수 있는 것이다. 여기 탄식은 누구의 탄식인가? 물론 공자의 탄식이다. 그러나 공자는 포의布衣에 불과했다. 다시 말해서 우리와 같은 보통사람인 것이다. 그는 예수처럼 "신의 아들Son of God"이 아니요, 인류의 구원을 안타깝게 외치는 구세주도 아니요, 십자가에 매달려 하나님에게 배반당했을지도 모른다는 두려움에 떠는 회의적 인간도 아니다. 그렇다고 인생의 고업苦業에 시달려 그 윤회輪廻의 고리를 벗어나고자 발버둥치는 해탈지향의 구도자도 아니다. 단지 그는 보통사람으로서 탄식하고 있다. 무엇을 탄식하는가? 그는 단지 도道가 행行하여지고 있지 않은 현세의 모습을 개탄하고 있는 것이다.

제5장【도기불행장道其不行章】

공자께서 말씀하시었다: "아~ 진실로 도道가 행하여지질 않는구나!"

이 개탄은 어디서 오는가? 우리 유학체계 속에서는 이러한 개탄을 불러일으키는 우리의 의식상태를 개칭概稱하여 "우환의식憂患意識"이라 부른다(20세기 중국철학의 대가 중의 한 사람인 머우 쫑산牟宗三, 1909~95에 의하여 개념화되었다).

우환의식은 우선 종교적 감정의 근원인 공포의식恐怖意識과는 다르다. 우환은 걱정은 걱정이되 공포Fear, Dread가 아니다. 공포는 인간과 신의 분열을 전제로 한다. 그리고 또 자연과 인간의 분열을 전제로 한다. 자연이 인간 앞에 공포의 대상으로서 대자화對自化되는 것이다. 그러나 "천명지위성天命之謂性"의 세계관 속에서는 인간과 상제上帝의 분열이 없고, 인간Man과 자연Nature의 분열이 없다. 공포는 신에 의한 인간의 구원을 지향하도록 만든다. 그러나 우환은 공포가 아니다. 그러므로 우환의식 속에는 인간이 구원, 구속의 대상으로서 등장하지 않는다. 인간은 본시 구원의 대상이 아니다. 『중용』은 말한다: "인간은 인간만이 스스로 구원할 수 있을 뿐이다." 이 "스스로 구원"을 제1장에서 "수도脩道"라고 부른 것이다.

인간과 신의 분열이 없고, 인간과 자연의 분열이 없는 상태에서의 "걱정"이란 무엇인가? 입에 풀칠 못하는 것을 걱정하고, 이쁜 새악씨 못 얻을까 걱정하고, 벼슬하지 못하는 것을 걱정하고, 가계에 명예로운 이름을 남기지 못할 것을 걱정하는 것일까? 이런 걱정은 "우환"이라 부르지 않는다. 그것은 소인의 근심일 뿐이다. 그렇다면 우환이란 무엇인가? 우환이란 반드시 대인의 우환이다! 대인의 우환이란 무엇인가? 그것은 성인이 되지 못하는 것을 걱정하는 것이요, 배우지 못할 것을 걱정하는 것이요, 덕을 닦지 못할 것을 걱정하는 것이요, 천지가 바르게 자리잡지 못할 것을 우려하는 것이요, 만물이 잘 자라나지 못할 것을 우환하는 것이다.

여기에는 인간을 바라보는 근원적인 시각의 차이가 있다. 인간은 원죄에 시달리는 존재로 볼 수도 있고, 고업에 지친 모습으로 바라볼 수도 있고, 정욕의 생물학적 주체로 규정할 수도 있다. 그러나 그것이 결코 인간을 다 규정하는 것은 아니다. 서구적 인간관의 특징은 인간을 일단 부정적으로 바라본다는 것이다. 인간을 애초로부터 불완전한 존재로 규정하려는 것이다. 즉 그들은 인간의 정면正面을 바라보지 않고 부면負面을 바라보는 것이다. 태양 아래 빛나는 푸른 모습만 바라봐도 언어가 딸릴 판에 그들은 그늘만 쑤시고 다니는 것이다. 왜 그런가? 그 이유는 매우 간단하다. 그렇게 인간을 바라보아야만 종교적 권위를 장악한 제사장 그리고 권력계급들이 장사를 해먹을 수 있기 때문이다.

「창세기」에도 분명히 인간은 하나님의 모습대로 창조되었다고 쓰여져 있다(하나님이 자기형상 곧 하나님의 형상대로 사람을 창조하되, 창 1:27). 그것은 곧 하나님과 인간이 하나였다는 것을 의미한다. 그런데 인간은 선악과를 따먹게 됨으로써 원죄의 구렁텅이로 빠진다. 그것은 무슨 뜻인가? 즉 하나님과 인간이 분열되었다는 것을 의미하는 것이다. 즉 선악과를 따먹음으로써 인간은 하나님이 될 수 있는 길道을 영원히 차단당한 것이다. 원죄의 인간에게 기다리고 있는 것은 하나님의 구원밖에는 없다. 인간은 인간 스스로를 구원할 길이 없다. 이제 기독교는, 하나님만으로 장사가 잘 안되는 세상이 오니까(율법의 권위가 붕괴되었다) 예수를 하나님의 대행자로 내세우게 되었다. 그렇게 되면 인간은 오직 예수의 십자가에 의존하여 대속을 얻어야 한다. 이것이 서구의 유대-기독교전통의 인간관이다. 싯달타가 인간을 고업의 주체로 파악한 것도 비슷한 종교적 맥락이 있다. 그래야 인간은 해탈을 추구하고 시간을 벗어나게 된다. 역시 그러한 추구에 목매놓고 사는 인간들 때문에 상가僧伽 saṃgha는 장사가 잘 되는 것이다.

인간을 욕망의 주체로만 바라보는 생물학자들도 마찬가지다. 그들은 과학이라는 "종교"의 장사를 잘 해먹기 위해서는 그런 부정적 인간관을 "객관"이라는 이름하에 위장해야 한다. 사실 프로이드의 인간본성론이나 인격구조personality structure로 인해 구원받는 인간보다는 정신분석학자라는 이름으로, 싸이카이어트리스라는 이름으로 돈벌어먹는 인간들이 더 많을 것이다. 과학이라는 객관위장 종교의 폐해는 전통적 소박한 구원종교보다 훨씬 더 광범위하고 악랄한 것일 수도 있다.

왜 인간을 그렇게 부정적으로만 바라보아야 할까?

인간은 욕망의 주체이기 전에 도덕의 주체이며, 원죄의 불완전한 존재이기 전에 완전 즉 성聖의 가능성을 내포한 하학이상달下學而上達의 위대한 존재이다. 자연은 인간에게서 객관으로서 독립되는 것이 아니라 그 자체가 하나의 거대생명으로서 인간의 내면과 상통하는 도덕의 체계일 수도 있다. 하나님은 인간 밖에 군림하는 공포적 권위의 주재자가 아니라 인간 내면에 스며있는 초월의 감각the Sense of Transcendence 그 자체일 수도 있다. 희랍인들도 인간을 정면으로 바라보지를 않았다. 자연과 지식과 논리에 대한 해석과 성찰이 있었을 뿐, 인간 그 자체의 정면을 바라보지 않았다. 인간을 로고스로 파악한다는 것은 인간을 살해하는 것이다. 생명을 빼앗고 기하학적 논리구조만을 인정하는 것이다. 서양철학은 플라톤, 아리스토텔레스, 토마스 아퀴나스를 거쳐 데카르트, 칸트, 헤겔에 이르기까지 인간이 사용하는 언어적 개념에 대한 규정성의 조합으로 로고스적 결구를 구축하는 말장난만 되풀이해온 것이다. 비트겐슈타인이 "말할 수 없는 것에 대해서는 침묵할지어다"라고 말한 것은 결코 언어적 개념의 조작에 의한 어떠한 논리적 결구도 근원적으로 인간의 문제를 해결하는 것이 아니라는 하나의 새로운 정직한 케리그마를 서양철학사에 제시한 것이다.

그렇다면 인간은 침묵밖에 할 것이 더 없는가? 침묵이란 로고스의 파산을 의미하는 것일 뿐, 인간의 실천적 삶의 발견을 방해하는 것은 아니다. 우리가 재건해야 할 철학은 인간의 정면을 바라보는 것이다.

인간을 신성한 존재로서 재건설하는 것이다. 인간의 주체성Subjectivity과 내면적 도덕성Inner Morality을 재건하는 것이다. 그것은 인간을 온전한 생명生命으로서 바라보는 것이다. 생명의 모든 가능성을 구유한 존재로서 파악하는 것이다. 생명의 모든 가능성이란 곧 신성을 포괄한 천지자연의 모든 가능성을 인간의 몸Mom에서 발견하는 것이다. 철학의 과제는 이론에 있는 것이 아니라 실천에 있다. 인간의 과제는 나의 부면을 드러내는 데 있는 것이 아니라 나의 정면을 격려하고 발전시키는 데 있다. 그것은 성인이 되는 길을 걸어가는 것이다. 이러한 인간은 끊임없이 우환을 생生의 저변에 깔고 살 수밖에 없다.

오늘 날이 하도 더워 요구르트 아이스크림을 몇 개 샀는데 그것이 하나하나 너무도 아름다운 플라스틱 통들에 담겨있다. 옛날 같으면 그 통을 시골에서 귀하게 몇 년이고 썼을 것이다. 그러나 지금은 아이스크림 한 번 먹는 용도로 곧 버려진다. 그런데 젊은 아이들은 그것이 잘못된 것이라는 생각이 전혀 없다. 나는 이 작은 사실 하나에 대해서도 "우환"을 느낀다.

오늘 장마가 그치고 햇빛이 너무 쨍쨍했다. 그래서 몸을 말리려고 낙산에 오르는데 이화장 뒷켠에 있는 작은 골목을 지나게 되었다. 내가 30년을 산보한 길인데 항상 좀 불량끼가 있어 보이는 중·고생 아이들이 모여있는 모습이 가끔 보이기는 했어도 매우 깨끗하고 정취가 있는 골목이었다. 그런데 오늘 가보니 미국식 스프레이 그라피티의 천국으로 변해있었다. 벼라별 불미스러운 낙서가 여기저기 그려져 있었다.

하도 놀라서 아래 파출소에 가서 물어보니, 강호동, 이승기가 진행하는 테레비 프로그램에서 낙서하는 행위를 하고 난 후로 생긴 것이라고 했다. 시청률을 높이기 위한 행위만을 생각하고 그것이 미치는 사회적 영향에 관하여 별 고민이 없다는 것이다. 선생님께서 좀 테레비에서 강연하실 때 우리사회의 공적 모럴과 책임감에 관하여 더 좀 강하게 말씀해주시면 감사하겠다고 지긋한 경찰관께서 되려 나에게 부탁하는 것이었다. 내막은 어떻든지간에 나에게는 이런 모든 것들이 "우환"으로 다가온다. "우환"이란 "대의大義"와 관련된 것이다. 대의大義란 나의 존재가치를 인간세의 보편적 가치로서 실천적으로 공유하는 것이다. 나의 생명가치라는 것은 도덕적 실천에 내재하는 것이다. 인간에게 있어서는 인간이라는 자기생명이 일차적으로 탐구의 대상이 되는 것이다. 정욕생명이 강렬한 만큼, 도덕생명 또한 강렬한 것이다. 인간은 하루하루의 우환의식 속에서 도덕의식을 생산한다. 문왕文王은 유리羑里의 감옥에서 우환憂患 때문에 『주역』을 지었다고 했다(易之興也, 其於中古乎? 作易者, 其有憂患乎! 「계사」하7). 그가 처한 시대는 혁명의 시대였고 간난艱難의 시대였다. 천지의 대덕大德은 생명력에 있다(天地之大德曰生。「계사」하1). 천지는 무심無心하게 만물을 성화成化시키지만, 성인은 천지만물의 위육位育에 대하여 근심하는 우환의식을 아니 지닐 수가 없다. 그 비천민인悲天憫人의 느낌이야말로 성인을 성인다웁게 만드는 것이다. 우환은 하나님 앞에서 자기를 부정하는 것이 아니요, 욕망의 해탈을 위하여 자아를 부정하는 것이 아니다. 철저히 도덕적 주체로서의 자아를 긍정하는 것이다. 계신戒愼의 경건한 태도야말로 우환을 지니는 인간의 본연이다. 결국 인간이 살아가는 것은 천지생명에 대한 외경을 배우는 것이며 그 일체생명의 일부로서의 자기생명의 겸손을 체득하는 것이며, 그 겸손을 통하여 천인합일의 성聖으로 진입하는 것이다. 나 자신의 내면적 도덕성이 상실되면 천명天命은 철회된다. 나라는 존재는 형이하학적 생물학적 개체일 뿐 아니라 가치를 체현하는 형이상학적 진실무망의 주체이다. 종교는 인간의 진실무망을 공포스러워 한다. 인간을 항상 허환과 가상의 존재로 만들고 인간에게서 신성을 탈색시킨다. 그러나 우환은 끊임없는 각성을 통하여 신성을 회복한다. 여기 공자가 도가 행하여지고 있지 않다고 탄식을 발한 것은 그러한 우환의식의 발로인 것이다.

제1장에서 총론이 제시되었고, 제2장~제4장까지 "시중時中－능구能久－지미知味"의 강렬한 주제가 제기되었다. 그런데 "시중－능구－지미"가 제기된 맥락은 부정적이다. 다시 말해서 "시중－능구－지미"가 이루어지고 있지 않은 인간의 모습에 대한 개탄이다. 제5장은 바로 이러한 개탄을 극적으로 심화시킨 것이다. 그리고 제6장부터 반전이 이루어진다. 도가 행하여지고 있지 않은 사태에 대한 탄식이 아니라 도가 어떠한 방식으로 행하여질 수 있는가를 긍정적으로 검토하는 것이다. 중국의 위대한 성인들의 모습을 통하여 그 긍정적 가능성의 실상을 논구해나가는 것이다.

이 부정에서의 긍정으로의 대전환의 길목에서 다시 한 번 공자의 깊은 탄식을 삽입시킨 것이 이 대목의 독특한 의미맥락이라고 간주하여, 제5장을 한 장으로서 독립시킨 주희의 편집은 참으로 탁월한 선택이라고 찬미할 만하다.

第六舜其大知章

zǐ yuē shùn qí dà zhì yě yú shùn hào wèn ér hào chá ěr yán
子曰: "舜其大知也與! 舜好問而好察邇言,
자 왈 순 기 대 지 야 여 순 호 문 이 호 찰 이 언

yǐn wù ér yáng shàn zhí qí liǎng duān yòng qí zhōng yú mín
隱惡而揚善, 執其兩端, 用其中於民,
은 오 이 양 선 집 기 양 단 용 기 중 어 민

qí sī yǐ wéi shùn hū
其斯以爲舜乎!"
기 사 이 위 순 호

沃案 앞서 말했듯이 부정적인 사태에 대한 개탄이, 이제 순舜이라는 문화영웅culture-hero의 사례를 들어 도를 실천하는 긍정적인 방법을 구체적으로 예시例示하고 있다. 문화영웅으로서 요·순·우·탕·문·무·주공 같은 사람들이 등장하는 것은 인문주의의 논리적 귀결이라고 말할 수 있다. 인문주의 가치를 구현한 영웅들은 신화적 영웅과는 달리 반신반인의 헤라클레스가 아니며, 하나님의 아들인 예수도 아니며(예수도 일종의 헤라클레스의 변형태이다), 또 아테네 청년들을 타락시키고 아테네가 믿는 신을 믿지 않았다는 죄목으로 고발되었고 또 영웅적으로 죽음을 선택한 소크라테스도 아니다. 중원의 문화영웅은 플라톤이 꿈꾸던 철인왕Philosopher-King에 틀림이 없지만, 플라톤이 그린 그런 관념론적·이데

제6장【순기대지장舜其大知章】

공자께서 말씀하시었다: "순임금은 크게 지혜로우신 분이실진저! 순임금께서는 무엇이든지 묻기를 좋아하셨고 비근한 말들을 살피기를 좋아하셨다. 사람들의 추한 면은 덮어주시고 좋은 면을 잘 드러내주시었다. 어느 상황이든지 그 양극단을 모두 고려하시어 그 중中을 백성에게 적용하시었다. 이것이 바로 그 분께서 순舜이 되신 까닭이로다!"

아적 최고선의 가치를 구현한 인물들은 아니다. 플라톤의 "철인"은 그 자체가 너무도 신화적이다. 가족이나 사유재산이나 예술적 정취가 모두 부정되는 그런 기하학적 이데아의 철인은 진정한 철인의 자격이 없다.

중원의 성인은 소박한 보통사람들이며, 일상의 오륜의 관계 속에서 사는 사람들이다. 그러나 이들의 특징은 철인인 동시에 정치적 리더였다는 것이다. 다시 말해서 덕성과 권력을 한 몸에 지닌 인물들이었다는 것이다. 장자가 말하는 "내성외왕內聖外王"의 화신이었던 것이다. 이 내성외왕의 이상은 곧 윤리적 가치가 정치적 가치와 분리될 수 없다는 것을 말해주는 것이다. 다시 말해서 "신화적 구원자Mythological Savior"가 따로 있는 것이 아니라 그 사회의 정치적 리더가 개별적 군자의 덕성을 완성시켜야 한다는 것이다. 다시 말해서 도는 개인으로서 완성되는 것이 아니고 반드시 사회적 가치와 더불어 완성되는 것이며, 그 사회적 가치의 완성의 책임자는 내성외왕일 수밖에 없다는 것이다. 이것은 사실 거창한 이론이라기보다는 인문주의적 상식이다. 위대한 정치적 지도자가 나오면 그 세상은 태평성세가 되는 것이다. 그런데 이러한 "위대한 정치지도자"의 꿈이 역시 고대성왕의 꿈으로서만 존재하고 현실적 왕들의 모습은 너무도 그 꿈과 거리가 멀었다는 데 동방역사의 아이러니가 있다고도 말할 수도 있다. 그러나 동방인들은 끊임없이 "내성외왕"의 꿈에 집착해왔다. 이러한 집착이 결국 민주정치의 제도적 발흥을 방해하였다고도 말할 수 있다. 그 꿈은 너무도 리얼한 기대였기 때문이다.

그리고 서양에 비하면 왕을 교육시키는 제도가 잘 발달해 있었기 때문에 "비슷한 놈들"은 많이 나왔다는 현실 또한 부정할 수 없다. 서양은 왕들이라는 자들이 너무도 형편없는 정신박약자나 분열자들이 많았기 때문에 오히려 귀족들이 자신의 권익을 옹호하기 위하여 마그나 카르타Magna Carta(1215)와 같은 왕권제약적인 제도적 장치를 개발했을 수도 있다. 하여튼 "클레오파트라의 코"와 같은 얘기는 백날 해봐야 소용이 없다. 문제는 현실이다. 우리가 지금 반추해봐야 할 사실은 오늘날 우리사회의 정치지도자 중에서 세종이나 정조 만한 학식의 소유자를 발견할 수 있겠느냐는 것이다. 세종이 이 민족을 위하여 눈에 보이지 않는 추상적 가치를 축적한 것의 총량만 해도 현재 민주제의 대통령 천 명을 합쳐도 모자랄 것이다. 부질없는 토목공사로 국민의 혈세만 축내는 짓, 종편채널이라는 당근 하나로 주요언론사들을 현혹시켜 언론의 제기능을 못하게 하는 짓, 어찌 이런 따위의 짓들을 정치지도자의 역량으로 시인할 수 있겠는가? 권력은 긍정적인 창조의 맥락에서 발휘되어야지 부정적인 콘트롤의 맥락에서 발현되면 안된다.

그러나 우리가 이 시점에서 기억하지 않으면 아니 될 사실은 어차피 서구역사의 실험의 소이연이 훌륭한 의회민주제도를 생산키 위한 것이었다고 한다면, 그 결과물을 우리는 충분히 제도적으로 정착시킴으로써 서구역사의 장점을 흡수하였다는 것이다. 다시 말해서 민주제도가 아무리 많은 문제를 내포하고 있다 할지라도 그것은 기나긴 인류역사의 테스트를 거친 것이며 그 나름대로의 합리성이 있다는 것이다. 따라서 그 성과에 대한 비판에 앞서 우리는 그 제도를 어떻게 효율적으로 운용運用할 수 있을 것인가 하는 것을 생각하여야 한다. 이러한 긍정적 사고의 전제 하에서 관망할 때, "내성외왕"의 이상이야말로, "문무주공"의 치세야말로 지금 21세기의 가장 긴요한 과제상황일 수도 있다는 것이다. 즉 21세기 민주제도의 성패는 리더십의 도덕적 질the moral quality of leadership의 확보에 달려있다. 동아시아문명의 중용적 가치가 미비한 제도적 해결방안 부분을 서구역사의 결과물로 보완한다면, 『중용』의 메시지는 도덕적 정치의 첩경을 이룩케 하는 구체적인 방안이 될 수 있는 것이다.

순舜은 혈통적으로 천자天子가 된 사람이 아니다. 그는 천민출신의 사람이었고 족보로 따져도 오바마와 같은 오랑캐의 후손이었다(舜, 生於諸馮, 遷於負夏, 卒於鳴條, 東夷之人也。『맹자』 4b-1). 그는 당시 치세의 덕성으로서 가장 중시되던 효孝를 실천하는 데 있어서 탁월하다는 하나의 이유만으로 천거된 사람이다. 천거되었다고 바로 천자의 지위를 획득하는 것이 아니다. 28년간의 섭위攝位 과정을 통하여 선왕과 백성들은 그의 정치능력을 충분히 검증하였던 것이다(『상서』「순전舜典」). 이 정도면 선거에 의하여 지도자를 뽑는 것보다도 더 치열한 리더십 테스트를 거친다고 말할 수도 있다. 사실 오늘날 공산당치하의 중국정치제도의 리더십 확보과정을 보통 "적우제積優制"라고도 말하는데, 이러한 고래의 전통을 이은 것이다(可看潘維著『當代中華體制』).

여기 중용이라는 테마는 순舜의 대지大知와 연결되고 있다. 지知라도 그것은 소지小知가 아니라 대지大知이다. 일차적으로 중용을 지와 연결시키고 있는 것은 매우 중요한 의미를 지닌다. 동방인들이 말하는 중용은 덕성의 문제이지만, 지성의 도움이 없이 이루어지지 않는다. 지와 덕은 통합되는 것이다. 지知라는 것은 인식론적 탐구라기보다는 살아가는 데 필요한 실천적 앎이다. 앎이란 물론 나 이외의 환경세계Umwelt에 대한 탐구를 내포한다. 앎은 나 자신에 대한 앎과 나를 둘러싼 세계에 대한 앎을 포섭하는 것이다. 그런데 앎의 방식에 있어서 가장 중요한 덕성은 "호문好問"이다. "호문"이란 앎이라는 행위에 있어서 나의 존재를 규정하는 모든 격식을 타파하고 겸손하게 가슴을 여는 것이다. 지식은 선험적인 것으로 다 충족되지 않는다. 서양사람들이 "선험적 형식"을 중시하게 된 것은 그들의 지식추구방식이 실천적 앎에 관한 것이 아니라 앎 그 자체에 대한 인식론적 탐구였기 때문이다. "호문"이란 끊임없이 가슴을 열고 타인에게 자문을 구하는 것이다. 중대사에 있어서 홀로의 판단에 의지하지 않는 것이다. "호문"이라 해서 자신의 판단을 흐리지는 않는다. 판단의 주체는 어디까지나 나 자신이다. 타인의 앎을 "물음"을 통하여 나의 것으로 만드는 덕성이 지도자의 가장 중요한 요건이라는 것이다. 지나가는 어린이에게라도 배울 것이 있다면 서슴치 말고 물어라! 이것은 우리나라 조선의 개명한 북학파 사상가 연암 박지원朴趾源, 1737~1805의 말이다. 요즈음 우리나라 정치인들은 너무도 물을 줄을 모른다. "물음"이 없고 자기주장만 있다. 그 "주장"이라는 것도 너무도 저열한 인식의 소산이 대부분이다. 물어라! 물어라! 묻기를 좋아하라! 얼마나 지당한 공자의 말씀인가!

묻되 형이상학적 현리玄理에 심취하지 말고 가깝고 비근한 실생활의 말들을 살피기를 좋아하라! 여기 "호찰이언好察邇言"은 『논어』「옹야」 28에 나오는 "능근취비能近取譬"라는 말과 상통하는 것이다. 얼마 전 나에게 텔레비전 프로그램을 맡은 사람에게서 전화가 왔다. 어린 형제가 대단한 천재인데, 이 천재들이 나를 존경한다는 것이다. 그래서 나와 대담하는 프로를 만들겠다는 것이다. 어린 아이들인데 영재교육 프로그램에 의하여 대학강의를 듣고 있다고 한다. 그래서 관심이 뭐냐니깐, 요즈음 "음양오행"과 "주역"에 관한 책들을 읽고 있다고 했다. 그래서 나는 대답했다: "그 아이들을 나에게 데려오면 따끔하게 야단을 쳐줄 수는 있소. 내가 개인적으로 진지하게 인생의 지혜를 가르쳐 줄 수는 있으나, 동물원에서 신기한 동물 구경시키듯 사람들에게 구경시킬 수는 없는 노릇 아니오? 더구나 영재라면 물리학의 기초공식이라도 착실하게 배울 것이지 뭔 아직 제대로 성장하지도 못한 아이들이 주역, 음양을 운운한단 말이오? 내가 생각키엔 당신들이 그 아이들을 망치고 있는 것 같소. 참 딱한 일이구려."

아무리 머리가 좋다고 하기로서니 가까운 말들을 살필 줄을 모르고 주역, 음양오행 운운하면 이미 싹수가 노란 것이다. 우리나라에서 어린 천재라 하여 진정하게 우리문명에 기여하는 천재가 된 사람이 과연 개미새끼 한 마리라도 있는가? 천재일수록 보통교육을 시켜야 하고, 텔레비전에 신기한 동물처럼 나오면 아니 되는 것이고, 인간의 평범한 희비를 감내해야 하는 것이다. 영재교육? 나는 단연코 반대다! 사람들이 평범한 지혜를 물을 줄을 모르고, 도사랍시고 음양오행, 주역 운운하며 우스꽝스러운 개량한복이나 입고 뻥끗거리는 족속들이 결국 이 사회의 분위기를 흐려놓는 것이다. 남들보다 대학교를 10년 더 먼저 나온다 한들, 10년 더 빨리 학문이 성취되는 것도 아니요, 10년만큼 더 많이 이 사회에 이바지하는 것도 아니다. 그리고 10년 더 빨리 출세하는 것도 아니다.

"은오이양선隱惡而揚善"의 "오惡"는 추하다는 의미의 "오"이지, "선善"과 실체적으로 대비되는 "악惡"이 아니다. "선·악"이라는 말은 서양말이지, 우리말이 아니다. "선善"의 반대의미로 짝을 짓는 말은 "불선不善"이지 "악惡"이 아니다. "惡"은 "오"로서 "미美"와 짝을 이루는 말이다. 추함은 악이 아니다. 얼굴이 못생겼다고 해서 도덕적으로 악한 것은 아니다. 추한 것도 아름다움에 기여하는 적극적 가치일 뿐이다. 만약 "隱惡而揚善"을 "악을 숨겨주고 선을 드러내준다"라고 해석한다면 그것은 순임금께서 주변사람들을 모두 위선자나 사기꾼으로 만든다는 의미일 것이다. 순임금은 은닉죄로 고발되어야 할 것이다. 그것은 인간의 추한 면은 덮어주고 적극적인 좋은 면을 잘 드러내주어 격려해준다는 의미로 새겨야만 할 것이다.

마지막으로 "집기양단執其兩端, 용기중어민用其中於民"이라는 말에서 비로소 중용이 가운데mathematical middle가 아니라는 의미가 비로소 확연하게 드러나는 것이다. 이 말과 관련된 유명한 공자 자신의 독백이 『논어』(9-7)에 나오고 있다. 공자가 말하기를 세상사람들이 자기를 보고 박식하다고 한다는 것이다. 그런데 공자는 자문한다: "과연 내가 뭘 좀 아는가? 아니야! 나는 아는 것이 별로 없어. 그런데 말이야! 비천한 아해라도 나에게 질문을 하면, 비록 그것이 골빈 듯한 멍청한 질문이라 할지라도, 나는 반드시 그 양단兩端의 논리를 다 꺼내어 두드려보고 그가 납득할 수 있도록, 있는 성의를 다해서 자세히 말해준다. 그래서 내가 좀 아는 것처럼 보였을지도 모르지."

타인의 질문에 겸손하고도 친절하게 그리고 진지하게 응하는 공자의 호학적好學的 자세가 잘 드러나 있는 말이다. 여기 공자가 쓴 말은 "아고기양단이갈언我叩其兩端而竭焉"이다. 다시 말해서 어떤 질문 즉 테제가 제시되면 그것에 관련된 모든 양극적·대척적 상황을 다 충분히 고려해본다는 뜻이다. 다시 말해서 중용이란 양단의 중앙이 아니라, 모든 극단의 상황들을 충분히 고려해보고 그 숙성된 상황변수 속에서 자연스럽게 우러나오는 결단이라는 뜻이다. 여기 순임금이 순임금 된 까닭은 바로 그 양단의 상황을 포섭하면서 그 가운데를 백성에게 적용하는 덕성에 있다고 한 것과 상통하는 표현이다. 대운하나 4대강정비사업 같은 거대한 국책사업은 반드시 그 안을 반대하는 모든 논리를 충분히 포섭하여 결단해야 한다. 한 사람의 종교적 신념 같은 허구적 편견에 의하여 처음부터 무기탄으로 밀어붙였다는 데 우리시대가 중용을 상실하게 된 소이연이 있다. 실로 이 부작용은 국토의 물리적 변화에 그치는 것이 아니라 시대착오적 가치관과 이권중심의 폐쇄적 낭비에 의하여 국민이 우롱당하면서도 국민이 스스로 그것을 용인했다는 기만성에 있다. 그 기만성은 민주의 기만성인 동시에 민民 스스로 책임을 져야할 과제상황으로 역사에 각인될 것이다.

빼이징 국자감 진사제명비進士題名碑 비림

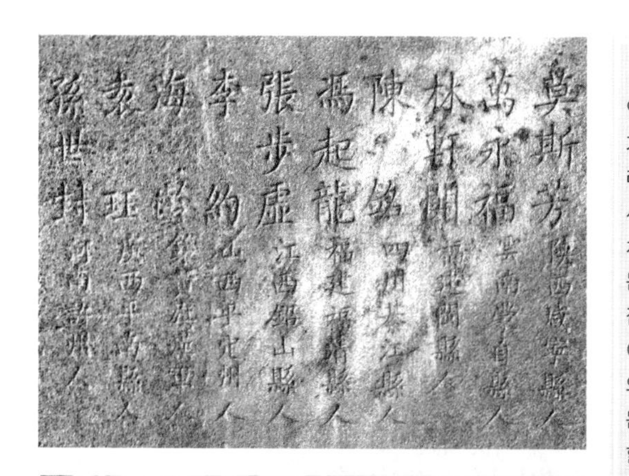

【북경 국자감 진사제명비】

옛날 출세길은 너무도 험난한 기나긴 여로였다. 과거科擧라는 인재발탁 제도는 인류사에서 수나라 문제文帝 때에 처음 시작된 것인데, 일본에는 없었고, 중국과 조선에서 집약적으로 발전된 것이다. 종이 쪽지 하나로 신분이나 부귀와 관계없이 권력을 부여하는 제도는 서양에서는 상상도 할 수 없는 것이었다. 중국의 제도는 조선의 제도보다 매우 복잡했다. 우선 현시縣試, 부시府試, 원시院試, 세시歲試라는 4단계의 학교시를 거치고, 과시科試, 향시鄕試, 거인복시擧人覆試, 회시會試, 회시복시會試覆試, 전시殿試, 조고祖考라는 매우 치열한 7단계의 과거시를 거쳐야 비로소 진사進士가 된다.

진사는 공자묘에 참배함으로써 공자의 수제자가 된다. 그리고 태학 대성문 앞 제명비題名碑에 이름이 오른다. 원대부터 청말까지의 전체 진사명단이 이 비림碑林에 새겨져 영구히 보존되고 있다. 한 비에 최후 진사급제자 33인의 이름과 본적이 새겨져 있다. 중국에서 진사가 되는 것은 하늘의 별따기 보다 더 어려운 일이었다. 입신양명立身揚名의 거의 유일한 통로가 『중용』과 같은 4서 5경 43만 여 자와 방대한 주소注疏의 암송이었다.

第七皆曰予知章

zǐ yuē rén jiē yuē yú zhì qū ér nà zhū gǔ huò xiàn jǐng
子曰:“人皆曰予知,驅而納諸罟擭陷阱
자 왈 인 개 왈 여 지 구 이 납 저 고 확 함 정

zhī zhōng ér mò zhī zhī bì yě rén jiē yuē yú zhì zé hū
之中,而莫之知辟也。人皆曰予知,擇乎
지 중 이 막 지 지 피 야 인 개 왈 여 지 택 호

zhōng yōng ér bù néng jī yuè shǒu yě
中庸,而不能期月守也。”
중 용 이 불 능 기 월 수 야

沃案 옛날에 과거에 응시를 하기 위해서는 주자의 집주까지도 다 암송을 했다. 지금 만약 그런 사람이 있어 이 장에 관한 내 해석을 보면 경악을 금치 못할 것이다. 주희는 "인개왈여지人皆曰予知"의 "여予"(나)를 뭇사람들이 스스로 자기를 가리키는 말로서 해석했다. 이 "여予"를 공자가 자기 스스로를 가리킨 것으로 해석하게 된다면 공자는 함정이 있어도 피할 줄 모르는 어리석은 인간이 되고, 중용도 만 1개월을 지켜내지 못하는 실천력이 부족한 인간이 되어버리고 마는 것이다. 주희로서는, 그리고 공맹을 신주단지 모시듯 하는 조선의 유자들로서는 차마 그렇게 공자를 비하할 수가 없는 것이다. 그러나 공자는 자기 스스로를 비하하기를 서슴치 않는 매우 열린 가슴의 정직한 사나이였다.

제7장【개왈여지장 皆曰予知章】

공자께서 말씀하시었다: "세상 사람들이 모두 나를 보고 순임금처럼 지혜롭다고 말하는데, 나를 휘몰아 그물이나 덫이나 함정 속으로 빠뜨려도 나는 그것을 피하는 방법도 알지 못한다. 세상 사람들이 모두 내가 지혜롭다고 말하는데 나는 중용을 택하여 지키려고 노력해도 불과 만 1개월을 지켜내지 못하는구나!"

오吳나라의 태재가 자공에게, 어찌하여 공자는 그토록 재능이 많고, 비범하신가 하고 의아해하며 묻는다(『논어』 9-6). 이에 대하여 공자학단의 대변인 격인 자공은 하느님께서 우리 선생님을 위대한 성인으로 만들기 위하여 그렇게 많은 재능을 허락하셨다고 극도의 찬사를 퍼붓는다. 후에 공자가 이 말을 듣고 그 유명한 말을 한다: "그 오태재가 뭘 좀 아는 사람이구나! 그래 맞다! 나는 어려서 천하게 컸다. 그러기에 비속한 잔일에 재주가 많다. 그런데 말이다. 어려서부터 귀하게 자란 군자들은 본시 재주가 많지 아니 하니라."

이미 자공의 구라로 땜방이 잘 되어 있는 상황인데도 불구하고 공자는 자신의 아픈 상처를 노출시키는 데 스스럼이 없다: "내가 재주가 많다구? 나는 어려서부터 천하게 컸을 뿐이야! 吾少也賤, 故多能鄙事。"

누가 자기가 천하게 자란 사람이라는 것을 말하기 좋아하겠는가? 더구나 성인으로서 만인의 추앙을 받는 위치에서! 공자의 정직함! 그리고 공자의 정직함을 있는 그대로 기술한 『논어』의 편집자들의 정직성은 유교문화의 핵심이요, 인문문화의 상식의 바탕이다. 여기 자사 또한 그러한 공자의 정직성을 그대로 계승하고 있는 것이다.

공자가 어느날 자공에게 매우 짓궂은 질문을 던진다: "야 이 녀석아! 너하고 안회하고 누가 더 나으냐?"(5-8). 자공으로서는 빤하게 쪽팔리는 상황에서 이런 질문을 선생님으로부터 받는다는 것은 매우 곤혹스러운 일이다. 그러나 능청맞은 외교의 달인 자공은 다음과 같이 둘러댄다: "아 선생님, 제가 어찌 감히 안회를 넘나보겠습니까? 안회는 하나를 들으면 열을 알고 저는 하나를 들으면 둘을 알 뿐이옵니다."

자공의 답변은 매우 달하다. 자신의 능력을 안회 앞에서 과감하게 낮추면서도 과도한 폄하를 하지는 않았다. 안회의 "문일이지십聞一以知十" 에 대하여 보통사람 같으면 "문일이지일聞一以知一"이라고 낮추었을 것이다. 그러나 자공은 살짝 자신을 올려서 "문일이지이聞一以知二"라고 말했다. 하나를 듣고 하나만 안다면 발전가능성이 없다. 하나를 들어 둘을 안다면, 그것은 열까지도 알 수 있는 발전가능성이 있는 것이다. 이러한 자공의 대답에 공자는 뭐라 대답했을까?

弗如也。吾與女弗如也。

그래! 너는 안회만 못하다. 그러나 나 또한 너와 마찬가지로 안회만 못하다.

공자는 자공의 폄하를 인정하면서, 자신을 자공과 같은 수준의 인간으로서 같이 폄하해버린 것이다. 제자를 사랑하는 마음과 인간적으로 너무도 인간적인, 정직한 공자의 인격이 다 살아있는 명문이라 할 것이다.

공자는 또 말한다: "안회는 말이다, 그 마음이 석 달 줄곧 인仁을 어기는 법이 없다. 석 달이 지나도 날이면 날마다 달이면 달마다 인仁한 채로 흘러갈 뿐이다. 回也, 其心三月不違仁, 其餘則日月至焉而已矣。"(6-5). 안회는 석 달 줄곧 인을 어기는 법이 없다. 그러나 공자는 중용이라는 인仁을 한 달도 지키지 못하겠다고 고백한다. 공자는 안회의 실천력에 항상 감탄하고 살았다. "세상사람들이 모두 내가 지혜롭다고 말하는데 나는 중용을 택하여 지키려고 노력해도 불과 만 1개월을 지켜내지 못하는구나" 하고 고백하는 공자야말로 우리가 가슴 깊게 모셔야 할 성인의 모습일 것이다. 공자는 자신을 낮춤으로써 범용한 인간들을 격려하고 있는 것이다. 인간의 가치는 끊임없는 향상向上에 있다. 공자는 비록 중용을 한 달조차 줄곧 실천하지 못하겠다고 자신의 허약함을 개탄했지만 그에게는 성인의 길을 벗어나는 삶의 순간이란 존재치 않았다.

第八回之爲人章

zǐ yuē huí zhī wéi rén yě zé hū zhōng yōng dé yī shàn zé
子曰:“回之爲人也, 擇乎中庸, 得一善, 則
자 왈 회 지 위 인 야 택 호 중 용 득 일 선 즉

quán quán fú yīng ér fú shī zhī yǐ
拳拳服膺而弗失之矣。”
권 권 복 응 이 불 실 지 의

沃案 제7장의 마지막 구문인 “불능기월수야不能期月守也”라는 공자의 독백이 안회의 “기심삼월불위인其心三月不違仁”이라는 공자의 평어와 내외內外를 이룬다는 것은 이미 기술한 바와 같다. 그러니까 제7장과 제8장이 안회와 관련이 있다. 제6장에서 순임금의 대지大知를 말하였고 제7장 역시 지知의 문제를 다루고 있지만 안회의 인仁과 관련이 있다. 그러니까 제7장은 지知와 인仁의 양면이 들어가 있다. 그리고 제8장에는 안회의 위인爲人의 인仁을 다루고 있다. 그리고 제9장과 제10장은 용勇의 문제를 다루고 있다. 그러니까 제6장부터 제10장까지는 중용이라는 달덕達德의 세 주요 측면이라고 말할 수 있는, 지知·인仁·용勇의 테마를 그 테마와 관련된 자왈파편을 통하여, 제20장에서 본격적으로 논의하기 전에 앞에서 간접적으로 제시한 것이다. 자사의 탁월한 편집전략이라 말해야 할 것이다.

제8장【회지위인장回之爲人章】

공자께서 말씀하시었다: "안회의 사람됨이란, 항상 중용을 택하되 하나의 선善한 일이라도 깨닫게 되면, 그것을 진심으로 고뇌하면서 가슴에 품어 잃는 법이 없었다."

이 장의 내용에 관해서는 본문 그 자체가 말하는 것 외로 내가 특별히 말할 것은 없다. 그러나 독자는 안회라는 인물을 너무도 애틋한 심정으로 바라보는 공자의 감정세계로 이입되어야 할 필요가 있다. 안회는 공자의 데미안이라고 말할 수 있는 사랑스러운 인간이었다. 안회는 공자가 태어나고 성장한 곡부, 바로 그 동네 한복판에서 태어나고 성장한 인물이다. 그러니까 공간적으로 가장 가까운, 한 동네의 후학이라고 말할 수 있는데 안회는 공자보다 30세 연하였다. 그런데 그는 41세, 공자 생전에 세상을 떴다. 공자는 안연이 죽었다는 소식을 듣자마자 "아~ 하늘이 나를 버리시는구나! 하늘이 나를 버리시는구나!噫! 天喪予! 天喪予!"(11-8) 하고 울부짖었다.

그리고 그의 집에 가서 곡을 하였는데, 곡을 하다못해 흐느껴 울었다. 이때 따라간 제자들이 수군거렸다: "우리 선생님께서 진짜로 흐느껴 우신다." 이 말을 들은 공자는, "그랬는가? 내가 정말로 흐느껴 울었느냐? 아서라, 내 저 사람을 위해 흐느끼지 않는다면 누굴 위해 흐느끼리오!" 하고 엉엉 땅을 치며 울었다(11-9). 이런 실제적 장면에 대한 리얼한 묘사는 공자와 안연의 관계의 친밀성을 잘 말해준다.

안회는 어려서부터 일찌기 공자 밑에서 배우면서 컸다. 그리고 안회는 매우 영민한 사람이었고 덕이 있었다. 한마디로 천재天才였다. 『공자가어』에는 공자의 말로써 다음과 같은 이야기가 적혀있다: "내가 안회를 얻은 이후로 나의 슬하에 있는 제자들이 날로 더욱 친밀하게 되었다.自吾有回, 門人日益親." 안회는 지극히 얌전한 사람이었고 덕행德行으로 저명하며 자연스럽게 제자들의 구심점이 되었다. 안회로 인하여 분열이 되지 않고 화합이 되는 분위기가 조성된 것이다. 어느 사람이 그룹 안에 있기만 하면 그 사람으로 인하여 그 그룹이 계속 분열되는 캐릭터가 있고(인간 이승만이 그런 류의 성격으로는 대표적인 인물이다. 하와이, 미국 본토, 상해, 한국에서 그가 소속된 모든 그룹이 예외없이 분열되고 반목을 일삼게 되었다), 그 그룹이 잘 화합되고 날로 인물들이 모여들게 되는 캐릭터가 있다. 안회가 후자의 대표적인 인물이었다. 안회가 그렇게 덕있는 인간이 될 수 있었던 것은 그의 성품이 공자가 말하는 인仁을 구현하고 있었기 때문이다. 인仁이란 감성적 섬세함Sensitivity이다. 『가어』에도 공자가 그의 인仁함을 끊임없이 칭찬했다고 적어놓고 있다(回之德行著名, 孔子稱其仁焉).

공자가 안회의 죽음을 그토록 서러워한 것은 충분한 이유가 있다. 안회는 매우 내면적이고 내성적인 인간이었다. 공자의 말을 어김없이 실천에 옮겼고, 항명이나 선생님의 기분을 언짢게 해드리는 것은 상상할 수도 없었다. 그것이 의도적인 것이라기보다는 천성이 해맑은 사람이라서 자연스럽게 그렇게 되었다. 안회는 공자가 거로去魯하여 귀로歸魯할 때까지 공자의 가장 험난한 인생역정 14년 동안, 줄곧 그림자처럼 공자의 곁을 지켰다. 주유천하의 망명의 이 시기에 유독 안회만이 거의 한 순간도 떠남이 없이 공자 곁을 지켰다. 타 제자들은 이합집산이 있었다. 아마도 여타 제자 중에서는 공자 곁을 가장 충실하게 지킨 사람이 자로子路였을 것이다. 그러나 자로도 안회에 비하면 약간의 들락거림이 있었다.

그러니까 망명의 고난시기에 공자의 식사, 취침, 의복, 여행수발을 다 든 사람이 안회였다. 텐트 치고, 밥 짓고… 아무리 가까운 사제지간이라 할지라도 14년 동안 사생활을 같이 하면 지겨워지기도 하고 감정적으로 소원해지는 법이다. 부부라도 14년 동안 고난 속에 뒹굴다 보면 반드시 금이 가게 되어있다. 공자와 안회의 이야기는 이성간의 사랑보다는 동성간의 우정이 훨씬 더 심오할 수 있다는 것을 말해준다. 공자는 안회에게서 끊임없이 분발과 자성의 계기를 부여받았다. 공자는 일찍이 이와 같이 말한 적이 있다: "내가 안회와 더불어 온종일 이야기하여도, 내 말을 조금도 거스르지 않아, 그가 어리석게만 느껴졌다. 물러가고 나서 그의 사적 생활을 살펴보니 역시 나를 계발시키기에 족하도다. 안회는 결코 어리석지 않아! 吾與回言終日, 不違, 如愚。退而省其私,

亦足以發。回也, 不愚!"(2-9).

여기 "온종일 이야기한다"는 표현으로 보아, 이것은 유랑시기의 소감을 적은 것이 분명하다. 공자는 귀로歸魯 후에는 안회와 온종일 이야기할 수 있는 시간이 없었다. 그 어려운 시절, 아무도 없는 적막한 산천에서 개울가에 앉아 하루종일 안회와 이야기를 나누고 있는 공자를 생각해보라! 너무 공자 말을, 잘난 체하지 않고 고분고분 잘 듣기만 하여 이 녀석이 멍청한 놈 아닌가, 하고도 생각했다는 것이다. 그런데 뒤에 가서 그의 생활하는 모습을 보면 오히려 자신을 계발시키기에 충분하다는 것이다. 공자가 호학好學의 일생을 살 수 있었던 것도 안회와 같은 호학자가 옆에 있었기 때문이었다. 끊임없이 배우고 실천적으로 자기향상을 이룩하는 제자의 모습 앞에 공자는 자신의 삶을 끊임없이 반추하지 않을 수 없었던 것이다. 이러한 안회가 14년의 고생을 끝내고 고향에 돌아와, 대접받고 살 만하니깐(안회에게도 자체 학파가 형성되어 있었다) 덜컥 죽어버린 것이다. 공자에게 얼마나 큰 슬픔이었는가를 상상하기에 조금도 어렵지 않다. 천상여天喪予! 천상여天喪予!

안회는 14년간의 끔찍한 고생을 한 몸으로 다 감내하고도 내색을 하지 않는 성격 때문에 요즈음 병인으로 말하자면, 암 같은 것으로 세상을 떴을 것이다. 안회의 죽음은 인류에게 진정한 인문문명이 무엇인가를 가르쳐 준 인문학 거성의 죽음이었다.

여기 공자의 표현 중에서 내 가슴에 가장 와닿는 말은 "회지위인야

回之爲人也"라고 말할 때의 공자의 애절한 느낌과 "득일선得一善"이라는 말의 함의에 관한 것이다. "위인爲人"이라는 말은 우리가 현재 일상생활에서 잘 쓰는 말인데 그것은 문자 그대로 "사람됨"을 의미한다. 한 인간의 인격의 총체적 모습을 지칭하는 말이다. "안회의 사람됨"을 말하는 공자의 심정은 최근에 사별한 제자를 애틋하게 아쉬워하는 감정이 흠뻑 젖어있다.

"득일선得一善," 하나의 선善이라도 얻게 되면! 중용은 결코 거창한 덕성이 아니다. 칸트가 말하는 정언명령의 실천이 아니다. 인간의 소소한 행위의 준칙maxim을 총괄하는 거대한 형식적 원리principle가 아니다. 여기 "일선一善"이라는 것은 삶의 일상적 체험에서 부닥치는 작은 감성적 판단에 관한 것이다. 칸트가 말하는 정언명령은 보편적 원리universal law로서 우리에게 연역적으로 전제되는 것이 아니라, "일선一善"으로부터 스스로 구성해나가는 것이다. 그것은 칸트가 정할 것이 아니라, 인간 스스로 정할 문제이다. 체험 속에서 우러나오지 않은 원리는 원리의 자격이 없다. 그것은 공허한 형식으로 머물 뿐이며, 실천의 실제적 준거가 되지 못한다. 인간의 주체적 도덕성은 누구나 일선一善으로부터, 하나의 작은 선으로부터도 비약적으로 정언명령을 구성해낼 수 있는 것이다. 하나의 선이라도 진심으로 고뇌하면서 가슴에 품어잃는 법이 없다. 그것이 공자-자사가 말하는 중용이다. 작은 선이라도 지나치지 말자! 그리고 그 체험을 바탕으로 시중時中을 발현하자! 그리고 능구能久하자!

第九白刃可蹈章

zǐ yuē tiān xià guó jiā kě jūn yě jué lù kě cí yě bó
子曰:"天下國家可均也, 爵祿可辭也, 白
자 왈 천 하 국 가 가 균 야 작 록 가 사 야 백

rèn kě dǎo yě zhōng yōng bù kě néng yě
刃可蹈也, 中庸不可能也。"
인 가 도 야 중 용 불 가 능 야

沃案 이 장은 내가 어렸을 때부터 너무 사랑했던 공자님 말씀이다. 그래서 젊은 날, 친구들에게 서도작품으로 곧잘 써주곤 했던 글귀이다. 나의 어린 마음에 다가온 것은, 그 수사학적 기법에 촉발되어 가슴을 저미고 들어오는 중용의 간난艱難함이다. 이토록 어려운 것이 중용일 줄이야! 그 뒤로 김금화의 만수대탁굿을 보면서 그 심정이 더욱 절절해졌다. 경전의 글귀는 이지적으로 분석해서 얻는 것이 아니라, 가슴으로 느끼면서 깨닫는 것이다. 만 구절의 로고스적 구성보다는, 가슴에 새겨진 한 구절이 나의 행동을 지배하는 힘으로 생동쳐야 하는 것이다.

"천하天下→작록爵祿→백인白刃"의 주어는 점점 외연이 작아지고 있다. 그런데 반하여 술어인 "가균可均→가사可辭→가도可蹈"는 그 강도가 점점 강렬해지고 있다. 서슬퍼런 흰 칼날조차도 인간은 밟을 수

제9장【백인가도장白刃可蹈章】

공자께서 말씀하시었다: "천하국가란 평등하게 다스릴 수도 있는 것이다. 높은 벼슬이나 후한 봉록도 거절할 수도 있는 것이다. 서슬퍼런 칼날조차 밟을 수도 있는 것이다. 그러나 중용은 능能하기 어렵다."

있는 것이다. 여기서 우리의 느낌의 강도는 절정에 달한다. 그 절정의 절벽에서 뚝 떨어지듯, 그 다음 말이 나온다: "중용불가능야中庸不可能也。그러나 중용은 능하기 어렵다."

나는 1982년 귀국하면서 곧바로 모교 고려대학교 철학과에 부교수로서 교편을 잡았다. 고려대학 출신으로서 국립대만대학, 일본 동경대학, 미국 하바드대학의 학위를 획득하고 돌아온 자는 없었다. 나는 교단에 한복을 입고 섰다. 그리고 학생들이 이 민족의 토속적인 예술을 알아야 한다고 생각하여 고려대학교 철학강단에 우리나라 민속과 관련되는 많은 달인들을 초대했다. 판소리의 정권진 선생, 가야금의 명인 김죽파 선생, 소리북의 거장 김명환 선생, 병신춤의 공옥진 여사, 사물놀이의 김용배, 이광수, 김덕수, 최종실, 한의사 권도원 선생, 광야의 야인 함석

헌 선생, 지관地官 김동규, 이런 분들을 수없이 초청했다. 당시 1980년대 대학가의 분위기에서 이것은 매우 파격적인 행동이었다. 당시 대학 강단은 상아탑의 권위가 혁혁했기 때문에 그러한 보수적 권위의 상징처에 이러한 분들을 모신다는 것 자체가 대학 내의 보수적 원로 교수님들의 심기를 건드리기에 충분했다. 그러나 고려대학교는 교수직분에 대한 철저한 자율권을 보장했기 때문에 나를 저지하지는 못했다. 이런 분들이 오실 때마다 교실이 메워터져 나갔다. 아마도 나의 수업이 타 교수님들 수업에 지장을 주었을지도 모르는 일이다. 당시 나는 생각이 그런 데까지 미치지는 못했다. 단지 학생들에게 우리 민족의 참 기운을 전하고 싶었을 뿐이다. 철학강의실에서 곧바로 판소리와 산조가 터져나왔던 것이다. 만신 김금화 여사가 초청되어 왔을 때 학생들은 만신의 한 소리 한 소리를 엄청난 호기심 속에서 경청하였고 참으로 많은 학생들이 서관 복도까지 꽉 들어찼다. 그때 어떤 학생이 질문을 했다.

"작두 탈 때 맨발이 베이지 않소?"

"왜요? 어떤 때는 작두 위에서 춤을 추면서 질척질척 해지는 것을 느낄 때가 한두 번이 아니라우."

"왜 그 짓을 하시오?"

"내가 신내림 처음 받을 때, 우리 신어머니가 하신 말씀이, 만신이 된다는 것은 뭇사람들이 참지 못하는 고통을 숱하게 참아내는 것이다,

이렇게 말씀했다우. 내 운명이라니까요. 무병 들어 그리 됐는데 내 어찌하겠소?”

나는 이 날의 김금화의 강연의 감격을 시로 써서 남겨두었다.

亂飛刀劍嫩巍影
爾奈巫兮憤悱冷
慰泣韓魂生死機
誰知其道永憧憬

칼과 작두가 마구 휘날리는데
날렵하고 훤출한 그대의
그림자가 드리운다.

그대는 어쩌자고 무당이 되었누
말하고 싶어도 어쩔 수 없는
냉가슴이 있었겠지

그대, 삶과 죽음의 갈림길에서
흐느끼는 한민족의 혼들을 위로하네

그 누가 알리, 그대의 천지
영원한 동경한 세계

내가 이 시를 쓴 것은 1984년 봄이었다. 그때 나는 이 시를 잃어버렸는데 그 쪽지를 김금화 여사가 몇 년 핸드백에 간직했기 때문에 보존되었다. 아직 김금화도 살아있고, 나도 살아있다. 꿈결 같은 이야기가 벌써 30년 전 이야기라니! 아직 나의 학문이 무르익지 못한 것만이 부끄러울 뿐이다.

공자는 아마도 "백인가도야白刃可蹈也"를 말했을 때는 용감한 무장武將을 모델로 했을지 모르겠으나 김금화의 작두를 생각하면 이 『중용』 구절이 가슴에 더 절실하게 와닿는다. 서슬퍼런 칼날조차 밟을 수 있는 것이나 중용은 실천하기 어려운 것이다. 십자가에 못박힐 수는 있는 일이나, 일상의 매 순간에서 중용을 실천하기란 지난한 일이다.

사람들에게 너무도 잘 알려져 있는 진시황제 무덤속의 진용秦俑의 위무웅장威武雄壯한 모습. 1·2·3호갱에서 발굴된 것만 해도 8천여개인데 그것이 모두 실물사이즈(1.8m~2.0m)이며, 각기 얼굴이나 포즈가 다르고, 당대의 현실적 군대의 모습을 전해주고 있다. 발굴된 것은 아직도 그 일부에 지나지 않는다. 발굴되었을 당시는 이 도용陶俑들은 모두 아름답게 채색되어 있었다. 『중용』이 말하는 백인가도白刃可蹈의 만리의 기를 제압하는 호랑이와도 같은 그 씩씩한 기상은 예술사적으로도 가치가 높다. 진시황이라는 역사적 인물에 관한 기록의 신빙성을 입증한 이 광대한 지하세계는 인류사에 유례가 없는 경이로운 유적이다. 다음 장에 나오는 자로의 용맹을 연상케도 한다.

2호갱 출토의 궤사무사용跪射武士俑

第十子路問强章

zǐ lù wèn qiáng
1 子路問强。
자로문강

zǐ yuē nán fāng zhī qiáng yú běi fāng zhī qiáng yú yì ér
2 子曰:"南方之强與? 北方之强與? 抑而
자왈 남방지강여 북방지강여 억이

qiáng yú
强與?
강여

kuān róu yǐ jiào bú bào wú dào nán fāng zhī qiáng yě jūn zǐ
3 寬柔以教, 不報無道, 南方之强也, 君子
관유이교 불보무도 남방지강야 군자

jū zhī
居之。
거지

rèn jīn gé sǐ ér bú yàn běi fāng zhī qiáng yě ér qiáng zhě
4 衽金革, 死而不厭, 北方之强也。而强者
임금혁 사이불염 북방지강야 이강자

jū zhī
居之。
거지

gù jūn zǐ hé ér bù liú qiáng zāi jiǎo zhōng lì ér bù yǐ
5 故君子和而不流, 强哉矯! 中立而不倚,
고군자화이불류 강재교 중립이불의

qiáng zāi jiǎo guó yǒu dào bú biàn sè yān qiáng zāi jiǎo guó wú
强哉矯! 國有道, 不變塞焉, 强哉矯! 國無
강재교 국유도 불변색언 강재교 국무

dào zhì sǐ bú biàn qiáng zāi jiǎo
道, 至死不變, 强哉矯!"
도 지사불변 강재교

제10장【자로문강장子路問强章】

[1]자로子路가 강强에 관하여 공자님께 여쭈었다. [2]공자께서 대답하시었다: "그대가 묻는 것이 남방의 강强을 가리키는가? 북방의 강强을 가리키는가? 그렇지 않으면 그대 자신이 지향하는 강强을 가리키는가? [3]너그러움과 유순함으로써 가르쳐주고, 무도無道함에 보복하지 않는 것이 남방의 강强이니, 군자가 이에 거居한다. [4]병기와 갑옷을 입고 전투에 임하여 죽더라도 싫어하지 않는 것은 북방의 강强이다. 네가 말하는 강자强者는 결국 여기에 거居하겠지. [5]그러므로 군자는 화합하면서도 흐르지 않으니, 아~ 그러한 강强이야말로 진정한 강함이로다! 가운데 우뚝 서서 치우침이 없으니, 아~ 그러한 강强함이야말로 진정한 강함이로다! 나라에 도가 있어도 궁색한 시절에 품었던 지조를 변하지 아니 하니, 아~ 그러한 강强이야말로 진정한 강함이로다! 나라에 도가 없어도 평소에 지녔던 절개를 죽음에 이를지언정 변치 아니 하니, 아~ 그러한 강强이야말로 진정한 강함이로다!"

沃案 이 장의 주인공은 자로子路이다. 앞서 말한 대로 제6장부터 제10장까지는 지知·인仁·용勇에 관한 공자의 로기온파편을 나열한 것이다. 『중용』 전체를 통하여 공자의 제자로서 등장하는 인물은 안회와 자로, 두 사람뿐이다. 이것만 보아도 자사는 공문 내의 사정에 정통했다는 것을 알 수 있다. 공자의 망명생활을 지킨 두 사람이 바로 안회와 자로였다. 자로는 안회와 극반대의 성품의 인물이다. 안회는 공자보다 30세 연하이지만, 자로는 공자보다 9세 연하밖에 되지 않는다. 그러니까 자로는 공자의 측근제자 중에서도 나이가 가장 많았다. 실제로 공문의 어른인 셈이다. 그런데 자로는 원래 공부하려던 사람이 아니었다. 원래 깡패기질의 야인이었고, "도盜"에 가까운 인물이었다. 그러한 자로를 공자가 감화시켜서 선비로 만든 것이다. 자로의 인생역정이야말로, 중국에서 "선비士"라는 계급의 성립과정을 상징한다고 해도 별 무리가 없을 것이다. 무인기질의 사람이 학문과 기예를 익힌 종합적 인격의 선비로 변하게 되는 그런 역정이야말로 공자학단의 특징을 이룬다.

공자는 일찍이 이렇게 말한 적이 있다: "내가 자로를 얻게 된 후로부터는 내 귀에 험담이 사라지게 되었다. 自吾得由, 惡言不聞於耳。"(『사기』 「중니제자열전」). 자로의 성품이 잘 드러나 있고, 또 당시 자로라는 깡패의 성세를 잘 말해주는 말씀파편이라 할 것이다. 안회가 내성적이고, 얌전하고, 곰곰이 생각하는 사람인데 반해, 자로는 외향적이고, 거칠고, 성급하게 일을 먼저 저지르고 보는 사람이었다. 자로가 없으면 공자가 재미없어지고, 『논어』가 그 발랄한 생명력을 잃는다. 자로는 성급한 무인일 뿐 아니라, 그 성깔다웁게 놀라운 실천력의 사나이였다.

"자로는 좋은 가르침을 듣고 아직 미처 실행하지 못했으면, 행여 또다른 가르침을 들을까 두려워하였다. 子路有聞, 未之能行, 唯恐有聞。"(5-13). 이런 말은 자로의 실천적 성품을 단적으로 드러낸다. 『맹자』「공손추」상8에도 이런 말이 있다: "자로는 사람들이 그에게 과실이 있음을 말해주면 기뻐하였다. 子路, 人告之以有過則喜。"

자로가 공자에게 용기 즉 "강함"에 관하여 묻는 것은 너무도 당연한 일이다. 이 대화도 아마 유랑생활중에 오간 이야기였을 것이다. 공자는 당시 동·서·남·북으로 다 돌아다녔기 때문에 지역적 특성에 대한 관심이 적지 않았다. 그래서 자로에게 네가 묻는 강强이 "남방지강南方之强"이냐, "북방지강北方之强"이냐를 묻는다. 아무래도 북방지강은 스키타이족의 영향을 받아 일찍부터 철기문명의 호전적인 성품이 강했다. 남방지강은 호지명이 미국과 싸우는 스타일을 보든지, 또 마하트마 간디가 영국에 대항하는 비폭력적 저항운동을 보든지 하여튼 관유寬柔함 속에 강함이 숨어있다. 이 양자에 대하여 공자는 북방지강에는 "강자强者"가 거하고, 남방지강에는 "군자君子"가 거한다고 말함으로써 암암리 남방지강의 편을 든 것처럼 보인다. 그러나 실상은 북방·남방의 어느 한 편에 손을 들었다기보다는, 북방의 강함에 치우친 자로의 성격을 좀 완화시키기 위하여 남방지강에 군자가 거한다고 말했을 뿐이다.

제2절의 "억이강여抑而强與?"라 했을 때의 "이而"는 "너"를 의미한다. 그러면 이렇게 해석된다: "그렇지 않으면 그대 자신의 강함을 묻고

있는 것인가?" 따라서 제4절의 "이강자거지而强者居之"의 "이而" 또한 "너"로 해석되어야 한다. 그러면 그것은 이렇게 해석된다: "네가 말하는 강자는 결국 여기에 거하겠지."

애초의 질문이, "남방지강이냐, 북방지강이냐, 그렇지 않으면 네가 좋아하는 강함이냐?"라고 설정되어 마치 강함의 세 종류가 있는 듯이 보이지만, 결국 공자는 자로의 강을 북방지강에 귀속시켜 버린 것이다. 그리고 제5절의 "고故" 이하의 문장은 모든 종류의 강함의 가능성에 대하여, 인간이 진정으로 구현해야 할 보편적 강함을 지역적 특징이나 인간적 기질의 특성과 무관하게 논하고 있는 것이다. 그 중에서 내가 가장 강렬하게 기억하는 것은 "화이불류和而不流"이다. "화이불류和而不流"는 본시 공자가 음악평론가였기 때문에 오케스트라 화음과 같은 상황에 잘 적용하는 언어를 여기에 사용한 것이다. 각 악기의 음은 서로 절제 속에 조화되어야 한다. 혼자 튀어나서 흐르면 안된다. "흐른다流"는 표현은 음이 튀쳐나거나 자신의 아이덴티티를 상실하는 상황을 지적한 것이다. 용기있는 사람들은 흐르는 경향이 있다. 용기도 반드시 "화和"를 전제로 해야만 진정한 용기가 된다는 것이다. 결국 공자는 "용기"를 "중용"의 맥락 속에서 규정하고 있는 것이다.

중국역사 비주얼자료로서 매우 잘 인용되는 "무씨사화상석武氏祠畵象石"이라는 것이 있다. 이것은 후한後漢시기의 하나의 작은 사당의 석실들의 벽면을 삥 둘러 장식한 그림벽돌들을 가리키는 것이다. 산동성山東省 가상현嘉祥縣 지방진紙坊鎭, 무적산武翟山 북록北麓에 위치하고 있는데 대개 환령桓靈시기(AD 147~189)에 만들어진 것이다. 무씨는 지방호족으로서 자손들이 대대로 중앙에서 벼슬을 하였는데 사당벽면을 아름다운 그림들로 꾸며 중국 고대의 신화, 역사의 많은 이야기들을 후대인들에게 만화처럼 전달해주었다. 여기 있는 공자

제자들의 그림은 전석실前石室 동벽상석東壁上石에 새겨져 있는 것이다(분류번호 12766-2). 『사기』「중니제자열전」에 자로의 모습을 가리켜 "수탉의 꼬리를 머리에 꽂고 산돼지 가죽으로 만든 주머니를 허리에 찼으며, 공자를 업신여기며 공자를 때릴려고까지 하였다"라고 쓰고 있는데 그 모습을 리얼하게 그리고 있다. 자로라는 이름이 특별하게 새겨져 있는 것만 보아도 그는 인기스타였다. 잘룩한 허리와 우람한 어깨, 짧은 치마, 갑바를 찬 속바지는 전형적 무인의 모습이다. 자로는 위나라 변란 때 모신 주군을 위해 목숨을 바쳤는데, "군자는 죽더라도 갓을 벗을 수 없다"라고 외치면서 의관을 정제한 모습으로 당당하게 칼을 맞는다. 본장에서 말하는 "지사불변至死不變, 강재교强哉矯"라는 스승 공자의 가르침을 온몸으로 실천하였다고 말할 수 있다. 『수호지』의 108호걸들에게도 자로는 전설이었다.

第十一素隱行怪章

zǐ yuē suǒ yǐn xíng guài hòu shì yǒu shù yān wú fú wéi zhī yǐ
1 子曰:“素隱行怪, 後世有述焉, 吾弗爲之矣。
자 왈 색 은 행 괴 후 세 유 술 언 오 불 위 지 의

jūn zǐ zūn dào ér xíng bàn tú ér fèi wú fú néng yǐ yǐ
2 君子遵道而行, 半塗而廢, 吾弗能已矣。
군 자 준 도 이 행 반 도 이 폐 오 불 능 이 의

jūn zǐ yī hū zhōng yōng dùn shì bú jiàn zhī ér bù huǐ wéi shèng zhě néng zhī
3 君子依乎中庸, 遯世不見知而不悔, 唯聖者能之。”
군 자 의 호 중 용 둔 세 불 견 지 이 불 회 유 성 자 능 지

沃案 아마도 이 제11장은 제6장에서 제10장까지 전개된 지·인·용의 테마를 종합하여 압축적으로 표현한 것이 아닐까, 나는 그렇게 생각한다(장들의 성격에 관한 주희의 생각과 나의 생각은 좀 다르다). 따라서 크게 색다른 내용은 없다. 앞서 내가 주역·음양오행 운운하는 도사들의 한심한 작태를 비판하고, 영재교육의 무용성을 지적했듯이, 공자 또한 "색은행괴素隱行怪"에 관한 혐오감을 표현한다. 『주역』이나 "음양오

제11장【색은행괴장素隱行怪章】

[1]공자께서 말씀하시었다: "숨어있는 편벽한 것들을 들쑤셔내고, 괴이한 행동을 하면, 후세에 조술祖述될 만큼 이름을 날릴지는 모르겠으나, 나는 그런 짓을 하지 않는다. [2]군자가 길을 따라 가다가 중도에 그만두는 일이 있는데, 나는 중도에 그만두는 그런 짓은 할 수 없노라. [3]군자는 중용을 실천함을 의지삼아, 세상에 은둔하여 사람들에게 알려지지 아니 한다 할지라도 후회함이 없나니, 이는 오직 성자聖者만이 능할 뿐이로다."

행"을 내가 부정하는 것이 아니다. 우리는 지금 과학의 세기에 살고 있다. 과학적 인식론의 바탕 위에서 진리를 이야기하지 않으면 그것은 언어의 보편성을 획득하기 어렵다. 『주역』은 과학이 아니라 형이상학이다. 형이상학이라는 것은 옛 사람들의 세계인식구조에 관한 것이며, 그것은 그 나름대로의 치열한 언어계통을 밟아 이해되어야 하는 것이다. 음양오행도 마찬가지다. 그것이 우주의 비밀이 아니라 매우 평범한, 우주의 인식방법일 뿐이며 결국 상식적 일상언어로 환원되어야 하는 것이다. 마치 그 속에 아인슈타인의 상대성이론을 뛰어넘는 비밀이 들어있듯이 색은索隱하는 것은 우매의 소치일 뿐이다. 몽매한 자들의 환상적 언어에 불과한 것이다. 아인슈타인의 이론은 명료한 수학적 언어로 포장되어 있고, 그 언어가 반복적으로 실증가능한 검증성을 갖는 것이다. 그것은 임의성을 지닌 형이상학적 담론은 아닌 것이다. 그것을 플라톤의 이데아설과 동일시할 수는 없는 것이다. 공자는 자신의 언어에 대한 이러한 합리적 담론의 한계를 명료히 깨달은 사람이었다. 그래서 말한다: "숨어있는 미묘한 것들을 들쑤셔내고 괴이한 행동을 하면, 후세에 조술祖述될 만큼 이름을 날릴지는 모르겠으나, 나는 그런 짓을 하지 않는다." 주역도사라고 구라치는 사람도 결국은 신도를 끌어모아 할아비노릇 해먹고 싶어서 지랄발광하는 것이다. 사람들에게 조술祖述되는 것이 좋은 것이 아니다. 인간은 태어났다가 죽으면 그만이다. 이름을 남기고 싶어서 억지로 튀는 행동을 할 필요는 없는 것이다. 괴력난신怪力亂神을 혐오하는 공자의 합리주의가 여기서도 잘 드러나 있다(7-20).

여기 "색은행괴素隱行怪"의 "素"는 "소"라 읽지 않고 "색"이라고 읽는다. "素"는 "색索"과 통한다. "들쑤셔낸다," "찾는다"는 뜻이다.

"반도이폐半塗而廢, 오불능이의吾弗能已矣"는 제20장 20절의 말씀과 상통한다: "배우지 않음이 있을지언정, 배울진대 능하지 못하면 도중에 포기하지 않는다. 有弗學, 學之弗能弗措也。" 결국 제1장의 "가리可離, 비도야非道也"라는 주제의 배리에이션이라고 볼 수 있다.

결국 튀는 짓을 하지 않고, 꾸준히 쉼이 없이, 도중에 그만두는 일 없이 도를 실천하는(遵道而行) 사람들은 결국 남이 알아주는 기회가 상대적으로 적을 수밖에 없다. 사람들은 남이 알아달라는 호소 때문에 선업을 포기할 수도 있게 된다. 자본주의 사회의 모든 상행위가 남들에게 알리기 위한 것이다. 남들 보고 알아달라고 하는 짓이다. 자연스럽게 알려지는 것은 좋은 일이지만 억지로 알리기 위하여 온갖 지랄발광을 하다보면 근원적으로 사회모랄을 파괴하는 짓까지 서슴치 않게 된다.

공자는 말한다: "오로지 중용에 의지하여 세상을 등지어 사람들에게 알려지지 아니 한다 할지라도 후회함이 없다. 이것은 오직 성자聖者만이 능할 뿐이다." 『논어』의 첫마디도 "인부지이불온人不知而不慍"(사람들이 알아주지 않아도 부끄러워함이 없다)이었다. 결국 『중용』이 계속 밀고가는 "성聖"의 테마는 모두 "신독愼獨"과 관련이 있다는 것을 알 수 있다. 남이 알아주는 것과 무관하게 나의 내면적 도덕성을 홀로 지키는 것, 그것이 "성인의 길"에서 가장 어려운 난제라고 본 것이다. 남이 알아주지 않아도, 세상을 은둔하여도, 부끄럼없이 내 갈 길을 가자! 이것이 중용의 길이라고 공자-자사는 선포하고 있는 것이다.

第十二夫婦之愚章

jūn zǐ zhī dào fèi ér yǐn
1 君子之道，費而隱。
군 자 지 도 비 이 은

fū fù zhī yú kě yǐ yǔ zhī yān jí qí zhì yě suī shèng rén
2 夫婦之愚，可以與知焉，及其至也，雖聖人
부 부 지 우 가 이 여 지 언 급 기 지 야 수 성 인

yì yǒu suǒ bù zhī yān fū fù zhī bú xiào kě yǐ néng xíng
亦有所不知焉；夫婦之不肖，可以能行
역 유 소 부 지 언 부 부 지 불 초 가 이 능 행

yān jí qí zhì yě suī shèng rén yì yǒu suǒ bù néng yān tiān
焉，及其至也，雖聖人亦有所不能焉。天
언 급 기 지 야 수 성 인 역 유 소 불 능 언 천

dì zhī dà yě rén yóu yǒu suǒ hàn gù jūn zǐ yǔ dà tiān
地之大也，人猶有所憾。故君子語大，天
지 지 대 야 인 유 유 소 감 고 군 자 어 대 천

xià mò néng zài yān yǔ xiǎo tiān xià mò néng pò yān
下莫能載焉；語小，天下莫能破焉。
하 막 능 재 언 어 소 천 하 막 능 파 언

shī yún yuān fēi lì tiān yú yuè yú yuān yán qí shàng xià
3 詩云：“鳶飛戾天，魚躍于淵。”言其上下
시 운 연 비 려 천 어 약 우 연 언 기 상 하

chá yě
察也。
찰 야

jūn zǐ zhī dào zào duān hū fū fù jí qí zhì yě chá hū
4 君子之道，造端乎夫婦，及其至也，察乎
군 자 지 도 조 단 호 부 부 급 기 지 야 찰 호

tiān dì
天地。
천 지

제12장【부부지우장夫婦之愚章】

[1]군자의 도道는 명백하게 드러나 알기 쉬운 듯하면서도 가물가물 숨겨져 있다. [2]보통 부부夫婦의 어리석음으로도 가히 더불어 군자의 도道를 알 수 있는 것이어늘, 그 도道의 지극함에 이르게 되면 비록 성인이라 할지라도 또한 알지 못하는 바가 있다. 보통 부부夫婦의 못남으로도 가히 더불어 군자의 도道를 실행할 수 있는 것이어늘, 그 도道의 지극함에 이르게 되면 비록 성인이라 할지라도 또한 실행하지 못하는 바가 있다. 너무도 너무도 거대한 천지의 불확정성에 관하여 평범한 사람들은 유감을 가지고 있을 수도 있다. 그러므로 대소大小 우주의 경지를 통달한 군자가 거대한 것을 말하면 천하天下가 능히 그것을 싣지 못하며, 극소한 것을 말하면 천하天下가 능히 그것을 깨지 못한다. [3]시詩는 말한다: "솔개는 치솟아 하늘에 다다르고, 잉어는 연못에서 튀어 오른다." 이것은 그 도道가 위와 아래에 모두 찬란하게 드러남을 은유한 것이다. [4]군자의 도道는 부부간의 평범한 삶에서 발단되어 이루어지는 것이니, 그 지극함에 이르게 되면 하늘과 땅에 꽉 들어차 빛나는 것이다.

沃案 본 장은 "자왈子曰"로 시작되지 않으므로 일단 자사의 말로서 간주되는 것이다. 그러나 사실 장구의 분할이 원래 되어있던 것이 아니라 주희가 임의적으로 나눈 것이므로 이 장의 문장이 앞 장과 붙어있는 것이라고 생각하면 이것은 제11장의 자왈파편의 연속으로 볼 수도 있다. 그러나 이 장을 독립시켜서 자사의 말로서 이해하는 것도 일리는 있다. 논조가 너무 논술적이라서 공자의 상황적 멘트와는 좀 거리감이 있기 때문이다. 그러나 주희가 이 장을 독립시킨 이유는 제일 처음에 나오는 "군자지도君子之道, 비이은費而隱"이라는 표현을 『중용』 전체를 이해하는 데 매우 중요한 구문으로서 파악했기 때문이다. 주희는 "비費"를 "용지광用之廣," "은隱"을 "체지미體之微"라 하여 체·용體用 관계로 이해했다. 이것은 주희가 『중용』을 이해하는 데 어떤 개념적인 틀을 요구했기 때문이다. 주희는 제12장을 중간 대기둥으로서 규정하고, 제13장부터 제20장까지의 여덟 장은 이 제12장을 부연설명한 것이라고 본 것이다. 그리고 그 여덟 장은 비와 은의 카테고리에 의하여 분류되는 것이라고 생각했다. 매우 그럴듯한 이야기일 수도 있지만, 이러한 주희의 발상은 정당성이 없다. 군자지도가 "비이은費而隱"하다는 이야기는 뒷 문장의 부부의 윤리를 설명하기 위한 전언前言일 뿐이며, 그것은 "아주 명백하고 드러나는 것 같으면서도 가물가물 숨겨져 있다"는 식의 매우 도가적 서술방식을 취한 표현일 뿐이다. 영역하면 "The Way of the Superior Man is very evident but subtle." 정도가 될 것이다. 다시 말해서 "이而"라는 접속사는 앞뒤로 반대되는 뜻을 동시에 함의하는, "A이면서도 동시에 B"라는 방식으로 새겨야 정당하다. 그러나 주희는 "이而"를 단순한 "그리고and"로 본 것이다. "A이고 B이다"

라고 해석한 것이다.

주희는 "숨어있음隱"을 도道의 본체Substance적 측면이라 규정하고, "드러나있음費"을 도의 현상Phenomena적 측면이라 규정한 것이다. 그런데 재미있는 사실은 주희가 "본체와 현상"에 대한 생각을 선진고경에서 계승한 것이 아니라, 불교를 통하여 배운 것이라는 것이다. 선진고경에는 근원적으로 본체와 현상이라는 이원론적 사유가 없다. 그런데 주희는 서양언어의 본체와 현상을 본래의 주·술主述적 관계로 파악한 것이 아니라, 체體·용用이라는 중국화된 불교사상가들(도안道安, 승조僧肇, 법장法藏, 화엄논사들)이 쓰는 매우 애매한 개념을 계승한 것이다. 다시 말해서 중국인들이 말하는 "체體"는 플라톤이 말하는 이데아적 본체가 아니었다. 다시 말해서 관념적인 "체體"라는 생각은 중국언어 자체에 존재할 수가 없었다. 그래서 정씨程氏이든 주희이든 계속 "체용일원體用一源"을 말한다. 체와 용이 근본적으로 차원을 달리하는 실체적 개념들이 아니라는 것이다. "체體"는 단지 "몸Mom"일 뿐이며, "몸"은 이데아가 아니며 현상일 뿐이다. 그렇다고 데카르트의 연장적 실체가 아니다. 그것은 생명의 몸이다. 따라서 "용用"이란 그 생명의 몸이 발현하는 "쓰임Use" "기능Function"에 관한 것이다. 그러므로 중국철학사에 있어서의 체용體用이란 본체와 현상에 관한 논의가 아니라 현상 내의 방편적 구분일 뿐이다.

서	본체noumena	현상phenomena
동	체體	용用

〈이런 대응이 아니다〉

서	본체noumena	현상phenomena	
동	실재가 아니다	체體	용用

〈이런 대응이다〉

그러므로 아무리 주희가 비費와 은隱을 용用과 체體로 대비시켜 말해도 그것을 현상과 본체로 규정해서는 아니 된다. 그러나 주희 자신이 용用과 체體를 현상과 본체인 것처럼 착각해서 논의할 때가 많기 때문에, 주희철학의 논리적 결구가 명료하지 못할 때가 많다.

다음, 본 장의 위대함은 "부부지우夫婦之愚"를 말한다는 데에 있다. 우리가 보통 유교를 이야기할 때 삼강三綱이니 오륜五倫이니 하는 규합개념들organizing concepts을 사용하는데, 이런 말들은 대강 명明나라 이전을 거슬러 올라가지 않는다. 우리나라 조선왕조에서 유독 "삼강오륜"이라는 말을 많이 쓴 것은 명나라의 영향을 직접 받았기 때문이며, 선진고경과는 직접적 관련이 없다. 그러나 "삼강"이니 "오륜"이니 하는 말은 없었어도 한 인간의 존재관계를 나타내는 데 있어서 가장 기본적인 것이 오륜에 해당되는 관계라는 것은 이의가 있을 수 없다. 그 가장 원초적인 규정이 바로 『중용』 제20장에 나오는 "오달도五達道"이다. 그것은 군신관계요, 부자관계요, 부부관계요, 곤제(형제)관계요, 붕우관계라고 했다. 그러나 이러한 "달도達道"를 오륜이라는 규범윤리의 카테고리로서 바라볼 필요는 없다. 인간이 존재하기 위하여 갖는 모든 인간관계를 유가사상가들은 이 다섯 관계로 통칭했다고 보면 된다.

사람은 단독자로서의 "인人"이 아니다. "인간人間"일 수밖에 없다. 인人이 되기 위해서는 수없는 "간間"(사이)이 필요한데, 그 간을 요약하면 오륜의 간이 된다는 것이다. 여기 "군신君臣"을 현대사회에 있어서의 직장 혹은 군대·국가에 있어서의 위계관계로 보거나, 모든 계약에 있어서의 갑·을관계로 보면 "군신관계"는 정확히 21세기 인간세에도 현존한다. 나에게 아버지가 없을 수 없고, 부인이 없을 수 없고, 형제가 없을 수 없고, 친구가 없을 수 없고, 사회적 상하관계가 없을 수 없다. 따지고 보면 이것이 나의 존재관계existence relationship의 전부이다. 그런데 우리가 오해하기 쉬운 것은 부자관계나 형제관계가 부부관계보다 훨씬 더 본질적인 것이라고 생각한다는 것이다. 부자나 형제는 핏줄로서 주어진 것이고, 부부는 하시고 남남이 될 수 있고 이혼할 수 있다고 생각하는 것이다. 그리고 군신관계라는 것은 어차피 계약적인 것이라서 부차적인 것이다. 군주제사회에서 그것이 절대적인 것처럼 과장해서 말하지만 전국시대에만 해도 군신관계의 절대성이란 허명虛名에 지나지 않았다. 그래서 맹자는 항상 군신관계를 부자관계 뒤에 놓는다.

그러나 우리가 새삼 깨달아야 할 중대한 사실은 오륜을 나 중심으로 생각하지 않고 전체관계의 종합적 평면에서 놓고 본다면, 그 가장 본질적 관계는 부부관계가 될 수밖에 없다는 것이다. 내가 존재한다는 것 자체가 아버지와 엄마라는 부부관계가 없이는 있을 수 없다. 따라서 부부관계는 부자관계, 형제관계에 선행하는 것이며, 가장 본질적인 관계가 된다. 천지를 뉴턴물리학적인 물질의 체계로 보지 않고, 하나의 생명의 체계로서 파악한다면 천지의 생명력은 유기체의 생식reproduction으로 유지되는 체계이다. 우리는 『주역』「계사」에서 왜 "생생지위역生生之謂易"이라고 했는지를 생각해보아야 한다. 그리고는 "신무방神无方"이라고 말했다. 하느님 즉 어떠한 신성Divinity도 연장성(方)을 갖는 존재일 수 없다는 뜻이다. 생生하고 또 생生하는 우주의 창조력 그 자체가 신神이라는 뜻이다.

"생생지위역生生之謂易"의 창조력Creative Creativity은 "일음一陰"과 "일양一陽," 다시 말해서 끊임없는 음·양의 교섭으로 이루어진다는 것이다(一陰一陽之謂道). 그 신적인 창조성의 핵심이 인간의 경우는 "부부夫婦"라는 오륜의 일항으로 압축되는 것이다. "부부"는 오륜의 하나일 뿐 아니라 우주적 생명력의 핵심인 것이다. 따라서 부부야말로 오륜의 가장 근본적 관계라는 것을 우리는 깨닫지 않으면 안된다.

주희도 정자의 사상을 이어받아 "천지는 만물을 생하는 것으로 마음을 삼는다.天地以生物爲心"고 말했다. 천지가 인격적인 마음이 있다고 한다면 그 인격성은 오직 만물을 창조하는 생명력에 있을 뿐이다.

천지는 이 마음을 가지고서 만물에 두루 미친다. 사람은 이 마음을 얻어 사람의 마음을 삼고, 물物이 이 마음을 얻으면 그것이 물의 마음이 되고, 초목금수가 이 마음을 얻으면 그것이 초목금수의 마음이 된다. 이 모든 마음이 알고보면 단 하나의 천지의 마음인 것이다(天地以此心普及萬物, 人得之遂爲人之心, 物得之遂爲物之心, 草木禽獸接着遂爲草木禽獸之心, 只是一箇天地之心爾。『朱子語類』卷第一, 太極天地上, 道夫錄).

맹자의 "불인인지심不忍人之心"을 해설하는 데 있어서도 주희는 같은 말을 하고 있다: "천지는 만물을 생하는 것으로 그 마음을 삼으니, 그러므로 생하여진 물物은 제각기 나름대로 천지생물의 마음을 얻어가지고서 자기의 마음을 삼을 수밖에 없다. 그러므로 사람은 모두 선천적으로 불인인지심不忍人之心을 가지게 되는 것이다.天地以生物爲心, 而所生之物, 因各得夫天地生物之心以爲心。所以人皆有不忍人之心也。"

인간의 마음의 본질도 결국 이 천지의 "생물지심生物之心"을 분유받았다는 사실에 있는 것이다. 그 생물지심의 본원이 인간의 경우는 부부의 마음에 있는 것이다. 나는 이렇게 생각한다. 인간의 궁극적 선악의 기준도 하나님이 일방적으로 정하는 것이 아니요, 칸트가 말하는 것처럼 정언명령의 연역적 형식에 있는 것도 아니다. 칸트철학의 과제는 궁극적으로 인간세의 문제 자체에만 국한되어 있다. 칸트의 인간은 인간일 뿐이다. 그 인간이 자연을 포섭하지 못한다. 인간은 반드시 천지를 포섭해야 한다. 따라서 선악의 기준은 매우 명백하다. "천지생물지심天地生物之心"을 찬육贊育하면 선善이요, 위배하거나 방해하면 악惡이다.

이것은 칸트가 말하는 모든 인간학적 정언명령의 가능성을 다 포섭하는 웅대한 것이다.

우리가 보통 부부관계를 여타 오륜관계에 비해 시시한 것으로 생각하는 것은 우주의 근원적 당위성을 전체적으로 고려하지 않기 때문에 생겨나는 편견일 뿐이다. 그리고 부부관계가 가장 문제가 많다고 생각하는 이유는 인간의 부부관계의 특수성이 자연의 당위성을 초월하는 것이기 때문이다. 인간의 경우 갓 태어난 개체가 사회화socialization되는 과정이 워낙 긴 시간을 요하는 데다가(닭의 경우 보통 50일이면 완료되는데 사람의 경우는 자字를 받는 것을 기준으로 해도 보통 20년 이상이 걸린다), 문명의 고도화는 점점 자식의 독립시기를 늦추어만 갔다. 따라서 인간의 부부관계는 시간적으로 지속되어야만 하는, 자연적 당위성을 초월하는 문명적 당위성을 획득하게 되었다. 보통 부부관계라는 것은 동물의 세계에 있어서는 자식들의 사회화가 완료되면 즉각 해체된다. 그러나 인간의 부부관계라는 것은 그러한 해체를 정당하다고 생각하지 않는다. 인도인들이 부부관계에 "출가"라는 개념을 도입한 것도 좀 차원이 다른 문제이기는 하지만 동물의 본래적 모습에 가까운 측면도 있다.

하여튼 인간의 부부관계라는 것은 자연적 당위성과 문명적 당위성의 합체적인 성격의 것이며, 어느 일면에서만 규정할 수 없는 복합적인 것이다. 그리고 부부관계의 무리한 문명적 지속은 인간관계로서는 많은 불협화음을 자아내게 마련이다. 불협화음이 전혀 없이 평생을 지속하는 해피 케이스도 물론 있지만, 대부분의 경우 그것은 동화 속의 전설이라고 말할 수밖에 없다. 부부는 끊임없는 애증의 트러블 속에서 평생을 지속한다. 그래서 문제가 많은 부차적인 관계처럼 착각하지만 실상은 모든 오륜관계의 기본이라고 말할 수밖에 없다. 그리고 그 부부관계의 무리한 지속은 중용적 가치의 가장 심각한 시험처라고 말해야 할 것이다. 인간의 희노애락의 감정이 가장 격렬하게 지속적으로 물결치는 장場인 것이다. 공자-자사는 "부부夫婦"관계의 이러한 특성을 잘 이해했다. 그리고 부부관계를 극도로 예찬했다. 이 『중용』의 부부예찬은 세계문명사에 유례를 보기 힘든 선진적先進的인 것이다. 희랍고전이나 신·구약성서에서도 이토록 부부관계를 극찬한 유례가 없다. 그리고 이것은 왕후장상의 부부가 아니라, 선남선녀의 부부이다. 아주 평범한 보통사람의 부부인 것이다. 그리고 더욱 놀라운 것은 여기 "부부夫婦"의 관념은 명백하게 일부일처제一夫一妻制monogamy를 전제로 하고 있다는 것이다. 당시 부부에 대한 관념이 어떠했든지간에 『중용』이라는 텍스트 자체 내의 표현은 참으로 놀라웁게 콘템포라리하다는 것이다. 이것은 인문주의의 놀라운 혁명적 사유의 성과이다. 미국에서도 1920년에야 여성이 남성과 동일한 참정권woman suffrage을 획득했다는 사실을 생각하면 참으로 놀라운 일이 아닐 수 없다.

군자의 도는 "비費"와 "은隱"의 양면성이 있다는 것을 먼저 이야기하였다. 그리고 "군자지도君子之道"를 부부의 어리석음으로도 알 수 있는 것이라고 했을 때 그것은 암암리 군자지도의 "비費"한 측면을 가리킨 것이다. 그 다음에 나오는 말, "급기지야及其至也"의 주어는 물론 형식적으로 군자지도일 수밖에 없다. 군자지도가 그 지극한 데 이르게 되면 성인이라 할지라도 또한 알지 못하는 바가 있다는 것이다. 이것은 군자지도의 "은隱"한 측면을 가리키고 있을 것이다. 그러나 이것은 결코 부부의 어리석음과 성인의 경지의 이원론적 차별성을 두고 하는 말은 아니다. 여기 주어로 등장한 것은 군자君子와 부부夫婦와 성인聖人인데 이 삼자三者가 결국은 같은 평면에서 논의되고 있는 것이다. 군자도 부부일 수밖에 없으며 성인의 길을 지향한다. 따라서 역설적으로 말하면 부부의 어리석음으로 알 수 있고(여지與知) 행할 수 있는(능행能行) 경지 그 자체를 성인이라 할지라도 다 알 수 있고 다 행할 수 있는 것이 아니라는 것이다. 그만큼 평범한 인간들이 느끼고 있는 세계가 느끼는 만큼에서 완료完了되는 것이 아니라 더 무한한 진리의 가능성을 내포하고 있다는 것이다. 이것은 "부부지우夫婦之愚"와 성인의 경지를 대비시킴으로써 오히려 부부지우, 즉 우리 인간의 범용의 세계를 극찬하고 있는 것이다. 진리는 고고한 완성의 경지에 있는 것이 아니라, 평범한 일상성의 불완전성 속에 내재하는 것이라고 하는 역설적인 진리를 설파하고 있는 것이다.

그래서 천지의 무한히 큰 가능성에 대하여 사람들의 인식이 다 미칠 수 없으므로 사람들은 천지에 대하여 유감이 있을 수도 있다. 그러므로 군자는 매크로한 세계와 마이크로한 세계를 통합적으로 추구해 들어간다. 군자가 말하는 매크로한 세계를 보통사람들은 다 수용할 수가 없고, 마이크로한 세계를 다 쪼개볼 수가 없다. 그러나 이러한 매크로한 세계와 마이크로한 세계는 결국 하나의 생명의 진리로 상통하는 것이다. 그래서 그 다음에 "연비려천鳶飛戾天, 어약우연魚躍于淵"이라는 시구가 인용되고 있는 것이다. 이 시구는 베르그송Henri Bergson, 1859~1941이 말하는 "엘랑비탈élan vital"을 연상시키기에 충분하다. 베르그송은 모든 관념의 절대성이나 이상성ideality을 거부한다. 그는 시간의 공간화를 거부한다. 시간의 공간화는 결국 모든 존재로부터 생명을 빼앗는 것이다. "나"는 기하학적으로 공간화되어 있는 나가 아니라, 끊임없이 창조를 계속하는 자기창진創進의 주체로서 살아움직이는 본원적인 나이다. 베르그송 철학의 핵심개념은 "순수지속durée pure"이다. 그것은 단순한 지속이 아니라, 창조적 지속이다. 그것은 모든 공간화를 거부하는 질적인 것이며 역동적인 것이며, 창조적 진화의 원동력인 생명의 본모습이다. 이 동적인 과정의 내적 충동력을 "엘랑비탈"이라고 부르고 있는 것이다. 솔개가 치솟아 하늘을 찌르고, 물고기가 금비늘에 찬란한 아침햇살을 반사시키며 연못에서 튀어오르는 시구는 모두 이 엘랑비탈, 즉 우주의 창진적 진화Creative Evolution를 상징하고 있는 것이다.

이 엘랑비탈의 핵심이 바로 부부지도夫婦之道인 것이다. 부부지도는 단순한 두 개체의 만남이 아니라, 창진적 진화를 위한 음양의 교합이다. 바로 여기에 부부지도의 평범성 속에 우주적 전관성全觀性이 깃들어 있는 것이다. 그래서 말한다: "군자지도君子之道는 부부에서 조단造端하는 것이니, 그것이 지극한 경지에 이르게 되면 하늘과 땅에 꽉 들어차 빛나는 것이다." 여기서도 "급기지야及其至也"의 주어는 군자지도일 수밖에 없으나, 역설적으로 부부의 도야말로 지극한 경지에 이르게 되면 천지지간에 꽉 들어차 빛나는 것이다. 우주를 하나의 온생명으로 볼 때 그것은 생명의 약진의 주체적 요소가 아닌 것이 없다. 길거리에 나뒹구는 돌멩이도 무생명적인 것이 아니라, 엘랑비탈의 과정에 주체적으로 포섭되는 것이다. 우주전체가 생명의 창조적 진화이며, 그 진화의 원동력을 그 내부에 함장하는 것이다. 따라서 부부지도는 모든 생명과의 연대감 속에서 우주적으로 이해되어야 하는 것이다. 그것을 "급기지야及其至也, 찰호천지察乎天地"라고 표현한 것이다.

내가 우연한 기회에 "봉혜鳳兮"라 이름하는 닭을 키우게 된 인연은 나의 책 『계림수필鷄林隨筆』에 상술되어 있다. 봉혜는 순수한 우리 토종닭인데, 아마도 먼 옛날의 인도 밀림에서 살던 맹금 시절이나 공룡조상 시절의 특수한 감각을 보전한 특별한 종자임에 틀림이 없을 것 같다. 하여튼 봉혜의 관찰되는 행동양식은 좀 비범한 측면이 많다. 봉혜는 3년 동안에 세 배를 깠다. 첫 배는 11개를 품어서 5마리를 깠다(2009년 6월). 5마리는 너무도 아름답고 다양한 토종닭이었다. 둘째 배는 17개를 품어서 11개를 깠다. 이것도 아름다운 토종닭들이었다(2009년 9월). 셋째 배는 품종을 바꾸어 보기로 하고 어느 유기농집에서 파는 유정란을 12개 집어넣어 주었는데(2010년 6월 27일) 한번 냉장고에 들어갔던 달걀은 부화되기 어려운 모양이다. 결국 12개가 모두 곯아 썩어문드러져 하나도 부화의 희망이 없다는 것을 알게 된 것은 2010년 7월 19일 아침의 일이었다. 나는 스무 날이 넘는 봉혜의 수고에 대해서도 가슴이 아팠지만 부화 후에 새끼를 키우면서 비로소 봉혜의 건강이 정상적으로 조절된다는 것을 알았기 때문에 어떻게 해서든지 봉혜에게 새끼를 공급해 주어야 한다는 일념에 사로잡혔다. 그래서 그날 양계장에서 부화된 병아리가 분명히 있으리라는 일념으로 각 양계협회에 전화를 걸어 알아

보았는데, 갓난 새끼를 방출하는 일은 거의 없다면서 여러 가지 이유로 나의 간청을 거절했다.

그런데 장호원읍에 있는 한국양계TS의 김호섭 사장님이 나의 딱한 사정을 듣고 즉각적으로 25마리를 보내왔다. 그런데 여기저기 수소문하는 과정에서 혹시나 하고 익산의 하림 김홍국金弘國 회장실에 전화를 걸어두었는데, 나중에 내 메시지를 전해듣고 김 회장이 그날 부화한 건장한 토종닭 12마리를 직접 비서를 시켜서 나에게 보내왔다. 황규연 비서가 고맙게도 익산에서부터 먼 길을 차를 몰고 달려온 것이다. 그래서 그날로 봉혜는 37마리의 부화된 병아리를 입양하여 품게 되었다. 그러나 봉혜는 입양했다는 것을 눈치채지 못하고 자기가 깐 새끼처럼 인식했다. 생리 리듬상 아무런 문제가 없었던 모양이다. 첫날부터 37마리의 병아리를 모두 날개 속에 품고 잤다. 우리는 이 병아리들을 "로마의 37군단"이라고 불렀는데, 봉혜는 이 37군단의 병사들을 한 마리도 낙오시킴이 없이 모두 건강하게 키웠다. 봉혜의 통솔능력은 참으로 놀라운 것이었다.

최근 우리집 닭식구는 첫 배 소생 한 마리와 37군단의 다섯 마리, 그래서 봉혜를 포함하여 모두 일곱 마리였다. 그런데 점점 봉혜를 쳐다보기가 안스러워졌다. 옛말에도 "견불칠년犬不七年, 계불삼년鷄不三年"이라는 속담이 있는데, 개는 7년을 넘기지 말고 닭은 3년 이상을 기르지 말라는 뜻이다. 닭은 생산력이 강한 종자는 하루에 하나씩 알을 낳는다. 그렇다면 닭의 하루는 실상 인간의 한 달이다. 여자가 월경을 하는 것도 똑같이 알을 낳는 것이다(물론 배란은 월경과 월경 사이의 중간시기이다). 그런데 "알egg" 즉 난자ovum라는 것은 남자의 정자처럼 계속 새롭게 생산되는 것spermatogenesis이 아니라, 난소에 이미 있는 원시난포primordial follicle에서 난포자극호르몬Follicle-stimulating hormone과 황체형성호르몬Luteinization hormone의 작용에 의하여 난자가 배출되는 것이다. 인간은 평생을 통하여 평균 450개 정도의 알을 난포가 배출한다. 그런데 닭은 인간보다 엄청 큰 알을 훨씬 더 많이 배출한다. 봉혜는 이미 450개 이상의 알을 낳았으므로 인간으로 치면 환갑 나이는 되었는데도 폐경을 하지 않고 계속 알을 낳고 있는 것이다. 하여튼 놀라운 생산력fertility이라고 할 것이다. 그런데 봉혜(조류)에게는 매우 불리한 조건이 있다. 똥구멍과 오줌구멍과 배란구멍이 하나로 통합되어 있는 것이다. 날아야 하므로 몸무게를 줄이기 위하여, 해부학적으로 그러한 효율적인 디자인방식을 취했으리라고 생각되는데, 닭은 딴 조류보다도 알을 많이 낳는 편이므로 밑구멍의 수고가 특히 많은 것이다. 그래서 닭을 오래 키우다보면 꼭 "밑이 빠진다"는 현상이 생긴다. 내장이 항문 밖으로 삐져나오는 것이다. 그러면 그 밖으로 삐져나온 내장을 다른 닭들이 유혹적인 냄새가 나기 때문에 쪼기도 하고, 본인도 부리로 자꾸 집어넣으려고 건드리다 보면 상처가 나고, 또 앉다가 쓸리기도 하여 곧 감염이 발생한다. 그러다가 며칠이 있으면 어김없이 사망한다. 걸어가다 그냥 피식 쓰러져 죽는 닭을 여러 마리 보았다. 그러나 나는 이런 꼴을 차마 봉혜에게서 목격하고 싶지 않았다. 밑이 한 번 빠지면 그 비극적 상황은 계속 알을 낳기 때문에 악화된다. 그런데 세 번째 알을 품을 때에도 봉혜 밑이 빠졌었다. 밑이 빠지자 봉혜는 먹을 것을 조절하고 알을 품기 시작했던 것이다. "알을 품는다"는 것은 닭의 생애에 있어서 최대의 사건이다. 21일 동안 일체 단식을 하며 한 자리에서 운동을 하지 않으며 또 생식활동을 정지시킨다. 그리고 자기 체온을 분유한다. 사실 21일 동안이라고 하지만 사람으로 치면 21개월에 해당되므로 어떠한 고승의 "용맹정진"보다 더 무서운 정진이다. 어떠한 고승도 한 달 이상 단식을 하지는 못한다. 그러나 봉혜는 그 무서운 정진을 3번이나 해내었다. 그러나 세 번째 정진은 자신의 질병을 치료하기 위한 현명한 전략의 소행이었다. 그래서 나는 그날로 부화한 외부의 병아리라도 품게 해주지 않을 수가 없었던 것이다. 그 이유는 병아리를 부화시킨 이후에도 어미닭은 약 50일 동안 식사를 삼가고 자식 기르는 데만 헌신하며(먹이를 얻으면 자기가 먹지 않고 꼭 새끼들에게 먼저 준다), 알도 낳지 아니 하고 섹스 등 일체의 생식활동을 하지 않기 때문이다. 그것은 마치 인간 여성의 경우 모유를 멕이면 그 기간동안 아기들의 "빰"에 자극받아 프로락틴prolactin이 분비되어, 난포자극호르몬FSH과 황체형성호르몬LH의 분비를 억제시킴으로써 월경싸이클을 저지시키는 것과 비슷한 현상이다. 그렇게 50일 동안 어미닭이 병아리를 키우면서 절식을 하고나면 오히려 몸이 가벼워지고 더 처녀스럽게 젊어지는 것이다. 봉혜는 이러한 매카니즘을 자기 몸에 활용할 줄 알았다. 시중時中의 달자達者였던 것이다.

그런데 봉혜가 만 3년의 천수를 지나 4년째 접어들면서 기력도 쇠퇴하고 또 옛 영화가 사라졌다. 모든 주변의 닭들을 제압하던 권위가 사라지고 모든 식구들이 봉혜를 쪼기 시작하고 아주 천덕꾸러기로 만들어버렸다. 봉혜는 눈치를 보며 살아야 했다. 그리고 일체 다른 닭을 제압하는 용기를 내지 못했다. 우리집 닭장의 원조인 노장 봉혜가 자기가 애지중지 키운 새끼였던 닭들에게 이리 치고 저리 치고 하는 모습을 보면 나는 부아가 났다. 그런데 최악의 사태가 발생했다. 봉혜가 다시 극심하게 밑이 빠져버린 것이다. 밑구멍에 자그마치 어린애 주먹 만한 것이 달렸다. 나는 바셀린을 발라 집어넣어주곤 했으나 아무 소용도 없었다. 그리고 기력이 쇠퇴하고 벼슬의 색깔이 잿빛으로 변해가고 곧 이 세상을 하직할 기세였다. 마음속으로는 마당 계림鷄林에 비석이라도 하나 세워줄 요량이라도 챙기고 있었다. 그러나 아무래도 그냥 봉혜를 떠나 보낸다는 것이 마음에 걸렸다. 그래서 네이버를 뒤져 동물병원 조류전문 클리닉을 찾기 시작했는데 11개의 리스트가 올라와 있었다. 그러나 하나 하나 전화를 걸어보니, 모두 의사선생님들이 코웃음을 치는 것이다: "아니, 폐계가 몇백 원도 안 나가는데 4년째 된 병든 닭을 무슨 수로 고치려 하슈?" 도무지 치료의 대상이 아니라는 것이다. 그들 말은 현실적으로는 이해가 가는 말이다. 그렇다고 그들 앞에서 구구하게 내 사정을 이야기하는 것도 어려운 상황이었다. 그렇다고 그들을 야단칠 수도 없는 노릇이다. 현실적으로, 그들의 대부분이 그런 상황을 체험하지 못했을 것이다. 애완용 동물들은 치료를 해도 밑빠진 늙은 닭을 치료한 경험은 없는 것이다.

그런데 웅암동물병원이라는 곳의 반응은 좀 달랐다. 그곳의 고명헌高明憲 원장은 내 말을 잘 이해하고 솔직히 답변해주었다: "사실 이런 닭을 치료할 수 있는 실력이 있는 사람이 별로 없습니다. 그런 경험이 없기 때문이죠. 저도 마찬가지입니다. 제가 자신이 있으면 고쳐드리겠는데 저도 솔직히 이 사태를 감당할 자신이 없습니다. 그런데 우리나라에 딱 한 분이 계시죠. 강남 7호선 논현역 4번 출구 부근에 있는 스타동물종합병원에 김성수라는 어른이 계시죠. 이 어른은 수의학의 피에이치디Ph. D.이시고 오랫동안 서울대공원의 조류나 동물들을 치료하신 경험이 있으신 훌륭한 분입니다. 그 분에게 찾아가 보시면 뭔가 희망이 보일 수도 있습니다."

이렇게 해서 나는 김성수金誠秀 박사라는 분을 소개받게 되었다. 전화를 거니 나이가 지긋하신 분이었는데 오후 3시에 예약이 가능했다(2011년 4월 12일). 이 날 봉혜는 서너 시간 동안을 정성스럽게 치료를 받았다. 김성수 선생님은 도인 같은 분이었는데 봉혜가 그렇게 고분고분하게 치료를 받았다고 했다. 김성수 선생님이 자기 죽을병을 고쳐주는 것을 알고 있는 듯했다고 했다. 봉혜를 데리고 간 나의 제자들이 마음속으로 심히 걱정을 했다. 우선 봉혜는 의료보험이 없다. 그런데 특수진료실에서 이토록 장시간 치료를 받았으니 도대체 진료비가 얼마나 나올 것인가? 땀을 비적거리며 큰 돈을 준비하고 있었을 것이다. 그런데 김 선생님은 치료가 끝나자, 향후대책을 자세히 일러주시면서 치료비는 도올 선생님께 들은 강의료로 대신하겠다고 하셨다 했다. "천지생물지심天地生物之心"의 공감자共感者로서 나의 봉혜사랑에 보답하고 싶다는 뜻을 나에게 전해왔던 것이다. 그 후 봉혜는 격리되어 나의 후속적 치료를 받으면서 점점 똥꼬의 혹이 줄어들었다. 그리고 거의 완쾌에 가까운 상태로 호전되었다(4월 22일 경).

그런데 문제는 다시 알을 낳으면 도로나무아미타불이 되고 만다는 것이다. 알을 낳지 않게 하려면 어떻게 해야 하는가? 그 방법은 단 하나! 다시 알을 품게 하면 되는 것이다. 그러나 "알을 품게 한다"는 것은 거의 불가능에 가깝다. 외면적으로 알 위에 앉으면 되는 것이 아니라, 내면적으로 알을 품을 수 있는 생리적 조건을 스스로 마련하지 않으면 안되는 것이다. 알을 품게 할 수는 없다. 알은 봉혜 스스로 품어야 한다. 그런데 계절은 적당한 시기가 찾아왔는데도 봉혜는 품을 생각을 하지 않았다. 봉혜는 늙고 기력이 없었으며 판단력이 쇠퇴했다. 그리고 우주의 변화에 대한 민감한 반응체계가, 즉 인仁한 마음이 사라져가고 있었다. 나는 안타까웠다. 그러던 중, 호소식이 들려왔다. 봉혜가 두 번째 깐 닭들을 제자 자눌 집에 분양을 시켰는데, 그 중 두 마리가 자눌 집에서 알을 품기 시작했다는 것이다. 그런데 그 중 한 마리가 빈 둥지를 틀고 앉아있다는 것이다. 나는 그 놈을 얼른 평창동에서 데려왔다. 그리고 우리집 유정란 9개를 품게 해주었다. 그 놈이 어떻게 지긋하게 알을 잘 품는지 그 암탉의 이름을 "능구能久"라고 지어주었다. 나의 예감이 적중했다. 능구가 한 우리 속에서 알을 품자, 봉혜의 마음이 동하기 시작했다. 드디어 사흘 후부터 봉혜가 능구와 마주보면서 둥지를 틀기 시작했다. 능구로 인하여 잊어버린 천지생물지심이 다시 발동한 것이다. 7월 25일~26일에 걸쳐서 능구는 아홉 알 중 아홉 마리를 전부 부화시켰다. 봉선사 월운月雲 스님께서 나의 처소를 방문하여 말씀하시기를, 옛 시골에서도 품은 알을 전부 부화시키는 사례가 희소하여, 백프로 부화되면 길조라고 칭송했다는 것이다. 그리고 연이어 7월 28일~29일에 걸쳐 봉혜는 품은 알 열한 개 중에서 일곱 마리를 부화시켰다. 기적이었다.

봉혜는 청춘을 회복했고, 밑구멍이 완쾌되었으며 벼슬 색깔이 분홍빛으로 돌아왔으며, 다시 모든 닭들을 제압하는 제왕이 되었다. 모성애처럼 강한 것은 없다. 모성애의 강렬함 앞에 수탉 이하 모든 닭들이 다시 꼬리를 내렸다. 봉혜는 주변의 고양이까지 제압하면서 그 옛 맹금의 위세를 다시 떨치기 시작했다. 닷새 후, 병아리의 솜털을 헤치고 날개가 돋았다. 봉혜가 마당을 건너가면 일곱 마리의 병아리들이 그 날개를 파닥거리며 우주를 활보할 수 있다는 그 자랑스러운 모습을 과시한다. 그 모습에서 나는 연비려천鳶飛戾天 어약우연魚躍于淵! 엘랑비탈의 극상의 도약을 발견한다.

이 장에서 전후맥락으로 볼 때, "천지지대야天地之大也, 인유유소감人猶有所憾"이라는 구문에 대한 주희의 해석이 매우 어색하게 느껴질 수가 있다. 이미 정현이 "감憾"을 "한恨"으로 해석했기 때문에 주희는 그것을 계승한 것이다. 주희의 해석은 다음과 같다: "내가 생각건대, 사람이 천지에 대하여 유감이 있다고 하는 것은, 하늘이 덮어주고 땅이 실어주어 만물을 생성하는 데 있어서 치우침이 있다는 것, 그리고 추위와 더위, 재앙과 상서가 그 바름을 얻지 못한 것을 일컫는다. 愚謂人所憾於天地, 如覆載生成之偏, 及寒暑災祥之不得其正者。"

정현은 이와 같이 말했다: "여기 감憾이라고 하는 것은 유감스럽게 생각한다, 한스럽게 생각한다는 뜻이다. 천지는 무한히 크기 때문에 덮지 않음이 없고 싣지 않음이 없어서 사람들은 그 거대함에 유감이 있을 수도 있다. 성인이 모든 것을 구비하여 구현하는 사태에 대해서도 사람들은 유감스러워 할 수도 있다. 憾, 恨也。天地之大, 無不覆載, 人尙有所恨

焉, 況於聖人能盡備之乎!"

이 문제에 관하여 공영달은 다음과 같은 소疏를 달았다.

> "천지지대야天地之大也, 인유유소감人猶有所憾"이라고 하는 것은 다음과 같은 뜻이다. 우선 "감憾"은 "한恨"이다. 천지는 지극히 크기 때문에 어떠한 물物이든지 기르지 아니 함이 없고, 만물을 덮고, 싣지 아니 함이 없다. 겨울에 너무 춥고, 여름에 너무 더운 것에 대하여서도 사람들은 원한을 품을 수가 있다. 또한 성인의 덕이란 모든 선善함을 포용하지 아니 함이 없기 때문에 사람들이 원망할 수도 있다. 보통 사람들은 그 거대함을 다 수용할 수가 없기 때문이다. 중용의 도道라는 것은 이치에 있어서 매우 감내하기 어려운 측면도 있다. 그래서 작고 큰 것을 다 겸하여 포용할 때 비로소 온전하여지는 것이다.
>
> "天地之大也, 人猶有所憾"者, 憾, 恨也。言天地之大, 無物不養, 無物不養, 無物不覆載, 如冬寒夏暑, 人猶有怨恨之。猶如聖人之德, 無善不包, 人猶怨之, 是不可備也。中庸之道, 於理爲難, 大小兼包, 是可以備也。

이것은 결국 천지의 공능이 인간의 삶에 유리하게만 작용하는 식으로 선·악의 판단을 가지고 있지 않기 때문에, 인간이 그 천지의 모든 것을 포용하는 그 거대함에 대하여 오히려 유감이 있을 수 있다는 것을 강조하는 표현으로 전통적으로 새겨온 것이다. 그 모든 해석이 "감憾"을 "한恨"으로 해석한 정현의 주 때문에 방향지워진 것이다. 그 외의 근거라고는 아무 것도 없다. 그러니까 알고보면 노자가 말하는 "천지불인天地不仁"과 같은 맥락에서 해석되어야 한다는 뜻인데, 여기 전후 맥락으로 볼 때, 갑자기 "천지불인天地不仁"의 논리가 튀쳐나와야 할 이유가 별로 있어 보이지 않는다.

그런데 십삼경주소본十三經注疏本 완교阮校에 다음과 같은 말이 있다: "'감憾'은 본래 '감感'으로 되어 있었던 것이다.憾, 本又作感。" 왜 "감憾"을 꼭 "유감"으로만 해석해야 할까? 나의 친구 카노오 요시미쯔加納喜光는 "감感"은 회의겸형성자會意兼形聲字인데, 그것은 "감感"에다가 "마음心" 자를 더 붙여서 마음의 느낌을 더욱 강조한 것이라고 말한다. 그러니까 마음에 강렬한 쇼크를 주는 그러한 느낌이 어떠한 부정적인 맥락에서 마음에 잔상을 남길 때 그것이 "유감"이나 "원한"이 되는 것이다라고 해설한다(『學研 新漢和大字典』).

그러나 왜 "감憾"을 꼭 부정적인 맥락에서만 해석할 필요가 있겠는가? 이 문제를 나에게 제기한 사람은 언어학자인 나의 아내 최영애 교수였다. 아무래도 정현-주자 해석이 정당성이 없다는 것이다. 우리의 상식적 편견에 의하여 한자의 의미를 새길 필요가 없다는 것이다. 즉 "감憾"은 "느낌感"의 강조형이며, 강렬한 느낌을 나타내는 것이며, 그것은 이 『중용』의 맥락에서는 얼마든지 긍정적인 뜻으로 풀이할 수 있다는 것이다. 그러니까 우주의 거대함에 대한 경이감, 경외감, 그러니까 희랍인들이 철학함의 시단으로 보는 "타우마제인*thaumazein*"과도 같은 느낌으로 해석할 수 있다는 것이다. 그렇다면 이 문단은 다음과 같이 해석된다.

> 아~ 천지우주의 거대함에 대하여 우리 인간은 경탄과 경외감을 느낀다. 그러므로 그 경외감을 지닌 군자가 거대한 매크로 코스모스를 말할 때는 천하사람들이 그것을 다 실을 수가 없고, 또 너무도 미세한 마이크로 코스모스를 말할 때는 천하사람들이 그것을 더 잘게 쪼갤 수가 없다.
>
> 天地之大也, 人猶有所憾。故君子語大, 天下莫能載焉; 語小, 天下莫能破焉。

고전은 영원히 재해석되어야 한다. 그리고 읽을 때마다 새롭게 읽힌다. 이 부분은 나의 신해新解가 더 정당하다고 생각되나 주희의 해석에 의한 나의 전통적 해석을 바꾸지 않고 남겨두었다. 이 신해는 교정과정에서 첨가된 것이다. 후학들에게 주해의 다이내미즘을 보여주기 위하여 나의 생각의 변천과정을 그대로 남겨두었다.

아홉 마리를 부화시킨 능구能久. 너무 지긋하게 알을 잘 품어서 능구라는 이름을 얻었다. 봉혜의 손녀. 솟은 꼬리는 황룡사 용마루 치미鴟尾를 연상케 한다. 생긴 모습이 조선 화원화가 변상벽卞相璧의 그림 속의 닭과 똑같아 온전한 조선토종임이 입증된다.

7마리의 새끼를 거느린 봉혜의 의젓한 모습. 사람으로 치면 노인이지만 알을 부화시킨 후 다시 의기양양한 처녀가 되었다. 이 중 한 마리가 19일만에 엄마 품에서 죽었다. 나머지 6마리는 생명의 환희를 만끽하며 대지를 활보하고 있다.

第十三道不遠人章

zǐ yuē dào bù yuǎn rén rén zhī wéi dào ér yuǎn rén bù kě
1 子曰:“道不遠人。人之爲道而遠人，不可
자 왈 도 불 원 인 인 지 위 도 이 원 인 불 가

yǐ wéi dào
以爲道。
이 위 도

shī yún fá kē fá kē qí zé bù yuǎn zhí kē yǐ fá kē
2 詩云:‘伐柯伐柯，其則不遠。’執柯以伐柯，
시 운 벌 가 벌 가 기 칙 불 원 집 가 이 벌 가

nì ér shì zhī yóu yǐ wéi yuǎn gù jūn zǐ yǐ rén zhì rén
睨而視之，猶以爲遠。故君子以人治人，
예 이 시 지 유 이 위 원 고 군 자 이 인 치 인

gǎi ér zhǐ
改而止。
개 이 지

zhōng shù wéi dào bù yuǎn shī zhū jǐ ér bú yuàn yì wù shī
3 忠恕違道不遠，施諸己而不願，亦勿施
충 서 위 도 불 원 시 저 기 이 불 원 역 물 시

yú rén
於人。
어 인

jūn zǐ zhī dào sì qiū wèi néng yī yān suǒ qiú hū zǐ yǐ
4 君子之道四，丘未能一焉:所求乎子，以
군 자 지 도 사 구 미 능 일 언 소 구 호 자 이

shì fù wèi néng yě suǒ qiú hū chén yǐ shì jūn wèi néng yě
事父，未能也;所求乎臣，以事君，未能也;
사 부 미 능 야 소 구 호 신 이 사 군 미 능 야

suǒ qiú hū dì yǐ shì xiōng wèi néng yě suǒ qiú hū péng yǒu
所求乎弟，以事兄，未能也;所求乎朋友，
소 구 호 제 이 사 형 미 능 야 소 구 호 붕 우

제13장【도불원인장道不遠人章】

[1]공자께서 말씀하시었다: "도道는 사람에게서 멀리 있지 아니 하다. 사람이 도를 실천한다 하면서 도가 사람에게서 멀리 있는 것처럼 생각한다면 그는 결코 도를 실천하지 못할 것이다. [2]시詩는 말한다: '도끼자루를 베네. 도끼자루를 베네. 그 벰의 법칙이 멀리 있지 않아.' 도끼가 꽂힌 도끼자루를 잡고 새 도끼자루를 만들려고 할 때에는 자기가 잡고있는 도끼자루를 흘깃 보기만 해도 그 자루 만드는 법칙을 알 수 있는 것이어늘, 오히려 그 법칙이 멀리 있다고 생각하니 얼마나 어리석은 일인가! 그러므로 군자는 사람의 도리道理를 가지고서 사람을 다스릴 뿐이니, 사람이 스스로 깨달아 잘못을 고치기만 하면 더 이상 다스리려고 하지 않는다. [3]충서忠恕는 도道로부터 멀리 있지 아니 하다. 자기에게 베풀어보아 원하지 아니 하는 것은 또한 남에게도 베풀지 말지어다. [4]군자君子의 도道는 넷이 있으나, 나 구丘는 그 중 한 가지도 능하지 못하도다! 자식에게 바라는 것으로써 아버지를 잘 섬겼는가? 나는 이것에 능하지 못하도다. 신하에게 바라는 것으로써 임금을 잘 섬겼는가? 나는 이것에 능하지 못하도다. 아우에게 바라는 것으로써 형님을 잘 섬겼는가? 나는 이것에 능하지 못하도다. 붕우에게 바라는 것을 내가 먼저 베풀었는가? 나는 이것에 능하지 못하도다. 사람이란 모름지기 항상스러운 범용의 덕을 행하며 항상스러운 범용의 말을 삼가하

xiān shī zhī wèi néng yě yōng dé zhī xíng yōng yán zhī jǐn yǒu
先施之, 未能也。庸德之行, 庸言之謹, 有
선 시 지 미 능 야 용 덕 지 행 용 언 지 근 유

suǒ bù zú bù gǎn bù miǎn yǒu yú bù gǎn jìn yán gù xíng
所不足, 不敢不勉, 有餘不敢盡。言顧行,
소 부 족 불 감 불 면 유 여 불 감 진 언 고 행

xíng gù yán jūn zǐ hú bù zào zào ěr
行顧言, 君子胡不慥慥爾!"
행 고 언 군 자 호 불 조 조 이

沃案 "도불원인道不遠人"이라는 것은 "도가 사람에게서 멀리 있지 아니 하다"는 뜻이다. 이것 또한 제1장에서 말한 "가리可離, 비도야非道也"를 연상하면 될 것이다. 그러므로 그 다음에 오는 "인지위도이원인人之爲道而遠人"의 "원인遠人" 또한 "도가 사람에게서 멀리 있다"로 새겨야 한다. "사람이 도를 실천한다 하면서 사람을 멀리한다"는 식으로 번역하는 것도 오류이다. 그것은 당연히 이와 같이 번역되어야 한다: "사람이 도를 실천한다 하면서 도가 사람에게서 멀리 있는 것처럼 생각한다." 아주 가벼운 문제이지만 많은 번역가들이 오류를 범하고 있다.

『시경詩經』은 공자시대에 "시경詩經"이라는 이름으로 불리운 것은 아니다. 즉 "경전"으로서의 권위를 지니지는 않았다는 것이다. 그래서 그냥 『시詩』라고만 불렀다. "시詩"는 별 뜻이 아니고 우리말의 "노래"

여야 한다. 이에 부족함이 있으면 감히 힘쓰지 아니 할 수 없는 것이요, 이에 여유로움이 있으면 절제하고 조심하여 감히 자고自高치 아니 하여야 할 것이다. 언言은 반드시 행行을 돌아보아야 하며, 행行은 반드시 언言을 돌아보아야 하니, 군자가 어찌 삼가하여 독실篤實하지 아니 할 수 있으리오!"

라는 뜻이다. 고대사회에는 매스컴이 없었다. 신문도, 라디오도, 텔레비전도 없었다. 텔레비전이래야 백남준이 말하듯이 만인이 같이 보는 "달"만 있었을 뿐이다. 그래서 민중을 소통시키는 가장 강력한 매스컴의 언어가 "노래"였다. 인류의 모든 고대경전이 노래들이다. 그리고 정부가 국민과 소통하는 방식은 "예禮"였다. "예禮"는 "역曆"의 반포와 관련이 있다. 일년 사시가 어떻게 돌아간다는 것을 예로써 가르쳐주었던 것이다. 그래서 우리가 고대사회를 말할 때, "예악禮樂"이라는 말을 같이 쓰는 것이다. 예악이 고대사회의 민중제도의 핵심이었기 때문이다. 『중용』에서 "시詩"를 인용하는 것은 『신약』에서 『구약』의 구절들을 인용하는 것과 비슷하게 생각하면 된다. 전국시대의 사람들에게는 "시詩"야말로 가장 신빙성있는 고대경전이었고, 또 그 경전의 편찬자가 바로 공자였기 때문이다. 공자는 평생을 고대로부터 전승되어오는 노래들을 수집하여 후대에 남기는 것을 사명으로 삼은 사람이었다. 공자라는 선비학단의 리더의 위대함과 권위가 바로 "시詩"의 편찬사업에 있었다고 말해도 과언이 아니다.

그런데 노래는 사실 노래일 뿐이다. 그 속에 심오한 철학이 있는 것도 아니요, 그냥 민중의 희노애락을 표현한 발랄한 장場일 뿐이다. 그리고 동서고금을 통하여 노래의 가장 지속적인 테마는 청춘남녀의 사랑이었다. 그래서 노래를 인용하면 꼭 왜곡이 일어난다. 고대의 발랄한 민요를 엄숙한 철학적 맥락에서 인용하기 때문이다. 그래서 대부분이 "아웃 어브 콘텍스트out of context"이고 "단장취의斷章取義"일 뿐이다. 그래서 『시경』을 인용한 부분에 관하여 너무 고민할 필요가 없다. 대부분이 "엉터리 인용"이기 때문이다. 그러나 『중용』의 인용은 그래도 대체적으로 의미맥락이 상통하는 편이다. 『신약』에서 『구약』을 인용한 것도 대부분이 엉터리 인용이다.

『중용』에서 『시詩』를 인용할 때, 두 가지 표현을 썼다. "시운詩云"이라는 표현과 "시왈詩曰"이라는 표현이 그것이다. 그런데 이 인용방식이 어떻게 다른지, 무슨 텍스트비평상의 의미가 있는지에 관해서는 도무지 알 바가 없다. 나는 "시운詩云"은 "시는 말한다"로, "시왈詩曰"은 "시에 가로되"로 번역하였다.

선진문헌 속에서의 "시詩" 인용이 반드시 현존하는 『시경詩經』 텍스트에 다 있는 것을 인용하는 것은 아니다. 현존하는 『시경』 텍스트는 공자가 편찬한 것이라고 하는데, 그 속에 다 수록되지 못한 노래도 많았을 것이다. 그런데『중용』에 나오는 시구절은 모두 현존하는『시경』속에 있는 것들이다. 이 사실만 보아도 자사가 공문의 정통제자라는 것을 알 수 있다.

여기 도끼자루 운운하는 것은 옛 사회생활에 있어서는 도끼가 매우 중요하였다. 도끼로 나무도 베고, 장작도 빼개고, 또 많은 허드렛일에 소용이 있다. 나도 옛정이 그리워 최근에 시골장터에서 도끼를 하나 샀다. 그런데 옛날에는 도끼자루가 나무로 되어 있어, 격렬하게 사용하다 보면 그 자루가 원심력에 의해 잘 빠지게 되어있다. 그러면 도끼자루를 새로 깎아 끼워야 한다. 그런데 도끼자루를 자를 때, 그 자루에 관한 법칙(이상적 굵기, 싸이즈 등)은 바로 자기가 들고 있는 도끼자루에 있다는 것이다. 이것은 모든 존재에 관한 법칙이 그 존재 자체에 내재한다는 것을 말한 것이다. 이것은 매우 철저한 내재주의 사상이다. 우주의 법칙은 우주 자체에 내재하는 것이지, 우주 밖에 있는 어떤 존재가 그 법칙을 부여하는 것은 아니다. 모든 창조론이라는 것은 그러한 "법칙부여"의 외재주의이다. 이것은 신화나 종교에서나 가능한 허구적 언어일 뿐이다. 베르그송도 우주의 창조적 진화, 그 밖에 진화의 목적이 있다는 것을 거부했다. 어떤 고정된, 미리 예정된, 종국적인 목적이 밖에 있다는 것을 거부했다. 모든 목적은 엘랑비탈 그 자체에 내재하는 것이다. 그래서 말한다: "군자이인치인君子以人治人。" 도끼자루를 자르는 법칙이 도끼자루 자체에 내재하듯이, "사람을 다스린다治人"하는 그 모든 법칙이 사람 밖에 있는 것이 아니라, 사람 안에 있는 것이다. "군자"

는 사회의 지도자이며 권력자이다. 그러나 그도 사람이다. 사람이 사람을 사람에게 내재하는 사람의 법칙으로써 다스리는 것이다.

링컨은 게티스버그 연설Gettysburg Address(1863. 11. 19)에서 "백성의, 백성에 의한, 백성을 위한" 정부를 이야기했는데 비록 그 제도적인 장치를 마련하지 못했다 할지라도 그 상통하는 정신이 "이인치인以人治人"이라는 말 속에는 들어있다. 그런데 이인치인以人治人이 노리는 것은 사람의 "자발성"이다. 스스로 고치기만 하면 더 이상 다스리려고 하지 말아야 한다는 것이다(개이지改而止). 다스림은 궁극적으로 인간의 자발적 개선melioration을 목표로 해야 한다. 이것이 유가의 인치人治정신이 법치法治와 크게 다른 점이다. 제도적 장치로써 인간을 규제하는 것은 한계가 빤하다는 것이다. 제도적 규제보다는 항상 인간의 내면적 각성을 환기시키는 것이다. 그 내면적 각성을 의미하는 용어가 바로 "충서忠恕"이다. 후대에 "충忠"을 왕권이나 외재적 권위에 대한 "충성loyalty"으로 왜곡하여 해석하는 경향이 있었으나 "충忠"이란 글자 그대로 "중심中心"이며(회의겸형성자會意兼形聲字이다), 가슴속 깊은 곳에서 충실하여 우러나오는 느낌을 말하는 것이다. 사실 공자는 "서恕"를 말했지 "충忠"을 말하지 않았다. "서恕"라는 것은 문자 그대로 "여심如心"이며, 나의 마음을 타인의 마음에 이입移入하여 같이 느끼는 공감sympathy 상태를 의미한다. 공자는 인仁의 본질이 서恕에 있다고 보았다. "서恕"라는 것은 실제로 요새말로 하자면, 인간에 대한 사랑이며, 보편적인 가치관이며, 인류애를 의미한다. 인仁의 느낌이 타인과의 관계에서 논의될 때는 서恕가 되는 것이다. "충忠"은 "서恕"를 수식하는 부차적인 용어이다. 그런데 서恕, 즉 인간에 대한 사랑, 타인과의 공감 방식은, 그것이 진정으로 보편적이기 위해서는 부정적인 규정 속에 머물러야 한다는 것이다. 칸트도 인간의 의지를 규정하는 객관적이고도 보편적인 규칙은 내용이 아니라 형식일 수밖에 없다고 생각했다. 그 보편적 형식이 바로 정언명령이다. 그러니까 정언명령도 적극적인 행위내용을 규정하는 것이 아니라 매우 소극적인 도덕명령인 것이다. "인간을 목적으로 취급하고 수단으로 삼지 말라"는 정언명령은 "수단으로 삼지 말라"는 부정형에 더 큰 의미가 있다.

『논어』에는 "서恕"가 "기소불욕己所不欲, 물시어인勿施於人"으로 되어 있는데, 『중용』에는 "시저기이불원施諸己而不願, 역물시어인亦勿施於人"이라 하여 그 부정형이 더 명료하게 부각되어 있다. 자기 자신에게 베풀어 보아서 원치 **아니하는 것**은 또한 남에게도 베풀지 **말라**는 뜻이다. 예수의 산상수훈The Sermon on the Mount 중에서 황금률Golden Rule이라고 불리워져서 특별하게 기독교사상을 대변하는 말로서 인용되는 구절이 있는데, 여기서는 서恕의 부정태가 긍정태로 바뀌어져 있다. 다시 말해서, "기소불욕己所不欲, 물시어인勿施於人"이 "기소욕己所欲, 시어인施於人"으로 되어 있는 것이다. 마태복음 7:12와 누가복음 6:31에 공통되는 것으로, 큐자료에 속하는 예수의 오리지날 말씀파편이다: "무엇이든지 남에게 대접을 받고자 하는 대로 너희도 남을 대접하라.Whatever you wish that men would do to you, do so to them." 여기 개역한글판의 "대접"이라는 번역이 별로 좋지 않다. 그 본뜻은, 남이 나에게 해주었으면 하고 바라는 것은 무엇이든지 남에게 적극적으로 먼저 베풀라는 뜻이다.

그러니까 내가 원하는 것(己所欲)을 남에게 먼저 베풀라(施於人)는 뜻이다. 이것은 매우 적극적인 사랑의 윤리처럼 들리지만 인류에게 크나 큰 해악을 끼쳐온 기독교윤리의 병폐의 대표적 사례이다. 서구와 미국의 모든 제국주의적 행태가 이런 황금률로써 정당화되어 온 것이다.

우리가 깨달아야만 할 중요한 인간학적 사실은 아가페를 빙자한 사랑의 폭력에 관한 것이다. "내가 좋아하는 것"을 타인도 좋아한다는 보장이 없다. 내가 원하는 것이라 해서 타인이 그것을 똑같이 원하리라는 보장이 없다. 내가 살기 편하다고 생각하는 아파트에서 타인도 편하게 살 것이라고 생각하는 것은 나이브하다. 내가 좋아하는 음식이나 음악을 타인이 좋아하리라는 보장이 없다. 판자촌을 허는 개발업자는 판자촌의 사람들의 복리를 증진하기 위하여 그런 짓을 하는 것이 아니라 자신의 폭리를 취함이 그 일차적 목적이다. 그들의 삶의 정서나 습관이나 방식의 파괴가 몰고오는 피폐에 관해서는 일말의 고려도 없다. 대부분의 기독교국가 제국주의가 개발도상의 국가들에게 이런 짓을 해온 것이다.

사랑은 나를 기준으로 하는 "베품"이 되어서는 아니 된다. 타인에 대한 모든 적극적 행위에는 "형이상학적 폭력metaphysical violence"이 개재되기 쉽다. 그러한 폭력을 배제하기 위하여서는 극히 제한적인 부정태의 보편성만을 실천하는 것이다. "내가 원하는 것을 남에게 베풀지어다"가 아니라, "내가 원하지 않는 것을 남에게 베풀지 말지어다"라는 부정형의 명제만이 인간세에 보편성을 확보할 수 있는 것이다. 베풀지 않으면 해악은 최소화된다. 그러나 마구 베풀면 해악은 마구 극대화된다. 이 황금률의 긍정태와 부정태가 동일한 것처럼 착각하는 천박한 인식구조의 인간들에게는 과거 유자儒者들의 점잖은 행태가 이해될 리 만무하다. "함"이 아니라 "하지 아니함"의 깊이가, 서구철학에만 젖어있는 천박한 인간들에게는 이해되기 어려운 것이다. 『노자』를 주해한 왕필의 다음과 같은 명언에 한번 귀를 기울여 볼 필요가 있다: "사랑하지 마라! 사랑을 하기만 하면 반드시 만들고, 세우고, 베풀고, 감화를 주고, 은혜가 있고 함이 있다. 만들고, 세우고, 베풀고 감화를 주면, 만물은 스스로 자기를 잘 가꾸어 나가는 데 오히려 그들의 참모습을 파괴하는 것이 된다. 은혜가 있고 함이 있으면, 사물들이 치우치게 되어 공존의 미덕을 상실한다. 仁者, 必造立施化, 有恩有爲。造立施化, 則物失其眞; 有恩有爲, 則物不具存。"(제5장). 우리가 실천해야 할 것은 아가페적 사랑이 아니라, "사랑하지 아니 함"의 인류애이다.

군자의 도(道, 길)에는 네 가지가 있는데 나 쨩구(공자의 어릴 때 이름)는 하나도 제대로 실천하지 못했다고 고백하는 공자의 말씀에는 오륜 중에 부부관계가 빠져있다. 공자는 부부생활에는 실패한 사람이었다. 그의 파란만장한 공생애 속에는 부인과의 다정다감한 시간을 가질 수 있는 여유가 존재치 아니 하였다. 그가 사부事父, 사군事君, 사형事兄, 친구사귐에 있어서 여의치 못했다고 하는 탄식은 그의 실존고백으로서 있는 그대로 들어줄 수 있는 말들이라고 나는 소박하게 해석한다.

결국 공자의 이러한 탄식, 개탄, 반성은 "범용의 덕庸德"과 "범용의 말庸言"에 대한 "삼감"으로 귀결되고 있다. 그리고 말한다: "언고행言顧行, 행고언行顧言。"

공자-자사는 "언행일치言行一致"라는 말을 하지 않는다. 단지 언言은 행行을 돌보고, 행行은 언言을 돌보아야 한다고 말하고 있다. 인간은 어차피 "언言의 존재"이다. 인간이 타동물과 구분되는 가장 큰 차이는 말을 한다는 것이다. 인간이라는 존재는 언어의 집 속에 갇혀 평생을 보낸다. 공자는 언言을 탐탁하게 생각하지 않는다. 교언영색巧言令色이라 하여 교묘한 말, 꾸미는 표정을 제일 싫어한다(1-3, 5-24, 17-17). 노자도 언言에 대한 근원적인 부정을 철학의 주제로 삼고 있다. 그러나 언言은 부정되어야만 할 대상이 아니라 그것은 인간을 인간다웁게 만드는 풍요로운 상징체계일 수도 있다. 그러나 언言의 전제는 행行이다. 언言은 언 자체로 독자적인 가치를 지니는 것이 아니라 반드시 행行으로 연결될 때만이 참다운 의미를 지닌다고 보는 것이다. 철학의 과제는 언言 자체의 정합성에 의한 로고스적 구성이 아니라 어떻게 자기의 언을 실천적으로 구현할 수 있는가에 있다. "하나님"이라는 언言이 있다고 한다면, 그 언言은 반드시 행行으로서 구체적으로 드러나야만 한다. 철학의 과제는 궁극적으로 나의 주체적 내면의 도덕성을 개발하여 성인이 되고자 하는 데 있다. "성인이 됨爲聖"은 궁극적으로 언言이 아니라 행行이다. 그러나 언言 또한 행行을 위한 위대한 방편이다. 그러나 언과 행의 단순한 일치는 양자의 고착을 의미한다. 언은 행으로 옮겨져야 하고, 또 행의 과정에서 새로운 언이 만들어져야 한다. 새로운 언은 또다시 새로운 행을 창조한다. 언과 행의 끊임없는 변증법적 교섭의 관계가 바로 "중용"이다.

곡부曲阜 공묘孔廟 대성전大成殿을 향해 들어갈 때 4번째로 만나는 대문이 바로 이 대중문大中門이다. 이 대중문 5칸은 원래 금金나라 때 공묘의 대문이었다. 명나라 홍치弘治 연간 때 중수하였고 청나라 건륭乾隆 13년(1748)에 건륭황제(고종高宗)가 문액門額을 썼다. "대중大中"이라는 이름은 『주역』 대유大有 괘에서 왔는데 『중용』 제1장의 "중야자中也者, 천하지대본야天下之大本也"와도 관련이 있다. 오랑캐 출신의 건륭황제는 공자를 지극히 사모하여 곡부에도 수차례 행차하였으며, 자기 딸을 공씨집안에 시집보냈다.

第十四不怨不尤章

jūn zǐ sù qí wèi ér xíng bú yuàn hū qí wài
1 君子素其位而行，不願乎其外。
군 자 소 기 위 이 행 불 원 호 기 외

sù fù guì xíng hū fù guì sù pín jiàn xíng hū pín jiàn sù
2 素富貴，行乎富貴；素貧賤，行乎貧賤；素
소 부 귀 행 호 부 귀 소 빈 천 행 호 빈 천 소

yí dí xíng hū yí dí sù huàn nàn xíng hū huàn nàn jūn zǐ
夷狄，行乎夷狄；素患難，行乎患難。君子
이 적 행 호 이 적 소 환 난 행 호 환 난 군 자

wú rù ér bú zì dé yān
無入而不自得焉。
무 입 이 불 자 득 언

zài shàng wèi bù líng xià zài xià wèi bù yuán shàng zhèng jǐ
3 在上位，不陵下；在下位，不援上。正己
재 상 위 불 릉 하 재 하 위 불 원 상 정 기

ér bù qiú yú rén zé wú yuàn shàng bú yuàn tiān xià bù yóu rén
而不求於人，則無怨。上不怨天，下不尤人。
이 불 구 어 인 즉 무 원 상 불 원 천 하 불 우 인

gù jūn zǐ jū yì yǐ sì mìng xiǎo rén xíng xiǎn yǐ jiǎo xìng
4 故君子居易以俟命，小人行險以徼幸。
고 군 자 거 이 이 사 명 소 인 행 험 이 요 행

zǐ yuē shè yǒu sì hū jūn zǐ shī zhū zhēng gǔ fǎn qiú zhū
5 子曰："射有似乎君子，失諸正鵠，反求諸
자 왈 사 유 사 호 군 자 실 저 정 곡 반 구 저

qí shēn
其身。"
기 신

제14장【불원불우장 不怨不尤章】

[1]군자는 그 자리에 처하여 그 자리에 합당한 행동에 최선을 다할 뿐, 그 자리를 벗어난 환상적 그 무엇에 욕심내지 않는다. [2]부귀에 처해서는 부귀에 합당한 대로 도를 행하며, 빈천에 처해서는 빈천에 합당한 대로 도를 행하며, 이적夷狄에 처해서는 이적夷狄에 합당한 대로 도를 행하며, 환난에 처해서는 환난에 합당한 대로 도를 행한다. 군자는 들어가는 곳마다 스스로 얻지 못함이 없다. [3]윗자리에 있을 때는 아랫사람을 능멸하지 아니 하며, 아랫자리에 있을 때는 윗사람을 끌어내리지 아니 한다. 오직 자기 자신을 바르게 할 뿐, 타인에게 나의 삶의 상황의 원인을 구하지 아니 하니 원망이 있을 수 없다. 위로는 하늘을 원망치 아니 하며, 아래로는 사람을 허물치 아니 한다. [4]그러므로 군자는 평이한 현실에 거居하면서 천명天命을 기다리고, 소인은 위험한 짓을 감행하면서 요행을 바란다. [5]공자께서 말씀하시었다: "활쏘기는 군자의 덕성과 유사함이 있으니, 활을 쏘아 과녁을 벗어나더라도 오히려 그 이유를 자기 몸에서 구한다."

沃案 이것도 "자왈子曰"로 시작되지 않으므로 자사의 말로서 간주되는 것이다. 『논어』에도 공자의 말로서, "부재기위不在其位, 불모기정不謀其政"이라는 말이 두 번이나 나오고 있는데(8-14, 14-27) 그것은 정확한 정치권력의 포지션에 있지 않으면 정사政事를 도모하지 않는다는 뜻이다. 과거에는 사회참여·정치참여의 길이 벼슬자리에 명료하게 국한되어 있었다. 그러기 때문에 정확한 벼슬자리에 있지 않는 이상 정치에 끼웃거리지 않겠다는 공자의 입장표명은 매우 단호한 것이다. 그러나 현대사회는 "모정謀政"이라는 것이 꼭 관료들에게만 국한되지는 않는다. NGO활동, 기업, 언론, 학술, 예술이 직·간접으로 모정謀政 행위에 영향을 미친다. 그러나 역시 국가행정에 직접적 영향을 주는 포지션이 대통령 이하 행정관료라는 사실은 예나 지금이나 큰 변화가 없다. 여기 1절의 언어는 공자의 언어보다는 보다 일반적인 인간의 상황을 전제로 하고 있다. "끼웃거리지 않는다"는 것보다는 그 포지션에 충실한다는 긍정적 의미가 강하다. 그 자리를 넘어서는 어떤 환상적인 행위에 욕심을 내지 않는다는 뜻이다. 그 포지션과 그 포지션에 충실한 행위라는 것은 유가의 정명正名사상의 기본이라 말할 수 있다.

여기 가장 눈에 띄는 중요한 메시지는 "소이적素夷狄, 행호이적行乎夷狄"이라는 명제이다. 이적夷狄, 즉 오랑캐문명에서 살 때에는 오랑캐문명의 논리에 즉하여 행동한다는 뜻이다. 이것은 중원中原의 문화적 우월성cultural superiority을 절대시 하지 않는다는 뜻을 내포한다. 이것은 천박한 문화적 상대주의를 함의하는 것이 아니다. 각 지역의 문화적 특성이 그 나름대로 보편성 있는 논리를 가지고 있으므로 그것을 존중해야 한다는 뜻을 내포하는 것이다. 진정한 문화적 상대주의야말로 문화적 보편주의라 말할 수 있는 것이다. 공자는 『논어』에서 중원과 오랑캐를 나누는 기준이 고정된 지역성이 될 수 없다는 것을 누차 말하고 있다. 그것은 위대한 예악형정의 문화가 기준이 될 수밖에 없는 것이다. 사문斯文을 중원의 국가들이 버리게 되면, 중원의 국가들이야말로 오랑캐나라가 될 것이 뻔하고, 사문斯文을 오랑캐 변방국가들이 바르게 수용하여 발전시키면 그 오랑캐국가들이야말로 위대한 문명국이 될 것이다. 문명의 흥망성쇠는 고정적일 수 없다는 것이다. 그러기 때문에 끊임없이 문화文化(문명의 창조적 변화의 계기들)를 창출해야 하고 천명天命을 유지시켜야 한다. 천명이 끊어지고 문화가 사라지면 문명은 소멸된다.

그러기 때문에 그 문명의 주체인 인간은 "자기를 바르게 하면서 나의 삶의 모든 책임을 타인에게서 구하지 말아야 한다.正己而不求於人。"

여기 "정기이불구어인正己而不求於人"이라는 메시지는 제1장의 "신독愼獨"의 테마를 계속 발전시키고 있는 것이다. 나의 존재의 "바름"은 오직 나의 소관이다. 나를 바르게 하는 것은 나의 문제이며, 나를 바르게 하지 못한 것에 대한 모든 책임은 내가 지어야 하는 것이다. 인간은 보이지 않는 데서 들리지 않는 곳에서 항상 계신戒愼하고 공구恐懼해야 하는 것이다.

이러한 자기책임의 논리는 여기 "상불원천上不怨天, 하불우인下不尤人"

이라는, 『중용』에서 너무도 잘 인용되고 회자되는 명제로 발전하고 있다. 이것은 인간의 실존적 논리가 모든 종교적 심성의 근원을 포섭하고 있다는 것을 말해주는 매우 심오한 자사의 발언이다. 인간이 하나님을 믿는 것은, 실상 하나님을 사랑하기 때문이 아니라 하나님을 원망하기 때문에 믿는 것이다. 하나님에 대한 원망이라는 것은 자신의 불우한 처세상황이라든가, 선업에도 불구하고 악연이 끊어지지 않을 때 일어나는 감정이다. 이러한 덕복불일치德福不一致에 대하여 칸트는 신의 존재를 요청하고, 싯달타는 윤회를 요청한다. 그러나 자사는 인간실존에 대한 일체의 외재적 해결방안을 요청하지 않는다. 인간은 당대로 끝난다. 그것은 가혹한 유기체의 운명이다. 인간은 불멸하지도 불멸할 필요도 없다. 따라서 하나님도 불멸하는 존재이어서는 아니 된다. 하나님도 인간과 함께 생멸해야 하는 것이다. 따라서 하나님의 존재는 요청의 대상이 근원적으로 될 수 없다. 인간의 운명에 대한 주재적 불멸존재일 수가 없기 때문이다.

자사의 요청은 인간 자체에게로 회귀된다. 모든 나의 존재의 책임을 타他에게서 구하지 말라! 그러므로 하느님을 원망하지 말라! 인간에게 자율의 범위는 충분히 확보되어 있다. 인간 그대가 곧 하느님이요 대자연이다. 인간을 왜소하게 보지 말라! 하느님을 원망치 아니 하면 곧 아래로는 사람을 허물치 아니 하게 되는 것이다. 사람을 탓하지 말자! 오직 나의 허물만을 탓하자! 그리고 자기향상을 도모하자! 하학이상달을 통하여 천명天命 그 자체를 내 몸에 구현하자! 이것은 매우 위대한 "긍정철학Affirmation Philosophy"이다. 서구의 대부분의 철학체계는 "부정철학Negation Philosophy"이라고 말할 수 있다. 그들은 신본위에 대하여 인본위를 말하는 것 같으면서도, 그들의 휴매니즘humanism은 근원적으로 인간을 부정하고 있다. 인간을 유한자로 보고, 원죄의 소산으로 보며, 윤회의 한 고리로 보며, 죽음에의 존재로 보며, 구원의 대상으로 보는 모든 철학은 인간을 부정하는 것이다. 『중용』은 그러한 부정철학이 말하는 인간과는 근원적으로 다른 인간을 말하고 있는 것이다.

그러므로 군자는 천명天命을 기다리고, 소인은 요행徼倖을 기다린다. 군자의 덕성은 활쏘기와 같다. 활을 쏘아 과녁을 벗어나더라도 오히려 그 이유를 자기 몸Mom에서 구한다.

여기 제3절의 "불원상不援上"을 나는 "윗사람을 끌어내리지 아니 한다"로 번역했는데, 최영애 교수는 "윗사람에게 기어오르지 아니 한다"로 번역함이 "원援"의 자의에 더 가깝다고 말한다. "원援"은 "반상攀上"의 의미가 있다. 그러나 결국 같은 의미라고 볼 수도 있다.

第十五行遠自邇章

jūn zǐ zhī dào pì rú xíng yuǎn bì zì ěr pì rú dēng gāo
[1] 君子之道, 辟如行遠必自邇, 辟如登高
군 자 지 도 비 여 행 원 필 자 이 비 여 등 고

bì zì bēi
必自卑。
필 자 비

shī yuē qī zǐ hǎo hé rú gǔ sè qín xiōng dì jì xī hé
[2] 詩曰: "妻子好合, 如鼓瑟琴。兄弟既翕, 和
시 왈 처 자 호 합 여 고 슬 금 형 제 기 흡 화

lè qiě dān yí ěr shì jiā lè ěr qī nú
樂且耽。宜爾室家, 樂爾妻帑。"
락 차 담 의 이 실 가 낙 이 처 노

zǐ yuē fù mǔ qí shùn yǐ hū
[3] 子曰: "父母其順矣乎!"
자 왈 부 모 기 순 의 호

제15장【행원자이장 行遠自邇章】

[1]군자의 도道는 비유컨대 먼 곳을 가려면 반드시 가까운 데로부터 하며, 높은 곳을 오르려면 반드시 낮은 데로부터 함과 같다. [2]시詩에 가로되: "아내와도 자식들과도 마음 맞아 하나 됨이 슬瑟과 금琴이 서로 화합하듯 하여라. 게다가 형과도 동생과도 또 한마음 되니, 화락和樂함이 끝이 없네. 너의 온 가족을 평온케 하라. 그리하면 너의 아내와 자식들이 즐거우리라." [3]공자께서 말씀하시었다: "부모님께서 물려주신 가정을 순화롭게 하여 부모님께 순종하여야 할 것이로다!"

沃案 제1절부터 다시 중용의 일상성의 주제가 등장하고 있다. 먼 데를 가려면 가까운 데서부터 시작하지 않을 수 없고, 높은 곳을 오르려 해도 반드시 낮은 곳으로부터 시작하지 않을수 없다. 이것은 만고의 진리이며 어김없는 자연의 이법이다. 이러한 상식적 이야기로써 거대한 우주의 진리를 말한다는 데 자사의 논리의 위대함이 있다. 아무리 거대한 우주의 법칙이라 할지라도 우리가 경험하는 일상적 사물의 법칙에서 실증되지 아니 하면 그것은 우주의 일반법칙이 될 수 없는 것이다. 어찌하여 가까운 데, 낮은 데를 버리고 먼 곳과 높은 곳만을 바라본단 말인가? 하느님은 높은 데 있지 않고 낮은 데 있으며, 천국은 먼 곳에 있지 않고 가까운 곳에 있다는 것을 도대체 왜 모른단 말인가?

『중용』의 일상성의 예찬은 매우 과학적인 것이다. 매크로한 세계와 마이크로한 세계를 매순간 통합하는 것이다. 노자도 이런 말을 한 적이 있다: "천리의 먼 길도 바로 내 발 아래서 시작하고, 아름드리의 거대한 나무도 작은 씨의 호말毫末에서 생겨나며, 구층의 높은 탑도 한 줌의 흙벽돌에서 시작된다. 合抱之木, 生於毫末; 九層之臺, 起於累土; 千里之行, 始於足下。"(64장. 번역문, 순서 바꿈).

제15장은 "행원필자이行遠必自邇, 등고필자비登高必自卑"를 말하면서, 화락한 가정의 모습을 읊은 노래詩를 인용하고 있다. 이것은 제12장의 "부부지우夫婦之愚"의 주제를 계승한 것이다. 그리고 마지막에 "부모기순의호父母其順矣乎!"를 인용함으로써 제17장의 "대효大孝"의 주제를 미리 예시하고 있다. "부모기순의호父母其順矣乎"를 정현은 "부모父母"를

주어로 보아, 부모가 전 가족을 잘 순종케 만든다는 뜻으로 풀었으나 그것은 억지스럽다. "순順"은 역시 자식의 부모에 대한 효순孝順의 의미를 내포하는 것으로 보아야 한다. "기其"는 도치를 나타내는 조사로서 부모라는 목적어 다음에 삽입된 것이다. 그러면 그 뜻은 이와 같다: "자식들은 부모님께 순종해야 할 것이로다!" 부모님께 효순孝順한다는 것은 무조건 부모님의 명령에 잘 따른다는 의미가 아니라, 부모님의 선업을 잘 계승한다는 보다 광범위한 의미를 담고 있다.

안중근安重根, 1879~1910은 살인자가 아니다. 그는 단지 독립군의 참모중장으로서 효과적으로 전쟁을 수행했을 뿐이다. 살인한 것으로 말하자면 이토오 히로부미伊藤博文, 1841~1909야말로 수백만의 인민을 살해한 장본인이다. 안중근은 일본법정에서 외쳤다: "나는 개인으로서 이 일을 행한 것이 아니요, 동양평화를 위해서 행한 것이니 만국공법에 의하여 처리하라." 당당한 명분, 그리고 죽음을 앞에 둔 의연한 자세는 여순감옥에서 그를 심문하고 재판하고 감호하던 모든 일본사람들을 감복시켰다. 그래서 사형선고가 확정된 이후부터(일본인들은 위대한 사람이 죽으면 카미神가 된다고 믿는다), 일본인들은 안중근의 유묵을 얻기를 원했다. 우리가 알고 있는 유묵은 모두 1910년 2월 14일부터 3월 26일 집행날까지 40여 일에 걸쳐 집중적으로 제작되었다. 200점 가까운 유묵 중 많은 작품이 유실되고 50여 점이 보존되었다. 그 내용은 어려서부터 몸에 배어있던 사서四書의 구절을 빌어 자신의 염원이나 후세에 남기고 싶은 훈계를 적은 것이다. 그의 호학의 경지를 엿볼 수 있다. 대한국인의 기개를 떨친 대장부의 필적다웁다.

第十六鬼神章

zǐ yuē guǐ shén zhī wéi dé qí shèng yǐ hū
1 子曰:"鬼神之爲德, 其盛矣乎!
자 왈 귀 신 지 위 덕 기 성 의 호

shì zhī ér fú jiàn tīng zhī ér fú wén tǐ wù ér bù kě yí
2 視之而弗見, 聽之而弗聞, 體物而不可遺。
시 지 이 불 견 청 지 이 불 문 체 물 이 불 가 유

shǐ tiān xià zhī rén zhāi míng shèng fú yǐ chéng jì sì yáng yáng
3 使天下之人齊明盛服, 以承祭祀。洋洋
사 천 하 지 인 재 명 성 복 이 승 제 사 양 양

hū rú zài qí shàng rú zài qí zuǒ yòu
乎! 如在其上, 如在其左右。
호 여 재 기 상 여 재 기 좌 우

shī yuē shén zhī qé sī bù kě duó sī shěn kě yì sī
4 詩曰:'神之格思, 不可度思, 矧可射思!'"
시 왈 신 지 격 사 불 가 탁 사 신 가 역 사

fú wēi zhī xiǎn chéng zhī bù kě yǎn rú cǐ fú
5 夫微之顯, 誠之不可揜如此夫!
부 미 지 현 성 지 불 가 엄 여 차 부

제16장【귀신장鬼神章】

[1]공자께서 말씀하시었다: "귀신鬼神의 덕德됨이 참으로 성대하도다! [2]보아도 보이지 않고, 들어도 들리지 않지만, 귀신은 모든 사물을 체현시키며 하나도 빠뜨리지 않는다. [3]천하天下의 사람들로 하여금 재계齋戒하고 깨끗이 하게 하며, 의복을 성대하게 하여, 제사祭祀를 받들게 하는도다. 그리곤 보라! 귀신은 바닷물이 사방에 넘실넘실 넘치듯 하지 아니 한가! 저 위에도 있는 듯하며, 좌에도 우에도 있는 듯하지 아니 하뇨! [4]시詩에 가로되: '신이여 오시도다. 그 모습 헤아릴 길 없어라. 어찌 감히 역겨워 하오리이까!'" [5]대저 귀신은 숨겨져 있지만 너무도 잘 드러난다. 만물을 하나도 빠뜨리지 않는 그 생성의 성誠, 그 진실함을 가릴 수 없음이 이와 같도다!

沃案 이 장은 참으로 유명한 장이다. 타 장의 이름은 내가 붙인 것이지만, 이 장은 옛부터 사람들이 『중용』 귀신장이라고 불러왔다. 그만큼 많이 인용되고 회자되었던 장이다. 다산茶山은 제1장의 "공구恐懼"의 해석을 통하여 자기 형제들이 신봉하였던 야소교耶蘇教의 인격신적인 개념의 가능성을 내비쳤다. 상제上帝가 항상 나를 내려다보고 있는 듯 느끼지 않으면 도덕적 "두려움"이 생겨나지 않는다는 것이다. 그러나 다산은 유교적 입장에서의 도덕적 "요청"의 수준에서 상제上帝라는 인격신의 가능성을 논구한 것이다. 결코 기독교의 인격신을 자기철학의 연역적 대전제로서 내건 것은 아니다. "귀신鬼神" 그 자체의 해석에 있어서는 오히려 조화造化, 공용功用, 양능良能과 같은 주자학적 개념을 충실히 따르고 있다.

그런데 우리가, 이 귀신장의 언어가 그토록 단순하고 명료하고 아름답게 쓰여져 있음에도 불구하고, 이 장의 언어를 잘 이해하지 못하고 자꾸만 시비를 하거나 몰이해의 요언妖言을 일삼는 것은 여러 가지 이유가 있다.

첫째, 『중용』이라는 책, 전체의 사상이 철저한 인본주의에 기초하여 인간의 실존적 책임만을 묻는 판에 왜 "귀신"이 등장하냐는 것이다.

둘째, 『중용』의 세계관에는 종교적인 초월주의가 없고 따라서 초자연적인 존재Supernatural Being를 끌어들일 필요가 없는데 왜 "귀신"과도 같은 초자연적 존재를 말하느냐는 것이다.

셋째, 오늘날 이 책을 읽는 사람들은 대부분 서양언어의 감각 속에서 자국어를 이해하는 사람들이다. 그들은 토착적인 언어의 뿌리에 대한 정확한 감각이 상실되어 있다. 그래서 "귀신鬼神"이라고 말하면 곧 바로 서양말의 "고스트ghost"를 연상하여 고스트의 의미로써 "귀신鬼神"을 규정하기 때문이다. 서양언어에도 "고스트" 이외로도, "스펙터specter," "어패리션apparition" 등등의 말이 있으나, 하여튼 상식적으로 "고스트"의 문제점은 그것이 인격적이고, 실체적이고, 부정적이라는 데 있다. 이러한 관념으로는 비인격적이고, 비실체적이며, 긍정적인 "귀신"을 이해할 길이 없다. 서양에서는 인간과 신이 유리되어 있기 때문에, 인간이 죽은 후의 "혼"도 구원받지 못한 혼은 신성을 띠지 못한 사악한 존재로서 취급될 수밖에 없는 운명을 지닌 것이다.

그런데 주희만 해도 "귀신鬼神"을 그러한 인격적 개념으로 이해하지 않았다. 천지天地는 일기一氣일 뿐이다. 기氣의 왕래往來, 굴신屈伸이 곧 "귀신鬼神"이다. 그것은 "음양"의 다른 이름일 뿐이다. 『주자어류朱子語類』 권제3卷第三에 있는 다음과 같은 말들은 주희의 귀신이해방식을 명료하게 드러내준다.

> 신神이라는 것은 펼친다는 뜻이다. 귀鬼라는 것은 움추린다는 뜻이다. 예를 들면 비, 바람, 우레, 번개가 처음 발동할 때는 신神이고, 비, 바람이 지나가고 우레가 멈추고 번개가 번쩍이지 않고 조용하면 곧 귀鬼이다.
>
> 神, 伸也; 鬼, 屈也。如風雨雷電初發時, 神也; 及至風止雨過, 雷往電息, 則鬼也。

"귀신"이란 음양의 소장消長일 뿐이다. 정독화육亭毒化育이나 풍우회명風雨晦冥에도 다 소장消長의 법칙이 있다. 사람에게 있어서는 정精이 백魄인데, 백魄은 귀鬼가 성盛한 것이다. 사람의 기氣는 혼魂인데, 혼魂은 신神이 성盛한 것이다. 정精과 기氣가 합쳐져서 사람이 될 뿐 아니라 온 만물이 되는 것인데, 그렇다면 만물에 귀신이 없는 것이 어디 있을 수 있겠는가?

鬼神不過陰陽消長而已。亭毒化育, 風雨晦冥, 皆是。在人則精是魄, 魄者鬼之盛也; 氣是魂, 魂者神之盛也。精氣聚而為物, 何物而無鬼神!

귀신이 없는 만물은 없다는 것이다. 그는 철저히 천지코스몰로지적 사유에 입각하여 귀신과 인간과 만물의 하나됨을 입증한다. 주희의 언어를 도표로 만들면 다음과 같다.

<table>
<tr><td rowspan="2">인人</td><td>천天</td><td>기氣</td><td>혼魂</td><td>신神</td><td rowspan="2">만물萬物</td></tr>
<tr><td>지地</td><td>정精</td><td>백魄</td><td>귀鬼</td></tr>
</table>

또 다음과 같은 주희의 말을 한 번 더 살펴보자!

"귀신鬼神"은 단지 기氣일 뿐이다. 그런데 기氣라는 것은 끊임없이 움추렸다屈, 폈다伸, 갔다往, 왔다來 하는 것이다. 천지지간에 기氣가 아닌 것은 아무 것도 없다. 그러니까 하느님도 기氣일 뿐이다. 사람의 기氣와 천지의 기氣는 항상 연속적으로 연결되어 있다. 그 사이에 단절이라는 것은 있을 수 없는 것인데, 인간이 단지 그 연속성을 눈으로 인지하지 못하고 살아갈 뿐이다. 사람의 마음이 움직이게 되면 곧 기氣에 영향을 미친다. 이것은 곧 천지의 기의 굴신왕래와 서로 감통感通하게 된다는 것을 의미한다. 점을 칠 때에도 사람의 마음에 복서卜筮와 같은 물건이 들어있다고 봐야한다. 내가 나의 마음에 있는 이야기를 하게 되면 마음이 움직이게 되고 그에 따라 복서도 반응하게 되는 것이다.

鬼神只是氣。屈伸往來者, 氣也。天地間無非氣。人之氣與天地之氣常相接, 無間斷, 人自不見。人心才動, 必達於氣, 便與這屈伸往來者相感通。如卜筮之類, 皆是心自有此物, 只說你心上事, 才動必應也。

하여튼 이 정도만 인용하여도 주희의 귀신이해가 얼마나 비신화적이고, 철저하게 우주론적 합리성에 기초하고 있는가 하는 것을 잘 알 수 있을 것이다. 그러나 독자는 곧 이렇게 반문할 것이다. 그것은 송宋나라 때의 음양론적 세계관에 의한 철저한 도학道學적 발상의 소산이며, 근대 합리주의정신의 발로이지, 그러한 주희의 귀신이해를 곧 공자-자사의 논의로서 동일시할 수는 없는 것이 아닐까?

매우 그럴 듯한 반론 같지만, 이러한 반론은 전혀 매가리가 없다. 주희의 논의가 주희 자신의 창안이 아니라 이미 자사시대의 디스꾸르와 연속성을 지니는 담론이라는 사실이 문헌학적으로 입증되기 때문이다.

우리가 『중용』 제20장을 말할 때 다시 언급해야겠지만, 『중용』 제20장은 『공자가어』의 「애공문정哀公問政」편과 중복되는 것이다. 그런데 『가어』가 자사시대에 편집된 문헌이라는 사실은 최근의 간백자료로써 입증된 것이다. 그런데 『가어』 「애공문정」은 두 개의 다른 자료의 합성으로 이루어졌다. 앞에 있는 A자료는 현재의 『중용』 제20장과 합치된다. 그리고 뒤에 있는 B자료는 공자와 그의 제자 재아宰我가 귀신鬼神에 관하여 담론한 것인데 그 부분은 『예기』 「제의祭儀」편에 실려있다. 그러니까 『가어』 「애공문정」자료는 『중용』 제20장과 『예기』 「제의」편에 각각 나뉘어 실리게 된 것이다. 그런데 이 B자료의 내용은 기본적으로 주희가 말하는 천지론적인 귀신의 발상을 이미 정확하게 논술하고 있다.

> 대저 생生하는 것은 반드시 죽는다. 이것은 모든 유기체의 운명이다. 죽게 되면 반드시 흙土으로 돌아간다. 이것을 일컬어 귀鬼라고 한다. 그러나 혼기魂氣는 하늘天로 돌아간다. 이것을 일컬어 신神이라 한다. 그러기 때문에 귀鬼와 신神을 합하여 꼭 같이 제사지내는 것이다. 이것이야말로 선왕의 가르침의 지극한 것이다.
>
> 夫生必死, 死必歸土, 此謂鬼; 魂氣歸天, 此謂神, 合鬼與神而享之, 教之至也。

이것이 공자의 말로서 정확하게 기록되어 있는 것이다. 과거에는 이런 말을 모두 후대의 날조로 보았는데, 지금 간백자료발굴 이후에는 그런 방식으로 치지도외할 수가 없다. 나는 자사가 공자의 이러한 사상을 이미 흡수하였고 그것이 바로 여기 귀신장으로 표현된 것이라고 추정한다. 즉 「애공문정」의 A자료는 『중용』의 제20장이 되었고, B자료는 『중용』의 제16장이 된 것이다.

우선 처음에 제기한 인문주의를 표방하는 『중용』에 왜 귀신이 등장했느냐 하는 문제도 쉽사리 풀려나간다. 다시 말해서 유교의 인문주의는 종교를 배격하지 않는다는 것이다. 서양사상사에 있어서는 인문주의는 인본주의며, 인본주의는 신본주의에 대한 안티테제이기 때문에 신성을 배격한다. 그래서 인성과 신성은 분리되고, 인성에 관한 모든 것이 과학적 합리주의로 설명되어야만 하는 것이라는 또 하나의 합리주의신화a rationalist myth에 빠져들게 된다. 그러나 인성은 신성을 배격하지 않는다. 인성 그 자체가 귀鬼와 신神의 묘합妙合이다. 인본주의는 반드시 신본주의를 포섭해야 한다. 과학은 반드시 종교를 융합해야 한다. 과학과 종교가 대적하는 것은 서구적 근대성Modernity의 허구이며 서양문명의 비극이다. 21세기에는 그러한 대적적 관계가 사라져야 한다.

귀신의 덕德됨이 성대盛大하다는 것은 주희가 말하는 대로 천지 그 전체가 귀신으로 꽉 차있다는 것을 의미한다. 이때의 귀신은 "고스트들"이 아니라, 천지의 영험한 힘 같은 것을 의미한다고 보면 될 것이다. 생명적 우주의 약동하는 힘 같은 것으로 생각하면 좋을 것이다. 여기 가장 핵심적 문구는 "체물이불가유體物而不可遺"라는 구절이다. 귀신은 만물을 구현하면서 하나도 빼먹지 않는다는 뜻인데, "빼먹지 않는다"는 뜻은 모든 만물에는 귀신의 영험한 힘이 있다는 뜻이다. 따라서 나뒹구는 돌멩이 하나도 귀신으로서 섬길 줄 알아야 한다는 뜻이 내포되어 있다. 귀신을 인간들이 가장 가깝게 느끼는 방식이 곧 제사이다. 주희가 앞서 복서卜筮를 가지고 "감응"을 이야기했지만, 그러한 감응은 부모의 귀신이나 조상의 귀신과 나의 귀신 사이에서 더 쉽게 이루어질 것이다.

본 장이 지니는 가장 중요한 의미는 『중용』 전체를 통하여 "성誠"이라는 글자가 여기서 최초로 제시되었다는 것이다. 천지만물의 끊임없는 창조력, 그 생성의 성실함을 귀신의 성실함으로 이야기하고 있는 것이다. 이 성론誠論은 자사의 성론사상과 정확히 일치하는 것이다. 제16장에서 귀신을 통하여 성誠의 단초를 드러내었고, 그것이 제20장에서 다시 등장하면서, 제21장~제26장까지 본격적 논의가 찬란하게 이루어진다. 제27장부터 제32장까지 성론은 공자의 위대성을 드러내는 언어로 둔갑한다. 그리고 제33장은 제1장의 소박한 논의를 다시 상기시키면서 대단원의 막을 드리운다.

하늘과 땅보다 더 위대한 하느님은 없다. 그래서 하늘을 제사지내는 천단天壇이 있고 땅을 제사지내는 지단地壇이 있다. 이 천단의 중심건물인 기년전祈年殿은 하늘을 상징하여 둥근 모양으로 설계되었다. 명나라 영락제永樂帝 18년(1420)에 처음 지어졌고, 가정嘉靖 24년(1545)에 삼중 첨원檐圓구조로 개축되었다가, 건륭乾隆 16년(1751)에 오늘의 남와금정藍瓦金頂의 모습이 되었다. 전고殿高는 38.2m. 명·청시대의 22명의 황제가 600여 회의 제천의식을 여기서 거행하였다. 우리나라에는 사직단은 있었으나 천단은 없었다. 고종이 황제로 즉위하면서 지금 조선호텔 자리에 환구단圜丘壇을 지었다(1897). 일제가 그것을 헐고 호텔을 지은 것이다. 옆에 그 일부인 황궁우皇穹宇만 남아있다.

第十七舜其大孝章

zǐ yuē shùn qí dà xiào yě yú dé wéi shèng rén zūn wéi tiān
1 子曰:"舜其大孝也與! 德爲聖人, 尊爲天
자 왈 순 기 대 효 야 여 덕 위 성 인 존 위 천

zǐ fù yǒu sì hǎi zhī nèi zōng miào xiǎng zhī zǐ sūn bǎo zhī
子, 富有四海之內, 宗廟饗之, 子孫保之。
자 부 유 사 해 지 내 종 묘 향 지 자 손 보 지

gù dà dé bì dé qí wèi bì dé qí lù bì dé qí míng
2 故大德必得其位, 必得其祿, 必得其名,
고 대 덕 필 득 기 위 필 득 기 록 필 득 기 명

bì dé qí shòu
必得其壽。
필 득 기 수

gù tiān zhī shēng wù bì yīn qí cái ér dǔ yān gù zāi zhě péi
3 故天之生物, 必因其材而篤焉。故栽者培
고 천 지 생 물 필 인 기 재 이 독 언 고 재 자 배

zhī qīng zhě fù zhī
之, 傾者覆之。
지 경 자 복 지

shī yuē jiā lè jūn zǐ xiàn xiàn lìng dé yí mín yí rén shòu
4 詩曰:'嘉樂君子, 憲憲令德。宜民宜人, 受
시 왈 가 락 군 자 헌 헌 령 덕 의 민 의 인 수

lù yú tiān bǎo yòu mìng zhī zì tiān shēn zhī
祿于天。保佑命之, 自天申之。'"
록 우 천 보 우 명 지 자 천 신 지

gù dà dé zhě bì shòu mìng
5 故大德者必受命。
고 대 덕 자 필 수 명

제17장【순기대효장舜其大孝章】

[1]공자께서 말씀하시었다: “순임금은 진실로 대효大孝이시로다! 덕德으로는 성인聖人이 되시고, 존귀함으로는 천자가 되시어, 널리 사해四海의 천하를 다스리시었다. 돌아가신 후에는 종묘宗廟의 제사를 흠향하시니, 자손들은 대대로 그 제사를 보전하여 끊이지 않았다. [2]그러므로 순舜과 같은 대덕大德은 반드시 그 합당한 위位를 얻으며, 반드시 그 합당한 녹祿을 얻으며, 반드시 그 합당한 이름을 얻으며, 반드시 그 합당한 수壽를 얻는다. [3]그 까닭이란 하늘이 물物을 생生할 때에는 반드시 그 재질에 따라 생장의 다양한 진로를 돈독히 하기 때문이다. 그러므로 세차고 반듯하게 솟아올라오는 것은 북돋아주고, 비실비실 기우는 것은 갈아엎어 버린다. [4]시詩에 가로되: ‘아름답고 화락하신 군자君子이시여! 그 고운 덕성이 찬란하게 드러나시네. 백성을 사랑하시고 사람을 사랑하시는도다. 하늘로부터 행운의 복록을 받으시네. 하늘은 그를 보우하여 끊임없이 명命을 내리시네. 하늘은 그를 거듭거듭 보살피시는도다.’” [5]그러므로 대덕大德을 구현하는 자는 반드시 명命을 받는다.

沃案 제17장에서부터 제19장까지 하나의 일관된 주제가 흐르고 있다. 그것은 "효"라는 것이다. 효孝라는 것을 우리는 단순히 "효도"라는 매우 일상적인 덕목으로 이해하여 규범윤리의 말단적인 카테고리처럼 취급하는 것이 상례이다. 그러나 이것은 매우 잘못된 인식의 부작용이다. 조선왕조를 통하여 너무 "효孝"를 자식이라는 약자의 부모라는 강자에 대한 절대적인 복종으로 이해를 해왔고, "할고割股"(허벅지 살을 베어 료친療親), "단지斷指"(손가락을 잘라 위독한 부모님 입에 피를 흘려드리고 남은 손가락은 죽을 끓여 드린다) 등의 터무니없는 자해행위를 효성의 극진한 행동으로 예찬하는 과거 형식주의 도덕의 유폐가 아직도 상존하고 있다고 보아야 할 것이다. 그러나 효는 본시 그러한 것이 아니다. 공자는 맹의자孟懿子의 아들, 맹무백孟武伯이 효를 물었을 때 군말없이 이와 같이만 대답했다: "부모는 오직 자식이 병들까 걱정이다. 父母唯其疾之憂。"(2-6). 효를 묻는데 자식의 입장을 이야기하지 않고 부모의 입장을 이야기하고 있는 것이다. 이것은 "효孝"라는 것은 일차적으로 자식의 마음이라기보다는 부모의 마음이라는 것이다. 부모의 마음이 있기에 거기에 감응하여 발하는 것이 자식의 마음인 것이다. 개화기에 단지斷指를 비판하는 『동아일보』 논설(1924. 1. 6.)을 한번 살펴보자!

> 인정은 일반이다. 아비가 죽는 것을 자식이 보기나, 자식이 죽는 것을 아비가 보기나 그 무엇이 다름이 있으리오. 하거든 어찌 윗사람의 단지는 없는가? 이는 두말할 것도 없다. 껍질만 남은 효孝와 열烈이라는 형식도덕으로 인함이다. 종래 우리의 도덕은 아래 사람에게만 많이 지우고 윗사람은 헐한 편이 많았다. 다시 말하

면 후생後生을 압박하여 명망을 청해 드렸을 뿐이다.
…… 손가락의 피로 사람의 생명을 구할 수는 없다. 낫기도 저절로 이오, 죽기도 저절로 이다. 살기도 저절로 살자. 껍질 도덕에 갇혀 살지 말고.

지금 여기서 말하고 있는 것은 "순舜의 대효大孝"이다. 여태까지의 전체적인 흐름을 살펴보면 시중時中, 능구能久, 지미知味를 말하면서 중용을 말하고, 또 지知, 인仁, 용勇을 말하고, "부부지우夫婦之愚"의 평범성을 예찬했다. 그리고 귀신鬼神을 이야기했다. 그리고 효孝의 주제를 부각시킨 것이다. 귀신이란 인문세계의 역사성을 확보하기 위한 장치인 것이다. 나라는 유기체는 어김없는 생멸의 과정을 거친다. 나라는 단위생명은 "단절"이다. 그러나 그 단절은 나의 단절로써 종료되는 것이 아니라 나의 소생所生으로써 연속된다. 나의 소생所生은 일차적으로는 나의 자식이 될 것이요, 내가 역사 속에 남긴 유업일 수도 있다. 이 역사적 단절을 메워주는 "풀칠" 같은 것이 "귀신"일 수도 있다. 즉 내가 죽으면 나는 귀신이 되어 제사의 대상이 됨으로써 하대下代의 가족과 당분간 같이 머물 수 있게 되는 것이다. 따라서 효라는 개념은 "귀신" "제사" 등의 주제와 밀접히 관계되어 있다. 이 모든 것이 초월적인 세계를 거부한 인문세계 속에서 천국보다 더 현실적인 지속가능한 연속성을 확보하는 아름다운 문명적 장치라고 보면 될 것이다.

나는 감히 말한다. 모든 종교의 본질은 효孝이다. 모든 종교의 근원이 효孝인 것이다. 종교를 산출한 인성의 본연이 바로 효孝인 것이다.

재미있게도 우리는 너무도 효孝라는 말을 일상적으로 쓰기 때문에 보편적 언어인 것처럼 생각하는데, 서구언어에는 효孝라는 말이 없다. 종교적 개념인 "사랑"이니 "자비"니 하는 말들이 대신하고 "효"에 해당되는 말은 없다. "학교"를 "스쿨"이라고 번역하듯이 효孝를 영역할 수가 없다. 기껏해야 "filial piety"라고 번역하는데, 그것은 합성어이지 한 단어가 아니다. 그것은 "자식의 종교적 경건성"이라는 의미이다. 불합당하다. 서양사람들에게는 효가 없는 것이다. 중세기를 거친 초월적 종교의 발호는 이토록 폐해가 심하다. 인간의 가장 본원적 심성의 문제도 초월적 존재자의 모랄에 의해 가려져 버린 것이다. 슬픈 일이다!

이 지구상의 생물세계에 있어서 우리가 "효" 혹은 "사랑"을 운운할 수 있는 것은 포유류의 출현 이후의 사건이다(조류에게도 약간은 해당된다). 포유류라는 것은 땀샘이 특수하게 분화되어 젖을 산출하는 동물인데, 그 특징은, 해부학적으로는 체외이지만, 몸속 자궁에서 태아를 키우고, 몸 밖으로 태아가 성숙하여 나왔을 때부터 젖을 먹인다는 것이다. 다시 말해서 "젖을 먹인다"는 현상은 내 몸의 요소를 직접 자식에게 분유分有시킨다는 뜻이다. 다시 말해서 유아가 성장할 때까지 유아는 독립적으로 먹이를 구하지 않고 엄마의 몸의 자양분을 분유分有하게 되는 것이다. 즉 생존의 조건이 전적으로 엄마 몸에 의존한다는 뜻이다. 달걀에서 깨어 나오자마자 독립적으로 먹이를 쪼아먹는 병아리와는 매우 대조적이다. 병아리는 엄마의 젖을 빨 수가 없다. 먹이를 못 구하면 금방 죽는다. 젖에 의존한다는 것은 생존의 가능성을 높였지만, 또 그만큼 독립성이 약해졌다는 것을 의미하며, 또 젖이라는 것은 한계가 있기 때문에 포유류는 많은 개체를 일시에 탄생시킬 수는 없다.

포유류는 많은 개체를 체외에 일시에 살포시키고 부화시키는 어류 같은 것에 비하면 확실히 좀 소수의 고급스러운 생존형태를 취한 유기체임에 틀림이 없다. 물고기에게서 구체적인 "모자의 상애相愛"를 운운하기는 어렵다. 그리고 알만 까놓으면 그만인 냉혈동물 뱀에게서 모자지간의 사랑을 운운하기도 어렵다. 젖을 통해 "한 몸"이라는 기나긴 의식적 체험기간을 거치는 포유류에 있어서 비로소 우리가 흔히 말하는 "사랑"의 감정이 시작된 것이 분명하다. 그것은 공룡의 "K-T대멸절" 사건 이후에 전개된 우주의 사태이다.

『논어』「양화」21에 보면, 재아宰我가 공자에게 "삼년상三年喪"의 제도는 현실적으로, 지키기도 어려우며 또 사회적 부작용도 만만치 않으므로 한 일년 정도로 기간을 줄이는 것이 보다 합리적인 방안이라는 매우 공리주의적인 발언을 한다. 이에 대하여 공자는 격노하면서 삼년상은 절대적으로 지켜져야 할 "천하지통상天下之通喪"이라고 반박한다. 그런데 그의 논의는 매우 포유류의 생리학적 사실에 근거하고 있다. 인간이 태어나서 엄마품에서 젖을 먹고 보호를 받는 기간이 최소한 3년은 된다는 것이다. 그런데 어찌 부모님이 돌아가셨을 때 3년상을 아니 지내고 딴짓을 하면서 편히 살 수 있느냐고 반문하는 것이다.

이러한 논의는 『중용』 제18장에서도 계승되어 있다. 서구에서 종교의 성격이나 본질에 관하여 비신학적인 탐구의 길을 최초로 연 슐라이에르마하Friedrich Schleiermacher, 1768~1834는 종교라는 것이 꼭 신앙이라는 차원에서 접근될 필요가 없으며, 그것은 일차적으로 인간의 심성에 내재하는 어떤 "의존의 느낌feeling of dependence"이라고 말한다. 그런데 그것은 상대적인 의존의 느낌이 아니라 "절대적인 의존의 느낌 feeling of absolute dependence"이라는 것이다. 하여튼 종교라는 것을 어떤 구체적 인격성을 가진 존재자에 대한 신앙으로 규정하는 것처럼 유치무쌍한 것은 없다. 그래서 그러한 존재에 대해서도 루돌프 오토Rudolf Otto, 1869~1937처럼 "전적인 타자the Wholly Other"라는 표현을 쓰든지, 폴 틸리히Paul Tillich, 1886~1965처럼 "궁극적 관심Ultimate Concern"이라는 표현을 쓰는 것은 그러한 대상성의 한계로부터 벗어나 인간존재의 근원적 물음을 탐색하는 것이다. 오토는 "의존"이 가진 인간존재의 한정성을 "전적인 타자"라는 의미를 통하여 개방시키려고 하였고, 틸리히도 "궁극적 관심"이라는 표현을 통하여 성서라는 제한성을 타파하고 인간의 다양한 종교적 경험의 질문을 독자적으로 조직하여 조직신학체계를 구축하였던 것이다. 하나님의 말씀이 성서라는 하나의 책으로 제약될 수는 없는 것이다. 이 모든 것이 하나님을 인격성의 제한된 존재로 보는 시각을 거부하는 근대성의 소산이다. 신학의 대상을 인간의 "궁극적 관심"으로 보는 한에 있어서는 틸리히는 이미 유일신론적인 기독교의 제한성을 타파한 것이다. "관심"은 철저히 종교적 경험의 실존적 성격을 가리키는 것이다.

인간의 실존적 체험의 역사에 있어서 누구든지, 프로이드가 말하는 구순기oral phase, 항문기anal phase, 남근기phallic phase라는 인격발달의 체험의 규정성과 무관하게, 절대적 의존의 체험이라 말할 수 있는 "효

孝"의 시기를 거친다. 의식의 언어적 분화가 일어나기 전에 이미 갓난아기는 순결하게 "절대적 타자"를 체험한다. 이 절대적 타자는 나의 몸의 생명영양체계를 가동시켜주는 절대적 양육, 그리고 모든 위험으로부터 나를 지켜주는 절대적 보호의 비언어적 체험의 주체이다. 도마복음 제15장에서 예수는, "너희가 여자에게서 태어나지 않은 자를 볼 때에는 너희 얼굴을 땅에 대고 엎드려 그를 경배하라. 그 이가 곧 너희 아버지니라.When you see one who was not born of woman, prostrate yourself on your faces and worship him. That one is your father."라고 말한다. 절대적 의존과 절대적 보호의 상관관계에서 성립하는 비언어적 체험은 "엄마"를 "여자에게서 태어나지 않은 자"로서 절대화시킨다. 여자에게서 태어나지 않은 자는 육신의 약점을 지니지 않은 자이다. 새끼를 양육하는 엄마에게 있어서 모든 행위양식은 육신의 한계를 초극한다. 병아리를 품은 봉혜가 마당의 고양이를 제압하고, 하늘의 솔개를 경계하는 모습은 "용기"라는 덕성 이전의 절대적 엘랑비탈의 발로이다.

봉혜 새끼들에게 있어서 그러한 엄마에 대한 절대적이고도 즉각적인 경험은 약 50일간 지속된다. 그러나 엄마의 홀몬의 분비에 변화가 생기고 자식이 사회화socialization 과정을 완료하면 엄마는 자식을 떠난다. 봉혜의 경우, 새끼들과 옹기종기 따스한 체온을 공유했던 포근한 둥지를 버리고 저 높은 나무가지 횃대로 올라갔다. 평소 때에도 엄마는 과감하게 병아리 새끼들을 계속 쪼아 가까이 오지 못하게 만들며 나와 사적인 연결을 갖지 아니 한 객체로서 소외시킨다. 엄마는 독자적인 자신의 새로운 삶을 설계하는 것이다. 새로운 생生을 준비하는 것이다(생생지위역生生之謂易). 그리고 며칠이 지나면 새끼들은 엄마에 대한 메모리를 상실한다. 그러나 그것으로 모든 것이 완료되는 것은 아니다. 그 새끼들은 또다시 엄마의 길을 걸을 수 있는 생리生理의 추억을 담지한다. 엄마의 품에서 부화된 닭들이야말로 다시 알을 품을 확률이 높다. 기계에서 부화된 닭들은 커서도 잘 품지를 않는다.

그러나 인간에게 있어서는 우선 가족이라는 단위의 존속이 문명 속에서 영속화된다. 그리고 인간은 엄마의 추억을 죽을 때까지 영속시킨다. 절대적 의존과 절대적 보호의 추억은 현실적 엄마와 무관하게 언어의 저변에 깔리게 된다. 언어의 저변은 "무의식"이 아니라 "효孝의 체험"이다. 생명의 원초적 충동은 "리비도libido"가 아니라 "효孝xiao"이다. 이것은 자사의 생각이다. "여자에게서 태어나지 않은 자"는 문명의 진화와 더불어 "아버지"로 변한다. 순결한 의존과 보호의 관계에서 "권위의 상징"으로 무력화武力化된다. 그 "아버지"가 곧 하나님이다. 기독교가 만약 우리나라에 들어올 때 오직 "하나님"이라는 개념만 가지고 있었다면 흥행될 수가 없었다. "하나님 아버지" 혹은 그냥 "아버지"라고 민중이 부를 수 있었기에 "하나님God"은 "아버지the Father"로서 인식된 것이다. 그들의 심성에 내재하는 "효"의 대상으로서 "하나님 아버지God the Father"가 새롭게 등장한 것이다. 육신의 아버지가 아니라, 어릴 적에 무의식보다도 더 원초적인 효의 체험의 주체로서의 하나님 아버지, 즉 자궁에서 태어나지 않은 아버지가 새롭게 등장한 것이다. 그 "하나님 아버지"는 실상 "하나님 어머니"였던 것이다. 종교의 본질을 신앙의 대상에서 찾지 않고, 다시 말해서 역사에 드러난 문명적 개념에서 찾지 않고, 인간의 심성에 내재하는 체험으로서 그것을 말할 때 우리는 반드시 "효孝"라는 의식의 원초적 기저에 도달하게 된다. 예수는 하나님 아버지의 이상적 "효자孝子"였을 뿐이다. "예수를 닮음"은 "효의 구현"이다. 효심이 강한 조선왕조의 사람들에게 기독교는 이러한 "효기독론Xiao-Christology"의 심층의식을 파고 들어왔다. 이것은 다석多夕 유영모柳永模, 1890~1981의 생각이다. "효"는 "제사"와 관련이 있다. 여기서 우리는 "모든 종교의 뿌리는 조상에 대한 제사이다. Ancestor worship is the root of every religion."라는 허버트 스펜서 Herbert Spencer, 1820~1903의 유명한 명제를 연상함으로써 인류종교사에 관한 매우 근원적이고도 유익한 사유를 전개해나갈 수 있게 된다. 구약이라는 것도 사실 알고보면 유대인들의 다양한 제사문학일 뿐이다. 모든 신은 알고보면 다 조상귀신의 변형태이다. 죽은자의 권위로써 산자를 제압하는 모든 원시적 형태의 제도가 다 종교라고 말할 수 있다. 종교의 존속은 사회적 연속성의 원리the principle of social continuity를 구현하는 것이다. 나는 말한다. 아가페적 사랑은 "태양"과 "엄마"밖에는 없다. 질투와 증오와 독선의 이기적 주체인 유대인 여호와는 아가페의 리스트에서 제거되어야 한다.

여기 제17장에서 말하는 것은 순舜의 대효大孝이다. 순의 아버지 고수瞽瞍는 순의 계모와 또 계모에게서 난 아들, 상象과 함께 순을 죽이려하였다. 모든 사람이 자기를 죽이려고 하는 가족의 상황에서 그는 효의 덕성을 유감없이 발현하여 결국은 가족과 사회를 감복시켰다. 순의 효孝는 예수의 "십자가"와도 같은 수난의 상징이었다. 여기 17장에서 순이 언급되고, 18장에서 문왕文王이 언급되고, 19장에서 무왕武王과 주공周公이 언급되는 것은 효孝를 단순히 개인의 내면적 덕성의 성취의 문제로 보는 것이 아니라, 효를 중국 인문문명의 전범을 세운 초창기 혁명가들의 너무도 리얼한 사회적 덕성의 성취로서 파악하고 있다는 것을 말해주는 것이다.

효와 혁명! 도대체 무슨 상관이 있단 말인가! 이것은 우리가 효를 너무도 인문주의적 시각에서 바라보지 못한 데서 생긴 반론일 뿐이다. 혁명革命은 천명을 가는(革) 것이다. 혁명을 하기 위해서는 반드시 수명受命이 필요하다. 수명受命이란 명命을 하나님에게서 받는 것이 아니라, 인간이 신독愼獨과 수신修身을 통하여 성취하는 것이다. 그 신독과 수신의 연속성을 보장하는 것이 바로 효孝이다. 수신은 개체의 단위에서도 효孝의 체험을 바탕으로 이루어지지만, 수신은 나홀로에서 종료되는 것이 아니라 오륜의 관계를 통하여 확대되는 것이다. 효孝는 본원적으로 생명의 창조를 위한 절대적 선善의 체험이다. 그런데 인간세상이라는 것도 알고보면 결국 생명의 모임society of life이다. 생명체의 모임, 그것이 하나의 인문질서를 성립시키지만, 그 인문질서의 사회 그 자체가 또한 하나의 거대생명이다. 우리가 혁명을 한다는 것은, 그 거대생명이 생명을 거역하는 일들을 할 때에 그 명命을 바꾸어 버리는 것이다. 그런데 그 명을 바꾸는 자 또한 생명의 정도를 구현하지 않으면 안된다. 그 생명의 정도를 구현하는 자는 반드시 효孝의 체험을 발현하는 자이어야 한다. 그리고 더구나 혁명은 현실적으로 당대에 이루어지기 어렵다. 하나님의 진노로 일시에 징벌이 이루어지는 것이 아니라, 현명한 인간의 판단에 의하여 명命을 바르게 바꾸어 나가야 하는 것이다. 혁명은 반드시 3대 이상의 축적을 거친다. 당대에 성공하는 혁명은 없다! 문왕의 발심을 무왕이 이었고, 무왕의 정벌의 명분을 주공이 문화적으로 완성시켰다. 그리고 주공의 성취를 성왕이 이어갔다. 누대에 걸친 이들의 혁명의 과정을 효孝의 전범으로서 찬양하고 있는 것이다. 그러니까 효孝는 혁명革命과 수명受命의 연속성the Continuity of Heavenly Mandate을 의미하는 것이다. 동시에 그것은 생명의 정도의 연속성이다. 이것이 매우 특수한 사례인 것처럼 보이지만, 이방원이 아버지 이성계의 뜻을 잘 살펴 조선왕조의 기반을 다지면서 정적을 모조리 제거하는 작업을 벌이지 않았다면 조선왕조의 혁명은 성공할 수가 없었다. 그리고 태종의 뜻을 잘 이은 세종이 없었더라면 조선왕조가 500년을 지탱할 수 있는 예악형정, 문물제도의 기초는 다져질 길이 없었다. 이방원의 효가 아버지 이성계의 기분을 좋게만 해드리는 일은 아니었다. 효는 "복종" 그 이상의 의미를 지니는 것이다. "이성계－이방원－충녕"의 3대에 걸친 효가 없었더라면 조선왕조는 성립하지 않았다. 이와 같은 사례는 우리 주변 어디서나 발견된다. 서울사람 행세를 하려해도 서울에서 3대는 살아야 한다. 주변에 성공적인 인물들을 보면 반드시 전대의 축적이 있다. 3대 정도의 축적된 기반이 없이 큰 인물이 갑자기 솟아나는 사례는 희귀하다. 이것은 매우 고리타분한 얘기처럼 들릴 수도 있지만 우리 사회를 지속적으로 건강하게 만드는 철학일 수도 있다. 당대에 혜성처럼 솟아 당대에 잘 해쳐먹고 당대에 혜성처럼 사라지는 인물은 대체적으로 호랑당말코 같은 도둑놈들이 많다. 지속의 보편적 가치관이 결여되기 쉬운 것이다. 혁명을 하려 해도 삼대의 효孝가 필요하다. 매우 황당

무계한 이야기처럼 들릴 수도 있지만 이것은 매우 현실적인 정치적 가치이다. 우리 사회에 "교육열"이 높은 것도 이러한 효孝의 가치와 관련되어 있다. 자녀교육에 열심인 부모들의 희생을 "사회악"으로만 볼 수는 없는 것이 아닐까? 그나마 그것마저 없다면 우리 사회는 어떤 에너지의 사회가 될 것인가? 리비도의 충동만 난무하는 사회, 그리고 그 욕동의 절충, 그것을 사회제도라고 규정한다면 너무도 피폐된 인간세의 모습이 아닐까?

마지막에 "대덕자필수명大德者必受命"이라는 말을 공자의 말의 연속으로 볼 수도 있지만, 나는 앞에 인용한 공자의 말씀자료에 대한 자사의 멘트로 간주한다. 대덕자大德者는 반드시 명을 받는다는 이야기는 선인善因에는 선과善果가 따른다는 낙관적인 멘트가 되겠지만, 인간세에 그러한 인과적 필연성에 관한 보장은 없다. 대체로 대덕자大德者는 수명受命한다는 낙관적 믿음은 상식의 근저에 깔아 무방하지만 그것을 우리가 공리주의적으로 전제할 수는 없는 것이다. 여기서는 대덕자大德者가 순舜을 지칭하고 있다고 보아야 하기에 큰 무리는 없다. 그러나 이 대덕자大德者가 일반명사일 수도 있고 또 그것이 암암리 공자를 가리킨다고 한다면 이 명제는 문제가 있을 수도 있다. 공자는 대덕자이지만 명命을 받지 못했다고 사람들이 생각하기 때문이다. 그러나 "필수명必受命"이라는 의미를 제2절 "필득기위必得其位"라는 의미와 구분해서 본다면 보다 포괄적인 의미에서 공자가 수명受命하지 못했다고만 말할 수는 없다. 이 문제는 제27장부터 다시 등장한다. 자사는 공자야말로 대덕자이며 명命을 받은 자라는 확신이 있다. 자사만 해도 과거시험에 찌든 송유宋儒의 "수명受命" 개념과는 다른 차원에서 폭넓게 생각했을 수도 있다. 공자는 정치적 위位를 얻지 못했다 할지라도, 사문斯文의 명命을 받은 천자天子 이상의 가치있는 인물이라는 확신이 자사에게는 있다고 보아야 할 것이다.

곡부에 있는 공자의 사당 대성전大成殿. 현존하는 건물은 청나라 옹정제雍正帝 2년(1724)에 중건한 것이다. 뻬이징의 자금성 태화전太和殿과 같은 수준으로 만들었다. 전고殿高 32m.

第十八文王無憂章

zǐ yuē wú yōu zhě qí wéi wén wáng hū yǐ wáng jì wéi fù
1 子曰:“無憂者，其惟文王乎！以王季爲父，
자 왈 무 우 자 기 유 문 왕 호 이 왕 계 위 부

yǐ wǔ wáng wéi zǐ fù zuò zhī zǐ shù zhī
以武王爲子。父作之，子述之。
이 무 왕 위 자 부 작 지 자 술 지

wǔ wáng zuǎn tài wáng wáng jì wén wáng zhī xù yī róng yī ér
2 武王纘大王、王季、文王之緒，壹戎衣而
무 왕 찬 태 왕 왕 계 문 왕 지 서 일 융 의 이

yǒu tiān xià shēn bù shī tiān xià zhī xiǎn míng zūn wéi tiān zǐ
有天下，身不失天下之顯名。尊爲天子，
유 천 하 신 불 실 천 하 지 현 명 존 위 천 자

fù yǒu sì hǎi zhī nèi zōng miào xiǎng zhī zǐ sūn bǎo zhī
富有四海之內，宗廟饗之，子孫保之。
부 유 사 해 지 내 종 묘 향 지 자 손 보 지

wǔ wáng mò shòu mìng zhōu gōng chéng wén wǔ zhī dé zhuī wàng
3 武王末受命，周公成文、武之德，追王
무 왕 말 수 명 주 공 성 문 무 지 덕 추 왕

tài wáng wáng jì shàng sì xiān gōng yǐ tiān zǐ zhī lǐ sī lǐ
大王、王季，上祀先公以天子之禮。斯禮
태 왕 왕 계 상 사 선 공 이 천 자 지 례 사 례

yě dá hū zhū hóu dà fū jí shì shù rén fù wéi dà fū
也，達乎諸侯、大夫，及士、庶人。父爲大夫，
야 달 호 제 후 대 부 급 사 서 인 부 위 대 부

zǐ wéi shì zàng yǐ dà fū jì yǐ shì fù wéi shì zǐ wéi
子爲士，葬以大夫，祭以士。父爲士，子爲
자 위 사 장 이 대 부 제 이 사 부 위 사 자 위

제18장【문왕무우장文王無憂章】

[1]공자께서 말씀하시었다: "아~ 실로 근심이 없으실 분은 오직 문왕文王뿐이실 것이다! 왕계王季와 같은 훌륭한 아버지를 두셨고, 무왕武王과 같은 훌륭한 아들을 두셨으니 근심이 없으시리로다. 아버지가 작作하시었고 그 아들이 술述하시었도다. [2]무왕武王께서는 태왕大王·왕계王季·문왕文王의 기업基業을 이으사, 한번 갑옷을 차려 입으시니 천하를 소유하게 되시었다. 그럼에도 그 몸은 천하에 드러난 아름다운 이름을 잃지 아니 하시었다. 존귀함으로는 천자가 되시었고, 널리 사해四海의 천하를 다스리시었다. 돌아가신 후에는 종묘의 제사를 흠향하시니, 자손들은 대대로 그 제사를 보전하여 끊이지 않았다. [3]무왕武王은 말년에 비로소 천명을 받으시고 얼마 안 있어 승하하시어 예를 정할 틈이 없었다. 그래서 그의 동생 주공周公께서 문왕과 무왕의 덕德을 완성하여 예를 제정하시었다. 주공은 태왕大王과 왕계王季를 추존하여 왕王으로 높이시고, 그 위로 후직后稷으로부터 태왕 이전의 공숙조류公叔祖類에 이르는 선공先公들을 제사지내는 데는 천자天子의 예禮로써 하였다. 이 예의 법칙, 즉 장례는 죽은 자의 위位로써 하고 제사는 제사를 받드는 자손의 위位로써 한다는 법칙을 제후와 대부, 그리고 사士와 서인庶人에 이르기까지 모두 보편적으로 통용케 하였다. 일례를 들면, 아버지가 대부大夫의 신분이고 아들이 사士의 신분인 경우에는, 장례는 대부의 예로써 하고 제사는

dà fū zàng yǐ shì jì yǐ dà fū jī zhī sāng dá hū dà
大夫, 葬以士, 祭以大夫。期之喪, 達乎大
대 부 장 이 사 제 이 대 부 기 지 상 달 호 대

fū sān nián zhī sāng dá hū tiān zǐ fù mǔ zhī sāng wú guì
夫。三年之喪, 達乎天子。父母之喪, 無貴
부 삼 년 지 상 달 호 천 자 부 모 지 상 무 귀

jiàn yī yě
賤, 一也。"
천 일 야

沃案 제18장은 앞 장인 순기대효장의 테마를 그대로 계승한 것이다. 혁명의 과정에도 3대의 효孝가 필요하다는 이야기는 여기 "부작지父作之, 자술지子述之"라는 말로 간결하게 표현되고 있다. 이것은 문왕의 경우에만 해당되는 것이 아니라, 인간이라면 누구든지 바라는 이상적 상황일 것이다. 아버지가 문화창조의 단서를 마련하고 내가 그 창업을 계승하여 풍요롭게 만들고 나의 아들이 그 창업을 계술繼述하여 나간다는 것은 인간이라면 누구든지 바라는 상황이다. 그것이 편협한 패밀리즘을 의미하는 것이 아니라 역사의 연속성, 문화창업의 계승성을 말하는 것이다. 인간의 문명은 하나님이 만들어 주는 것이 아니다. 그것은 인간이 스스로 끊임없이 쉬지 않고 창조해야 하는 것이다.

여기 가장 중요한 테마는 제3절의 "사례斯禮"인데, 사례라는 것은 장례는 죽은 자의 위位로써 하고, 제사는 제사를 받드는 자손의 위位로써

사의 예로써 한다. 또 거꾸로 아버지가 사士의 신분이고 아들이 대부大夫의 신분일 경우에는, 장례는 사의 예로써 하고 제사는 대부의 예로써 하는 것이다. 먼 관계의 복상인 기년상期年喪의 경우는 서인으로부터 대부에까지만 미치며 그 이상의 고귀한 신분은 기년상에서 면제된다. 그러나 아주 가까운 관계의 복상인 삼년상三年喪의 경우는 서인으로부터 천자에 이르기까지 예외없이 미치는 것이니, 특히 부모에 대한 삼년 복상은 귀천을 가리지 않고 한결같다."

한다는 것이다. 매우 합리적인 원칙이라 할 것이다. 장례는 흉례凶禮에 속하는 것이고, 제례는 길례吉禮에 속하는 것이다. 그리고 상례는 혈연의 멀고 가까움에 따라 복상의 기간이 달라지는데, 될 수 있는 대로 지위가 높은 사람일수록 공적인 일을 많이 해야 하니까 자질구레한 복상으로부터 면제되어야 한다는 매우 합리적인 원칙을 말하고 있다. 그러나 "부모지상"만은 천자로부터 서인에 이르기까지 귀천을 가리지 않고 한결같이 3년상의 원칙을 지켜야 한다는 것이다.

우리나라 5만원권 지폐에 이율곡의 어머니 신사임당申師任堂, 1504~1551의 얼굴이 그려져 있다. 그 호는 문왕의 어머니 태임太任을 본받는다는 뜻으로 신씨 자신이 지은 것이다. 율곡의 삶이 어머니의 뜻에 미치지 못했다고 말할 수도 있다. 그 아호에는 참으로 거대한 혁명과 창업의 뜻이 숨겨져 있다. 5만원권 지폐를 장식할만한 사표의 인물이다.

第十九周公達孝章

zǐ yuē wǔ wáng zhōu gōng qí dá xiào yǐ hū
1 子曰:"武王、周公,其達孝矣乎!
자 왈 무 왕 주 공 기 달 효 의 호

fú xiào zhě shàn jì rén zhī zhì shàn shù rén zhī shì zhě yě
2 夫孝者,善繼人之志,善述人之事者也。
부 효 자 선 계 인 지 지 선 술 인 지 사 자 야

chūn qiū xiū qí zǔ miào chén qí zōng qì shè qí cháng yī
3 春秋脩其祖廟,陳其宗器,設其裳衣,
춘 추 수 기 조 묘 진 기 종 기 설 기 상 의

jiàn qí shí shí
薦其時食。
천 기 시 식

zōng miào zhī lǐ suǒ yǐ xù zhāo mù yě xù jué suǒ yǐ biàn
4 宗廟之禮,所以序昭穆也。序爵,所以辨
종 묘 지 례 소 이 서 소 목 야 서 작 소 이 변

guì jiàn yě xù shì suǒ yǐ biàn xián yě lǚ chóu xià wéi
貴賤也;序事,所以辨賢也。旅酬,下爲
귀 천 야 서 사 소 이 변 현 야 려 수 하 위

shàng suǒ yǐ dài jiàn yě yàn máo suǒ yǐ xù chǐ yě
上,所以逮賤也;燕毛,所以序齒也。
상 소 이 체 천 야 연 모 소 이 서 치 야

jiàn qí wèi xíng qí lǐ zòu qí yuè jìng qí suǒ zūn ài qí
5 踐其位,行其禮,奏其樂,敬其所尊,愛其
천 기 위 행 기 례 주 기 악 경 기 소 존 애 기

suǒ qīn shì sǐ rú shì shēng shì wáng rú shì cún xiào zhī zhì yě
所親,事死如事生,事亡如事存,孝之至也。
소 친 사 사 여 사 생 사 망 여 사 존 효 지 지 야

제19장【주공달효장周公達孝章】

[1]공자께서 말씀하시었다: "무왕武王과 주공周公은 달효達孝를 구현하신 분들이시다! [2]대저 효孝라는 것은 사람의 뜻을 잘 계승하며, 사람의 일을 잘 전술傳述하는 것이다. [3]봄·가을로 조상의 묘廟를 소제하고 수리하며, 조상으로부터 전래된 제기祭器와 악기樂器와 보물을 진열하며, 조상이 입던 아랫 치마와 윗도리를 진설하여 조상의 혼이 돌아와 깃들게 하며, 조상이 살아계실 때와 똑같이 철에 맞는 신선한 음식을 드시도록 진지상을 올린다. [4]종묘의 예는 크게 보아 소목昭穆이라는 세대간의 질서를 밝히기 위함이다. 종묘에서 제사가 진행되는 동안 작위에 따라 자리순서가 매겨지는 것은 귀천을 분변키 위함이요, 제사의 임무를 그 경중에 따라 차례지움은 현명함과 불초함을 분변키 위함이다. 그리고 신이 강림하여 서로 술잔을 주고받을 때 맨 아래에 있는 자가 윗분에게 술잔을 올리는 것은 신의 축복이 천賤한 이에게까지 골고루 미치게 함이다. 그리고 제사의 정식과정이 완료된 후에 편안하게 잔치를 벌일 때에 모발의 색깔에 따라 자리를 잡는 것은 나이 서열을 밝히기 위함이다. [5]제사의 궁극적 의미는 참여하는 내가 조상의 삶의 자리를 밟아본다는 것이다. 그들이 행하였던 예禮를 내가 행하고, 그들이 즐겼던 악樂을 내가 즐기고, 그들이 존중했던 것을 내가 공경하며, 그들이 가깝게 했던 사람들을 내가 귀하게 여기는 것이다. 죽은 이를 섬기기를 산 자를 섬기듯이 하고, 멀리 사

jiāo shè zhī lǐ suǒ yǐ shì shàng dì yě zōng miào zhī lǐ suǒ
6 郊社之禮，所以事上帝也；宗廟之禮，所
교·사 지 례 소 이 사 상 제 야 종 묘 지 례 소

yǐ sì hū qí xiān yě míng hū jiāo shè zhī lǐ dì cháng zhī yì
以祀乎其先也。明乎郊社之禮、禘嘗之義，
이 사 호 기 선 야 명 호 교 사 지 례 체 상 지 의

zhì guó qí rú shì zhū zhǎng hū
治國其如示諸掌乎!”
치 국 기 여 시 저 장 호

沃案 이 장의 주석상의 디테일한 문제는 나의 책『중용한글역주』를 참고하는 것이 좋을 것이다. 이 장에서 가장 중요한 메시지는, 효라는 것이 특정한 나의 혈연적 부모에 대한 복종이나 추모만을 의미하는 것이 아니라는 것이다. 보편적 인간Universal Man의 선업을 계승하는 문화적 마인드야말로 진정한 효孝라고 천명하고 있는 것이다. “부효자夫孝者, 선계인지지善繼人之志, 선술인지사자야善述人之事者也”라는 표현이 그러한 케리그마를 분명하게 전달하고 있다. 나의 아버지나 할아버지가 아니더라도 먼 조상, 혹은 타 가계의 훌륭한 인물 가운데서도 내가 계술繼述해야 할 뜻志과 사업事을 발견할 수 있다. 우리가 역사를 바르게 알려고 노력하는 이유는 바로 그 사람의 뜻志과 일事을 바르게 알고, 계술繼述하려는 데 있는 것이다. 하나님이 역사를 만들어주지 않는다. 역사는 시간이 만든다. 그러나 시간은 거저 흘러가는 물리적 시간이 아

라져버린 이를 섬기기를 지금 여기 현존하는 이를 섬기듯이 하니, 이것이야말로 효의 지극함이 아니고 그 무엇이리오. [6]교사郊社의 예는 하느님上帝을 섬기기 위함이요, 종묘宗廟의 예는 그 선조를 받들기 위함이다. 교사의 예와, 종묘의 봄제사인 체禘와 가을제사인 상嘗의 의미에 밝으면, 한 나라를 다스리는 일도 그 나라를 손바닥 위에 올려놓고 보는 것처럼 쉬울 것이다."

니라, 생명의 선업이 축적되는 시간이다. 그것은 효孝의 계술繼述로 이루어진다. 『주역』「계사」상5에서 말하는 "계지자선야繼之者善也"도 우주생명의 창조적 가치를 인간이 문명 속에서 계속 계승하여 축적해나가는 것이야말로 선善이라는 뜻이다.

그 뒤로 제사에 관한 이야기들이 이어지는데, 그 중 핵심적인 메시지는 "죽은 자를 섬기기를 산 자를 섬기듯 하고事死如事生, 없어진 자를 섬기기를 있는 자를 섬기듯 하는 것이事亡如事存, 효의 지극함이다孝之至也"라는 명제이다. 여기 "죽은 자死"와 "산자生"의 대비는 상례에 해당되는 것이며, "없어진 자亡"와 "있는 자存"의 대비는 제례에 해당되는 것이다. "죽은 자"는 방금 돌아가신 분이며, "없어진 자"는 돌아가신지가 오래된 분을 의미한다. 효라는 것은 사망死亡자를 생존生存자와 같이 섬기는 마음의 자세를 의미한다. 사람이 죽었다고 죽는 순간부터 입을 싹 다시는 것은 매정할 뿐 아니라 그러한 인간에게서 기대할 인품이라는 것은 없다. 유교에는 천당이 없다. 사후세계는 보장되지 않는다. 죽음과 동시에 "나"는 존속하지 않는다. 그러나 "나"는 역사 속의 공감과 공존 속에서 지속된다. "나"가 존속되는 것은 결국 효의 연속성 속에서 이루어지는 것이다. 천국은 오직 역사 속에 내재하는 것이다. 그래서 인간은 역사의 심판을 두려워해야 한다. 아무리 최고권력자가 되어도 역사 속에서 바른 판결을 얻지 못하면 그는 잡귀도 되지 못한다. 나라는 존재는 유구한 생명의 연속의 한 고리라는 자각, 그리고 나의 선업이 후세의 인간세의 복지를 가져온다는 이 과거-현재-미래의 연대감이야말로 인간이 존속하는 의미이며, 그것이 곧 제사의 본질이라는 사실을 이 장은 웅변하고 있다.

우리나라 종묘대제는 선진시대의 태묘의 제례의 모습과 그 격조가 가장 잘 보존되어 있는 인류의 주요무형문화재라고 할 수 있다. 현재는 매년 5월 첫째 일요일에 봉행하고 있다. 중국의 제례도 모두 우리나라에서 역으로 배워 간 것이다. 연주되는 종묘제례악도 매우 정교하게 고악의 형태가 보존되어 있다.

조선왕조 역대 임금의 신위가 모셔져 있는 19칸 정전正殿의 장엄한 준소蹲所에서 거행되고 있는 제례 모습

팔일무八佾舞도 우리나라에만 보존되어 있다.

第二十哀公問政章

āi gōng wèn zhèng
1 哀公問政。
애 공 문 정

zǐ yuē wén wǔ zhī zhèng bù zài fāng cè qí rén cún zé
2 子曰:“文、武之政，布在方策。其人存，則
자 왈 문 무 지 정 포 재 방 책 기 인 존 즉

qí zhèng jǔ qí rén wáng zé qí zhèng xī
其政擧；其人亡，則其政息。
기 정 거 기 인 망 즉 기 정 식

rén dào mǐn zhèng dì dào mǐn shù fú zhèng yě zhě pú lú yě
3 人道敏政，地道敏樹。夫政也者，蒲盧也。
인 도 민 정 지 도 민 수 부 정 야 자 포 로 야

gù wéi zhèng zài rén qǔ rén yǐ shēn xiū shēn yǐ dào xiū dào
4 故爲政在人，取人以身，脩身以道，脩道
고 위 정 재 인 취 인 이 신 수 신 이 도 수 도

yǐ rén
以仁。
이 인

rén zhě rén yě qīn qīn wéi dà yì zhě yí yě zūn xián wéi
5 仁者，人也，親親爲大；義者，宜也，尊賢爲
인 자 인 야 친 친 위 대 의 자 의 야 존 현 위

dà qīn qīn zhī shài zūn xián zhī děng lǐ suǒ shēng yě
大。親親之殺，尊賢之等，禮所生也。
대 친 친 지 쇄 존 현 지 등 예 소 생 야

zài xià wèi bú huò hū shàng mín bù kě dé ér zhì yǐ
6 在下位不獲乎上，民不可得而治矣。
재 하 위 불 획 호 상 민 불 가 득 이 치 의

gù jūn zǐ bù kě yǐ bù xiū shēn sī xiū shēn bù kě yǐ bù
7 故君子不可以不脩身；思脩身，不可以不
고 군 자 불 가 이 불 수 신 사 수 신 불 가 이 불

제20장【애공문정장 哀公問政章】

[1]애공이 공자에게 정치에 관하여 물었다. [2]공자께서 대답하여 말씀하시었다: "문왕文王과 무왕武王의 훌륭한 정치는 목판木版이나 간책簡策에 널브러지게 쓰여져 있습니다. 그러나 그러한 가치를 구현할 수 있는 사람이 있으면 그 정치는 흥할 것이고, 그러한 사람이 없으면 그 정치는 쇠락하고 말 것입니다. [3]사람의 도道는 정치에 민감하게 나타나고, 땅의 도道는 나무에 민감하게 나타납니다. 대저 정치라는 것은 일단 사람을 확보하기만 한다면 빠르게 자라나는 갈대와 같지요. [4]그러므로 정치를 한다는 것은 제대로 된 사람을 얻는 데 있습니다. 그런데 제대로 된 사람을 얻으려면 군주 자신의 몸에 바른 덕성이 배어 있어야만 합니다. 몸을 닦는다는 것은 도道를 구현하는 것입니다. 도를 닦는다는 것은 인仁을 구현하는 것입니다. [5]그렇다면 인仁은 무엇일까요? 인仁이라는 것은 발음 그대로 인人입니다. 사람의 근본바탕의 감정이지요. 인의 세계에 있어서는 가장 친근한 사람을 친하게 한다는 것이 중요합니다. 이 인과 짝을 지어 생각해야 할 것이 의義입니다. 의義란 무엇일까요? 의義는 발음 그대로 의宜입니다. 마땅함이지요. 의의 세계에 있어서는 현인賢人을 객관적으로 존중한다는 것이 중요합니다. 가까운 혈연을 친하게 함의 무등급성과 현인을 공적으로 존중함의 등급성, 이 양면성으로부터 예禮라는 것이 생겨나는 것입니다. [6]아랫자리에 있으면서 윗사람에게 신임을 얻지 못하면 백성을 다스릴 수 있는 기회조차 얻지 못할 것입니다. [7]그러므로 군자는 자기 몸을 닦지 않을 수 없습니다. 자기

shì qīn sī shì qīn bù kě yǐ bù zhī rén sī zhī rén bù
事親；思事親，不可以不知人；思知人，不
사 친 사 사 친 불 가 이 부 지 인 사 지 인 불

kě yǐ bù zhī tiān
可以不知天。
가 이 부 지 천

tiān xià zhī dá dào wǔ suǒ yǐ xíng zhī zhě sān yuē jūn chén
8 天下之達道五，所以行之者三。曰君臣
천 하 지 달 도 오 소 이 행 지 자 삼 왈 군 신

yě fù zǐ yě fū fù yě kūn dì yě péng yǒu zhī jiāo yě
也，父子也，夫婦也，昆弟也，朋友之交也，
야 부 자 야 부 부 야 곤 제 야 붕 우 지 교 야

wǔ zhě tiān xià zhī dá dào yě zhì rén wǒng sān zhě tiān xià
五者天下之達道也。知、仁、勇三者，天下
오 자 천 하 지 달 도 야 지 인 용 삼 자 천 하

zhī dá dé yě suǒ yǐ xíng zhī zhě yī yě
之達德也。所以行之者一也。
지 달 덕 야 소 이 행 지 자 일 야

huò shēng ér zhī zhī huò xué ér zhī zhī huò kùn ér zhī zhī
9 或生而知之，或學而知之，或困而知之，
혹 생 이 지 지 혹 학 이 지 지 혹 곤 이 지 지

jí qí zhī zhī yī yě huò ān ér xíng zhī huò lì ér xíng zhī
及其知之，一也。或安而行之，或利而行之，
급 기 지 지 일 야 혹 안 이 행 지 혹 리 이 행 지

huò miǎn qiǎng ér xíng zhī jí qí chéng gōng yī yě
或勉强而行之，及其成功，一也。”
혹 면 강 이 행 지 급 기 성 공 일 야

zǐ yuē hào xué jìn hū zhì lì xíng jìn hū rén zhī chǐ jìn
10 子曰：“好學近乎知，力行近乎仁，知恥近
자 왈 호 학 근 호 지 역 행 근 호 인 지 치 근

hū yǒng
乎勇。
호 용

몸을 닦을 것을 생각하면 어버이를 섬기지 않을 수 없습니다. 어버이를 섬길 것을 생각하면 사람을 알지 않을 수 없습니다. 사람을 알 것을 생각하면 하느님을 알지 않을 수 없습니다. [8]천하사람들이 달성해야만 하는 공통되는 길道이 다섯이 있고, 또 그 길을 행하게 만드는 인간 내면의 덕성은 셋이 있습니다. 다섯이란 임금과 신하 사이의 길이요, 아버지와 아들 사이의 길이요, 남편과 부인 사이의 길이요, 형과 동생 사이의 길이요, 붕우간의 사귐의 길입니다. 이 다섯 가지야말로 천하사람들 모두의 달도達道입니다. 그리고 지知와 인仁과 용勇, 이 세 가지야말로 천하사람 모두의 달덕達德입니다. 그런데 도道를 행行하게 만드는 이 세 가지 달덕이야말로 결국은 하나로 수렴되는 것이지요. [9]여태까지 이야기하여온 달도達道와 달덕達德에 관하여 어떤 사람은 태어나면서부터 그것을 알고, 어떤 사람은 배워서 그것을 알고, 어떤 사람은 곤요롭게 애써서 그것을 압니다. 그러한 지력의 차이는 있습니다만 결국 앎에 도달하게 되면 안다고 하는 그 사실에 있어서는 아무런 차이가 없습니다. 또 달도와 달덕에 관하여 어떤 사람은 편안하게 그것을 행하고, 어떤 사람은 이해를 따져서 그것을 행하고, 어떤 사람은 억지로 힘써 그것을 행합니다. 그러나 결국 공을 이루게 되면 그 행위의 성취에 있어서는 아무런 차이가 없습니다." [10]공자께서 또다시 말씀하시었다: "배우기를 좋아하는 것은 지知에 가깝고, 힘써 행하는 것은 인仁에 가깝고, 부끄러움을 아는 것은 용勇에 가깝습니다. [11]이 세 가지를 알면 과연 내 몸을 어떻게 닦을 것인가를 알게 될 것입니다. 내 몸을 어떻게 닦을 것인가를 알게 되면 타인을 어떻게 다스릴 것인가를

zhī sī sān zhě zé zhī suǒ yǐ xiū shēn zhī suǒ yǐ xiū shēn
11 知斯三者, 則知所以脩身; 知所以脩身,
지 사 삼 자 즉 지 소 이 수 신 지 소 이 수 신

zé zhī suǒ yǐ zhì rén zhī suǒ yǐ zhì rén zé zhī suǒ yǐ zhì
則知所以治人; 知所以治人, 則知所以治
즉 지 소 이 치 인 지 소 이 치 인 즉 지 소 이 치

tiān xià guó jiā yǐ
天下國家矣。
천 하 국 가 의

fán wéi tiān xià guó jiā yǒu jiǔ jīng yuē xiū shēn yě zūn xián yě
12 凡爲天下國家有九經: 曰脩身也, 尊賢也,
범 위 천 하 국 가 유 구 경 왈 수 신 야 존 현 야

qīn qīn yě jìng dà chén yě tǐ qún chén yě zǐ shù mín yě
親親也, 敬大臣也, 體羣臣也, 子庶民也,
친 친 야 경 대 신 야 체 군 신 야 자 서 민 야

lái bǎi gōng yě róu yuǎn rén yě huái zhū hóu yě
來百工也, 柔遠人也, 懷諸侯也。
래 백 공 야 유 원 인 야 회 제 후 야

xiū shēn zé dào lì zūn xián zé bú huò qīn qīn zé zhū fù kūn
13 脩身則道立, 尊賢則不惑, 親親則諸父昆
수 신 즉 도 립 존 현 즉 불 혹 친 친 즉 제 부 곤

dì bú yuàn jìng dà chén zé bú xuàn tǐ qún chén zé shì zhī bào
弟不怨, 敬大臣則不眩, 體羣臣則士之報
제 불 원 경 대 신 즉 불 현 체 군 신 즉 사 지 보

lǐ zhòng zǐ shù mín zé bǎi xìng quàn lái bǎi gōng zé cái yòng zú
禮重, 子庶民則百姓勸, 來百工則財用足,
례 중 자 서 민 즉 백 성 권 래 백 공 즉 재 용 족

róu yuǎn rén zé sì fāng guī zhī huái zhū hóu zé tiān xià wèi zhī
柔遠人則四方歸之, 懷諸侯則天下畏之。
유 원 인 즉 사 방 귀 지 회 제 후 즉 천 하 외 지

zhāi míng shèng fú fēi lǐ bú dòng suǒ yǐ xiū shēn yě qù chán
14 齊明盛服, 非禮不動, 所以脩身也; 去讒
재 명 성 복 비 례 부 동 소 이 수 신 야 거 참

알게 될 것입니다. 타인을 어떻게 다스릴 것인가를 알게 되면 천하국가를 어떻게 다스릴 것인가를 알게 될 것입니다. [12]무릇 천하天下·국國·가家를 다스리는 데는 아홉 가지 벼리가 있습니다. 그 첫째는 군주가 자기 몸을 닦는 것입니다. 둘째는 현인을 존중하는 것입니다. 셋째는 가까운 혈연을 친하게 하는 것입니다. 넷째는 대신大臣들을 공경하는 것입니다. 다섯째는 뭇 신하들을 내 몸과 같이 여기는 것입니다. 여섯째는 뭇 백성을 내 아들과 같이 여기는 것입니다. 일곱째는 다양한 기술자들이 꼬이게 만드는 것입니다. 여덟째는 먼 지방의 사람들까지도 화목하게 만드는 것입니다. 아홉째는 제후들을 회유하는 것입니다. [13]군주가 자기 몸을 닦으면 도道가 바르게 서게 됩니다. 현인을 존중하면 도에 관하여 미혹함이 사라집니다. 가까운 혈연을 친하게 하면 아버지 항렬의 사람들과 형제들이 모두 원망하지 않습니다. 대신大臣들을 공경하면 관료사회의 제반업무평가에 관하여 현혹됨이 없어집니다. 뭇 신하들을 내 몸과 같이 여기면 관료의 주축인 선비들의 보은報恩의 예禮가 중후해집니다. 뭇 백성을 내 아들과 같이 여기면 백성들이 서로 권면하여 선善에 힘씁니다. 다양한 기술자들이 꼬이게 만들면 재정과 쓰임이 풍요로워집니다. 먼 지방의 사람들까지 화목케 하면 사방에서 귀순하여 인구가 증가하고 국력이 탄탄해집니다. 제후들을 회유하면 천하사람들이 모두 당신의 나라를 외경스럽게 바라볼 것입니다. [14]첫째로 재계하여 몸과 마음을 맑게 하고 복장을 성대히 하고 예가 아니면 움직이지 아니 함이 몸을 닦는 것이외다. 둘째로, 모함하는 이들을 제거하고 여색을 멀리하며, 재물을 낮게 여기고 덕德을 귀하게 여김은

yuǎn sè jiàn huò ér guì dé suǒ yǐ quàn xián yě zūn qí wèi
遠色，賤貨而貴德，所以勸賢也；尊其位，
원 색 천 화 이 귀 덕 소 이 권 현 야 존 기 위

zhòng qí lù tóng qí hào wù suǒ yǐ quàn qīn qīn yě guān shèng
重其祿，同其好惡，所以勸親親也；官盛
중 기 록 동 기 호 오 소 이 권 친 친 야 관 성

rèn shǐ suǒ yǐ quàn dà chén yě zhōng xìn zhòng lù suǒ yǐ
任使，所以勸大臣也；忠信重祿，所以
임 사 소 이 권 대 신 야 충 신 중 록 소 이

quàn shì yě shí shǐ bó liǎn suǒ yǐ quàn bǎi xìng yě rì xǐng
勸士也；時使薄斂，所以勸百姓也；日省
권 사 야 시 사 박 렴 소 이 권 백 성 야 일 성

yuè shì xì lǐn chèng shì suǒ yǐ quàn bǎi gōng yě sòng wǎng yíng
月試，旣稟稱事，所以勸百工也；送往迎
월 시 희 름 칭 사 소 이 권 백 공 야 송 왕 영

lái jiā shàn ér jīn bù néng suǒ yǐ róu yuǎn rén yě jì jué
來，嘉善而矜不能，所以柔遠人也；繼絶
래 가 선 이 긍 불 능 소 이 유 원 인 야 계 절

shì jǔ fèi guó zhì luàn chí wēi cháo pìn yǐ shí hòu wǎng ér
世，擧廢國，治亂持危，朝聘以時，厚往而
세 거 폐 국 치 란 지 위 조 빙 이 시 후 왕 이

bó lái suǒ yǐ huái zhū hóu yě
薄來，所以懷諸侯也。
박 래 소 이 회 제 후 야

fán wéi tiān xià guó jiā yǒu jiǔ jīng suǒ yǐ xíng zhī zhě yī yě
[15] 凡爲天下國家有九經，所以行之者一也。
범 위 천 하 국 가 유 구 경 소 이 행 지 자 일 야

fán shì yù zé lì bú yù zé fèi yán qián dìng zé bù jiá shì
[16] 凡事豫則立，不豫則廢。言前定則不跲，事
범 사 예 즉 립 불 예 즉 폐 언 전 정 즉 불 겁 사

qián dìng zé bù kùn xíng qián dìng zé bù jiù dào qián dìng zé
前定則不困，行前定則不疚，道前定則
전 정 즉 불 곤 행 전 정 즉 불 구 도 전 정 즉

현인을 권면하는 것이외다. 셋째로, 그 지위를 높게 해주고 녹祿을 두텁게 해주고 그들과 호오好惡의 감정을 같이 함으로써 융화를 꾀하는 것이 친친親親을 권면하는 것이외다. 넷째로, 높은 관직에 권위를 부여하고 그들로 하여금 부하를 스스로 부리도록 맡겨주는 것이 대신을 권면하는 것이외다. 다섯째로, 군주가 가슴으로부터 우러나오는 성의를 다하고 그 녹祿을 재질과 성과에 맞추어 정중하게 하는 것이 뭇 신하들을 권면하는 것이외다. 여섯째로, 인민을 공사公事에 징용할 때에는 함부로 하지 아니 하고 알맞은 때로써 하며 그들로부터 거두어들이는 것은 될 수 있는 대로 박薄하게 하는 것이 뭇 백성을 권면하는 것이외다. 일곱째로, 매일 일하는 것을 살펴보고 달마다 시험을 보고 월급을 그 일의 능률과 성과에 맞추어 정당하게 부여함이 백공百工을 권면하는 것이외다. 여덟째로, 가는 자를 후하게 전송하고 오는 자를 반가이 맞이하며, 능력있는 자는 잘 대접하되 능력이 없는 자라도 긍휼히 여김이 먼 지방의 사람들을 화목하게 만드는 것이외다. 아홉째로, 끊어진 세대를 이어 제사를 지낼 수 있도록 해주며, 국가기능을 상실한 나라들을 다시 흥하게 해주며, 어지러워진 나라를 다시 질서있게 만들어주고 넘어지는 나라를 다시 붙들어 잡아주며, 제후가 천자에게 자국의 상황에 관해 보고하는 조朝와 때에 맞추어 대부를 시켜 천자에게 공물貢物을 헌상하는 빙聘의 예를 너무 번거롭지 않도록 때에 맞추어 하도록 해주며, 가는 것은 후하게 하고 오는 것은 박하게 하는 것이야말로 제후를 회유하는 것이외다. [15]대저 천하·국·가를 다스림에 구경九經이 있으나, 그것을 실천케 만드는 그 근본은 하나입니다. [16]모든

bù qióng
不窮。
불 궁

zài xià wèi bù huò hū shàng mín bù kě dé ér zhì yǐ huò hū
17 在下位不獲乎上，民不可得而治矣。獲乎
재 하 위 불 획 호 상 민 불 가 득 이 치 의 획 호

shàng yǒu dào bù xìn hū péng yǒu bù huò hū shàng yǐ xìn hū
上有道，不信乎朋友，不獲乎上矣；信乎
상 유 도 불 신 호 붕 우 불 획 호 상 의 신 호

péng yǒu yǒu dào bù shùn hū qīn bù xìn hū péng yǒu yǐ
朋友有道，不順乎親，不信乎朋友矣；
붕 우 유 도 불 순 호 친 불 신 호 붕 우 의

shùn hū qīn yǒu dào fǎn zhū shēn bù chéng bù shùn hū qīn yǐ
順乎親有道，反諸身不誠，不順乎親矣；
순 호 친 유 도 반 저 신 불 성 불 순 호 친 의

chéng shēn yǒu dào bù míng hū shàn bù chéng hū shēn yǐ
誠身有道，不明乎善，不誠乎身矣。
성 신 유 도 불 명 호 선 불 성 호 신 의

chéng zhě tiān zhī dào yě chéng zhī zhě rén zhī dào yě chéng
18 誠者，天之道也；誠之者，人之道也。誠
성 자 천 지 도 야 성 지 자 인 지 도 야 성

zhě bù miǎn ér zhòng bù sī ér dé cóng róng zhòng dào
者，不勉而中，不思而得，從容中道，
자 불 면 이 중 불 사 이 득 종 용 중 도

shèng rén yě chéng zhī zhě zé shàn ér gù zhí zhī zhě yě
聖人也。誠之者，擇善而固執之者也。
성 인 야 성 지 자 택 선 이 고 집 지 자 야

bó xué zhī shěn wèn zhī shèn sī zhī míng biàn zhī dǔ xíng zhī
19 博學之，審問之，愼思之，明辨之，篤行之。
박 학 지 심 문 지 신 사 지 명 변 지 독 행 지

yǒu fú xué xué zhī fú néng fú cuò yě yǒu fú wèn wèn zhī
20 有弗學，學之弗能弗措也；有弗問，問之
유 불 학 학 지 불 능 불 조 야 유 불 문 문 지

일은 사전에 미리 성실한 바탕 위에서 단속하면 확고하게 서고, 미리 단속함이 없이 무방비 상태로 임하면 낭패를 봅니다. 인간의 언어는 미리 잘 생각해놓으면 차질이 없고, 일도 미리 잘 준비해놓으면 곤혹스럽지 아니 하고, 행동도 미리 방침을 잘 세워놓으면 병폐가 없습니다. 도道야말로 미리 갈 곳을 잘 정해놓으면 샛길로 빠져 막다른 골목에 부닥치는 그런 궁색한 일이 없게 되는 것입니다. [17]그러므로 아랫자리에 있으면서 윗사람에게 신임을 얻지 못하면 백성을 다스릴 기회를 얻지 못할 것입니다. 윗사람에게 신임을 얻는 것은 방법이 있으니, 먼저 친구들에게 신임을 받지 못하면 윗사람에게도 당연히 신임을 얻지 못하는 것입니다. 친구들에게 신임을 받는 것은 방법이 있으니, 먼저 부모님께 효순하지 못하면 친구들에게도 당연히 신임을 받지 못하는 것입니다. 부모님께 효순하는 것은 방법이 있으니, 자기 몸에 돌이켜보아 성실하지 못하면 부모님께도 당연히 효순할 수 없는 것입니다. 자기 몸을 성실하게 하는 것은 방법이 있으니, 선善을 명료하게 인식하지 못하면 몸을 성실하게 할 길이 없을 것입니다. [18]성誠 그 자체는 하느님의 도道입니다. 성誠해지려고 노력하는 것은 사람의 도道입니다. 성誠 그 자체는 힘쓰지 않아도 들어맞으며, 고민하며 생각하지 않는데도 얻어지며, 마음을 탁 놓고 편안하게 있는데도 도에 들어맞으니 이것이야말로 성인聖人의 경지라 할 수 있지요. 성誠해지려고 노력한다는 것은 선善을 택하여 굳게 잡고 실천하는 자세이니 보통 사람의 경지라 할 수 있지요. [19]널리 배우십시오. 자세히 물으십시오. 신중히 생각하십시오. 분명하게 사리를 분변하십시오. 돈독히 행하십시오. [20]배우지 않음이 있을지언

fú zhī fú cuò yě yǒu fú sī sī zhī fú dé fú cuò yě
弗知弗措也；有弗思，思之弗得弗措也；
불 지 불 조 야 유 불 사 사 지 불 득 불 조 야

yǒu fú biàn biàn zhī fú míng fú cuò yě yǒu fú xíng xíng zhī
有弗辨，辨之弗明弗措也；有弗行，行之
유 불 변 변 지 불 명 불 조 야 유 불 행 행 지

fú dǔ fú cuò yě rén yī néng zhī jǐ bǎi zhī rén shí néng
弗篤弗措也。人一能之，己百之；人十能
불 독 불 조 야 인 일 능 지 기 백 지 인 십 능

zhī jǐ qiān zhī
之，己千之。
지 기 천 지

guǒ néng cǐ dào yǐ suī yú bì míng suī róu bì qiáng
21 果能此道矣，雖愚必明，雖柔必强。”
과 능 차 도 의 수 우 필 명 수 유 필 강

이 글씨는 조선 18세기 명필 중의 한 사람인 송문흠宋文欽, 1710~52의 것이다. 자字는 사행士行, 호는 한정당閒靜堂. 본관은 은진恩津. 사계의 문인門人 송준길宋浚吉, 1606~1672의 후손이며 요좌堯佐의 아들이며 이재李縡의 문인門人이다. 이 글귀는 조선의 선비들이 침실 머리 맡에 놓은 병풍 내용으로 잘 인용되었던 유명한 귀절인데, 『유자신론劉子新論』 제십第十편인 「신독愼獨」에 있는 것이다. 온전한 원래 글귀는 “독립불참영獨立不慚影, 독침불괴금獨寢不愧衾”(홀로 서 있어도 자기 그림자에게 부끄러움이 없고, 홀로 잘 때에도 자기 이불에 부끄러움이 없어야 한다)인데, “행불괴영行弗愧影, 침불괴금寢不愧衾”으로 변형되었다.

정, 배울진대 능하지 못하면 도중에 포기하지 마십시오. 묻지 않음이 있을지언정, 물을진대 알지 못하면 도중에 포기하지 마십시오. 생각하지 않음이 있을지언정, 생각할진대 결말을 얻지 못하면 도중에 포기하지 마십시오. 분변하지 않음이 있을지언정, 분변할진대 분명하지 못하면 도중에 포기하지 마십시오. 행하지 않음이 있을지언정, 행할진대 독실하지 못하거든 도중에 포기하지 마십시오. 남이 한 번에 능하거든 나는 백 번을 하며, 남이 열 번에 능하거든 나는 천 번을 하십시오. [21]과연 이 호학역행好學力行의 도道에 능하게만 되면, 비록 어리석은 자라도 반드시 현명해지며, 비록 유약한 자라도 반드시 강건하게 될 것입니다."

신독愼獨의 사상을 너무도 단적으로 나타내주는 명언이라 할 것이다. 『유자劉子』라는 책은 누구의 작품인지 설이 분분했으나 송나라 때 와서 북제北齊사람 유주劉晝, 516~567의 작으로 추정되었다. 유주는 발해 부성인阜城人으로 자가 공소孔昭이며 높은 학문의 경지를 개척하였으나 끝내 마지막 책策 시험을 통과 못해 벼슬을 못했다. 평생 수없는 서書를 황제에게 올렸으나 채택된 것이 없었다. 그러한 울분 속에서 도가의 "자연지도自然之道"를 기본으로 하면서 유가의 도덕과 『역경』, 법가, 농가農家를 융관融貫하여 독특한 자신의 생활철학을 만들었다. 2000년 예술의전당 서울서예박물관 전시. 수석 큐레이터 이동국 군에게 감사.

哀公問政。子曰:“文、武之政, 布在方策。其人存, 則其政擧; 其人亡, 則其政息。人道敏政, 地道敏樹。夫政也者, 蒲盧也。故爲政在人, 取人以身, 脩身以道, 脩道以仁。仁者, 人也, 親親爲大; 義者, 宜也, 尊賢爲大。親親之殺, 尊賢之等, 禮所生也。在下位不獲乎上, 民不可得而治矣。故君子不可以不脩身; 思脩身, 不可以不事親; 思事親, 不可以不知人; 思知人, 不可以不知天。天下之達道五, 所以行之者三。曰君臣也, 父子也, 夫婦也, 昆弟也, 朋友之交也, 五者天下之達道也。知、仁、勇三者, 天下之達德也。所以行之者一也。或生而知之, 或學而知之, 或困而知之, 及其知之, 一也。或安而行之, 或利而行之, 或勉强而行之, 及其成功, 一也。”子曰:“好學近乎知, 力行近乎仁, 知恥近乎勇。知斯三者, 則知所以脩身; 知所以脩身, 則知所以治人; 知所以治人, 則知所以治天下國家矣。

애공이 공자에게 정치에 관하여 물었다. 공자께서 대답하여 말씀하시었다: "문왕文王과 무왕武王의 훌륭한 정치는 목판木版이나 간책簡策에 널브러지게 쓰여져 있습니다. 그러나 그러한 가치를 구현할 수 있는 사람이 있으면 그 정치는 흥할 것이고, 그러한 사람이 없으면 그 정치는 쇠락하고 말 것입니다. 사람의 도道는 정치에 민감하게 나타나고, 땅의 도道는 나무에 민감하게 나타납니다. 대저 정치라는 것은 일단 사람을 확보하기만 한다면 빠르게 자라나는 갈대와 같지요. 그러므로 정치를 한다는 것은 제대로 된 사람을 얻는 데 있습니다. 그런데 제대로 된 사람을 얻으려면 군주 자신의 몸에 바른 덕성이 배어 있어야만 합니다. 몸을 닦는다는 것은 도道를 구현하는 것입니다. 도를 닦는다는 것은 인仁을 구현하는 것입니다. 그렇다면 인仁은 무엇일까요? 인仁이라는 것은 발음 그대로 인人입니다. 사람의 근본바탕의 감정이지요. 인의 세계에 있어서는 가장 친근한 사람을 친하게 한다는 것이 중요합니다. 이 인과 짝을 지어 생각해야 할 것이 의義입니다. 의義란 무엇일까요? 의義는 발음 그대로 의宜입니다. 마땅함이지요. 의의 세계에 있어서는 현인賢人을 객관적으로 존중한다는 것이 중요합니다. 가까운 혈연을 친하게 함의 무등급성과 현인을 공적으로 존중함의 등급성, 이 양면성으로부터 예禮라는 것이 생겨나는 것입니다. 아랫자리에 있으면서 윗사람에게 신임을 얻지 못하면 백성을 다스릴 수 있는 기회조차 얻지 못할 것입니다. 그러므로 군자는 자기 몸을 닦지 않을 수 없습니다. 자기 몸을 닦을 것을 생각하면 어버이를 섬기지 않을 수 없습니다. 어버이를 섬길 것을 생각하면 사람을 알지 않을 수 없습니다. 사람을 알 것을 생각하면 하느님을 알지 않을 수 없습니다. 천하사람들이 달성해야만 하는 공통되는 길道이 다섯이 있고, 또 그 길을 행하게 만드는 인간 내면의 덕성은 셋이 있습니다. 다섯이란 임금과 신하 사이의 길이요, 아버지와 아들 사이의 길이요, 남편과 부인 사이의 길이요, 형과 동생 사이의 길이요, 붕우간의 사귐의 길입니다. 이 다섯 가지야말로 천하사람들 모두의 달도達道입니다. 그리고 지知와 인仁과 용勇, 이 세 가지야말로 천하사람 모두의 달덕達德입니다. 그런데 도道를 행行하게 만드는 이 세 가지 달덕이야말로 결국은 하나로 수렴되는 것이지요. 여태까지 이야기하여온 달도達道와 달덕達德에 관하여 어떤 사람은 태어나면서부터 그것을 알고, 어떤 사람은 배워서 그것을 알고, 어떤 사람은 곤요롭게 애써서 그것을 압니다. 그러한 지력의 차이는 있습니다만 결국 앎에 도달하게 되면 안다고 하는 그 사실에 있어서는 아무런 차이가 없습니다. 또 달도와 달덕에 관하여 어떤 사람은 편안하게 그것을 행하고, 어떤 사람은 이해를 따져서 그것을 행하고, 어떤 사람은 억지로 힘써 그것을 행합니다. 그러나 결국 공을 이루게 되면 그 행위의 성취에 있어서는 아무런 차이가 없습니다." 공자께서 또다시 말씀하시었다: "배우기를 좋아하는 것은 지知에 가깝고, 힘써 행하는 것은 인仁에 가깝고, 부끄러움을 아는 것은 용勇에 가깝습니다. 이 세 가지를 알면 과연 내 몸을 어떻게 닦을 것인가를 알게 될 것입니다. 내 몸을 어떻게 닦을 것인가를 알게 되면 타인을 어떻게 다스릴 것인가를 알게 될 것입니다. 타인을 어떻게 다스릴 것인가를 알게 되면 천하국가를 어떻게 다스릴 것인가를 알게 될 것입니다.

沃案 애공문정장(제20장)은 너무 길기 때문에 세 단락으로 나누어 해설하겠다. 주희가 이 긴 장을 나누지 않고, 하나의 장으로 통짜로 만든 것은 아주 단순한 이유가 있다. 그것은 이 장이 통째로 『공자가어』의 제17편인 「애공문정哀公問政」 속에 들어있기 때문이다. 그러나 여태까지의 많은 문헌비평가들이 이 사실을 무시하고 이 장을 여러 파편으로 해체시키면서 『중용』이라는 텍스트의 구조를 운운하여 왔다(특히 일본학자들). 왜 그랬을까? 그 이유는 매우 단순하다. 『공자가어』라는 서물書物의 신빙성을 전혀 인정하지 않고, 그것을 발굴해냈다고 하는 왕숙王肅, 195~256(왕필王弼과 동시대)이라는 사상가의 위작僞作으로 간주해 버렸기 때문이다. 이 위작논쟁의 대상물들은 청나라 때 고증학의 발흥으로 더 심하게 위작으로 낙인찍혀 버리는 비운을 겪게 되었다.

그런데 최근 간백자료의 발굴은 "위작"이라는 낙인을 거의 모든 위작물로부터 제거시켰다. 나는 이러한 새로운 사상흐름에 찬동하는 자세를 취한다. 소위 위작물이라는 것들을 자세히 살펴보면, 과연 그러한 고문서ancient literature들을 단순히 후대의 날조로서 바라봐야 할 것인가 하는 것은 매우 심각한 반성을 요구하는 문제이다. 우리가 흠집을 잡으려고 든다면 『논어』에도 무한한 텍스트의 문제점이 상존한다. 고문학에 있어서 정통과 비정통, 혹은 정경과 비정경의 차이가 과연 근원적으로 존재하는 것일까 하는 문제제기는 중국고문헌에도 똑같이 적용되는 주제이다. 위경僞經은 위경이 아니라, 단지 좀 더 복잡한 해석을 요구하는 고경일 수도 있다. 하여튼 『공자가어』는 공자의 언행을 기록한 것으로 공씨가문에 보존되어 내려오던 책인데 『논어』와는 다른 성격이다. 『논어』 속의 공자말씀은 짧고 격언적이며 상황설명이 별로 없는 데 반하여, 『공자가어』는 매우 길고 상황설명(내러티브narrative)이 있으며 논술적이라는 특징을 갖는다. 최근 『공자가어』의 조형격인 죽간자료가 일부 출토되면서, 『공자가어』의 신빙성이 『논어』에 뒤지지 않는다는 결론이 내려졌다. 『공자가어』는 그 분량이 자그마치 『논어』의 4배가 된다. 그리고 공자사상의 다양한 면모를 엿볼 수 있는 매우 정밀한 자료들이 엄청 많이 포함되어 있다. 그 중의 하나가 바로 「애공문정」편이다. 그러니까 『논어』와 『공자가어』는 비슷한 시기에 비슷한 방식으로 편집되었다고 추정된다. 『논어』에는 짤막한 전형적인 말씀자료들이 편집되고, 그 나머지 다양한 양식의 말씀들은 『가어』로 들어갔다고 보는 것이 현재 중국학계의 지배적인 견해이다. 따라서 『공자가어』는 소박한 조기유학早期儒學을 연구하는 데 있어서 불가결의 신자료로 부상되었으며 "유학제1서儒學第一書"라는 지위를 부여받기에 이르렀다. 최근에 나는 『공자가어』를 몇 번 통독했는데, 『가어』가 대체적으로 『예기』자료보다는 훨씬 더 오리지날한 형태의 문헌이라고 생각하게 되었다. 그리고 원시유학의 모습을 이해하는 데 결정적인 단서를 제공하는 정보의 체계라는 것은 의심의 여지가 없다. 『가어』가 『맹자』보다는 더 선행하는 작품이라고 보아야 할 것이다.

「애공문정」만 해도 『가어』의 자료와 『중용』의 자료를 비교해보면 『가어』의 자료가 『중용』의 자료에 비해 더 오리지날한 형태의 담론을 보지保持하고 있다고 보여진다. 『가어』자료는 애공과 공자의 담론을 보다 발랄한 문답형식으로 처리하고 있는데 비해, 자사는 그 문답형식에 있어서 애공의 물음이 불필요하다고 생각하여 중간물음들을 제거하고 공자말을 연속시켰다. 그리고 끝부분에 가서는 대화형태의 마무리를 없애버리고 자기가 중요하다고 생각하는 철학적 논변을 공자말로 삽입시켜, 웅장하게 끝내고 있다. 이 모든 자세한 논의는 나의 『중용한글역주』에 상술되어 있다.

그리고 "성誠"과 관계되는 부분이 『맹자』에도 나오고 있는데, 하여튼 이 부분에 관한 『가어』 『중용』 『맹자』의 관계가 마가·마태·누가의 공관복음서의 로기온자료의 이동異同문제와 비슷한 양식사학의 이슈를 내포한다는 것만 알고 넘어가자.

그리고 「애공문정」의 내용은 공자가 귀로歸魯했을 때의 노나라의 군주인 애공哀公이, 정치에 관해서 공자에게 물은 것에 공자가 답하는 것이다. 애공은 삼환三桓의 횡포를 억누르려다가 실패하여 애처롭게 죽었기 때문에 "애공哀公"(비애로운 군주)이라는 시호諡號가 붙었다. 공자가 귀로했을 때 약 20세 정도의 청년군주였고(BC 494 즉위), 공자의 나이는

68세였다. 그러니까 70노인과 20대의 젊은 군주 사이의 대화라는 것을 염두에 두고 읽어야 한다. 공자가 돌아왔을 때는 그는 약 10년간 치세를 했는데 나이가 어렸기 때문에 곤혹스럽고 궁금한 일이 많았을 것이다. 그래서 당대 최고의 사상가이며 국부國父인 공자 할아버지에게 정치에 관하여 물은 것이고 거기에 대하여 매우 차분하게 공자가 정치의 모든 것을 요약하여 일러준 것이다. 『가어』에 보면 애공이 참으로 성실하고 귀엽게 공자 할아버지의 말씀을 가슴에 새겨듣는 모습이 그려져 있는데 자사는 그런 애공의 진지한 모습, 즉 긍정적인 이미지를 삭제해버렸다. 자사는 자기 할아버지 공자를 생각할 때에는 애공에 대한 아쉬움만 더 강했을지도 모른다. 이 「애공문정」의 대화는 현대 중국의 많은 젊은 학자들은 애공과 공자간에 일어났던 실제적 역사장면에 기초한 것으로 본다. 과도한 신고信古에 대한 약간의 우려도 있으나, 공자라는 인물의 역사적 위상을 아는 데 있어서 이 자료는 매우 유용한 신빙성 있는 자료라고 나는 생각한다.

이 단락에서 가장 중요한 것은 공자가 "인치人治"를 표방했다는 사실이다. 이 20장은 "인치의 케리그마"라고도 불리울 수 있는 것이다. 그 선포의 핵심은 "기인其人"이다. "기인존其人存, 즉기정거則其政擧; 기인망其人亡, 즉기정식則其政息。" 다시 말해서 아무리 정치제도가 완벽하게 이상적으로 갖추어져 있다고 해도 사람이 없으면 말짱황이라는 것이다. 사람이 있으면 그 정치가 흥할 것이요, 사람이 없으면 그 정치가 망할 것이다. 법이 아무리 잘 돼있고 헌법이 아무리 인권을 보장한다 하더라도 법해석의 주체인 법관, 그 제대로 된 사람이 없으면 법은 말짱꽝이다. 법관이기에 앞서 "사람다운 사람"이어야 하는 것이다. "그 사람其人"이라는 표현은 "중용의 덕을 구현한 사람"이라는 뜻이다. 그것은 뒤의 지知·인仁·용勇의 삼달덕三達德과 연결되고 있다. 회사가 잘 되려 해도 결국 사람이 있어야 하고, 대학이 잘 되려 해도 결국 사람이 있어야 하고, 행정이 잘 돌아가려 해도 결국 공무원이기 전에 사람다운 사람이 있어야 한다. 유교는 "사람"에게 모든 것을 건다. 이 "사람"중심의 생각이 유교의 한계일 수도 있으나 유교의 영원한 생명력이다. 지구가 자전·공전을 멈추지 않는 한 이러한 유교의 생명력은 사라지지 않을 것이다.

공자도 "인능홍도人能弘道, 비도홍인非道弘人"이라고 말했다(15-28). 사람이 주체적으로 도를 넓혀갈 수는 있으나, 도가 사람을 넓혀줄 수는 없다는 뜻이다. 이것은 사람이 하나님을 하나님다웁게 만들어갈 수는 있으나, 하나님이 사람을 사람다웁게 만들어주지는 않는다는 것이다. 내가 이 『중용』 20장의 "기인其人"과 관련하여 잘 인용하는 『순자』의 구절이 있는데, 이것은 순자가 군도君道에 관하여 언급한 것이다: "유란군有亂君, 무란국無亂國; 유치인有治人, 무치법無治法。" 세상을 어지럽히는 군주는 있으나, 세상을 어지럽히는 나라라는 것은 있어본 적이 없다. 세상을 다스리는 사람은 있으나, 세상을 다스리는 법이라는 것은 있어본 적이 없다. 다시 말해서 세상을 어지럽히는 것은 "군주"지 "나라"가 아니라는 뜻이요, 세상을 다스리는 것은 "사람"이지 "법"이 아니라는 뜻이다. 그리고 계속해서 말한다. 활의 달인인 예羿의 활쏘는 법이 사라진 적이 없으나 예를 전설처럼 말하는 것은 예와 같은 활의 명인, 그 사람이 이어지지 못했기 때문이다(羿之法非亡也, 而羿不世中). 우임금의 위대한 치법은 지금도 남아있으나 우임금과 같은 사람이 이어지지 못했기 때문에 하나라는 전설이 되고 만 것이다(禹之法猶尊, 而夏不世王). 그러므로 법이라는 것은 홀로 설 수가 없는 것이요, 인간의 세상이라는 것은 스스로 굴러가는 것이 아니다(故法不能獨立, 類不能自行). 그 사람을 얻으면 존속하는 것이요, 그 사람을 얻지 못하면 멸망하고 마는 것이다(得其人則存, 失其人則亡). 여기 바로 순자는 자사를 계승하여 "기인其人"을 말하고 있다. 순자 역시 유가의 인치사상을 계승하고 있는 것이다.

그러므로 공자는 애공 당신이 통치자로서 세상을 다스리려고 한다면 군자가 되지 않을 수 없고, 군자가 되려고 한다면 몸을 닦지 않을 수 없고(君子不可以不脩身), 몸을 닦을 것을 생각하면 어버이를 섬기지 않을 수 없고(思脩身, 不可以不事親), 어버이를 섬길 것을 생각하면 사람을 알지 않을 수 없고(思事親, 不可以不知人), 사람을 알 것을 생각하면 하느님을 알지 않을 수 없다(思知人, 不可以不知天)고 강변한다. 여기 수신의 철학이 단순히 나 개인의 몸의 "닦음"이 아니라, 그 "몸Mom" 그 자체 내에 이미 "사친事親"과 "지인知人"과 "지천知天"이라고 하는 중층적 형이상학 구조가 내재해있다고 하는 공자의 말씀은 참으로 심오한 중용의 철학을 대변해주고 있다. 내 몸을 닦는다는 것이 곧 사친事親이라는 관계그물망을 파악하는 것이요, 사친의 도덕적 관계의 파악은 곧 인간이라는 보편자에 대한 앎에 도달하는 것이요, 인간보편의 이해는 곧 하느님에 대한 앎을 포섭하지 않을 수 없는 것이다. 즉 나의 몸속에서 나는 친親, 그리고 인人, 그리고 천天을 발견해야 하는 것이다. 즉 나의 몸은 나의 몸의 생물학적 근원인 효孝의 세계이며, 그 효孝의 세계에서 인간, 그 보편을 파악하며, 우리는 인간에 대한 진정한 앎을 통해 하느님, 즉 종교적 신앙의 근원인 모든 신성Divinity, 경건성Reverence, 성스러움the Holy, 신성함the Sacred을 파지把知하는 것이다. 즉 나의 몸, 신身은 친親이요, 인人이요, 천天이요, 신神이다. 모두 운을 밟고 있는 아름다운 말들이다.

지知·인仁·용勇, 삼자는 천하의 달덕인데 그것을 행하게 만드는 것은 하나라고 말한다(所以行之者一也). 이 때의 "일一"을 우리는 뒤에 나오는 "성誠"으로 간주할 수밖에 없다. 즉 지·인·용 삼달덕의 실천을 가능케 하는 보다 본원적인 우주적 덕성이 "성誠"이라는 것이다. 그리고 또 "생이지지生而知之" "학이지지學而知之" "곤이지지困而知之"라는 인간의 "앎"에 관한 다양한 양태를 설정한다. 분명히 나서부터 아는 놈이 있고, 배우면 곧 아는 놈이 있고, 열심히 곤혹스럽게 노력해야 겨우 아는 놈이 있다. 그러나 이러한 차이는 있다 해도, 결국 "아는 데 이르러서는 하나及其知之, 一也"라고 말한다. 천재는 분명히 있지만 『중용』이 말하고자 하는 인간세에 있어서는 천재의 역할은 극소화된다. 이 세상을 이끌어가는 것은 천재가 아니라 노력하는 범용한 인간들이다. 결국 아는 데 이르러서는 아무런 차이가 없기 때문이다. 수학문제를 잘 푼다는 것은 결국 짧은 시간 내에 잘 풀어서 시험에서 좋은 성적을 낸다는 뜻이다. 그러나 하루를 걸려서도 잘 설명해주면 범용한 인간도 풀 수가 있다. 경쟁사회에 유리한 천재성이라는 것도 매우 필요한 에토스이지만 문제는 모든 사람들이 공통의 윤리적 바탕, 수학적 이성에 도달한다는 것이 더 중요한 것이다. 시험에서 한·두 점을 더 잘 받는 사람이 모인다고 그 사회가 더 훌륭한 사회가 되는 것은 아니다. 문제는 끊임없는 "노력"이요 "호학好學"이다. 이에 관하여 순자는 그의 책 「수신脩身」편에서 다음과 같은 유명한 말을 하였다: "천리마는 하루에 천리를 간다고 뽐낸다. 그러나 조랑말이라도 열심히 가기만 하면 열흘이면 같은 목적지에 너끈히 도달할 수 있다. 夫驥一日而千里, 駑馬十駕則亦及之矣。"

문제는 가는 목적지가 명확히 있느냐의 문제일 뿐이다. 아무리 천리마라도 가는 목적지를 명확히 정하지 않고 천방지축으로 날뛰기만 하다 보면 골근이 다 상하여 도중에 뒈지게 되어 있다. 사실 순자가 이 말을 했을 때는 "천리마의 존재"를 사실상 부정한 것이다. 인간세에 천리마는 존재하지 않는다. 그것은 신화일 뿐이다. 있다 하더라도 그것은 별 기능이 없다. 인간세의 참된 모습이라는 것은 조랑말들이 부지런히 자신에게 주어진 길을 착실하게 가고 있는 것일 뿐이다. 천리마처럼 보이는 사람이라 할지라도 이 조랑말들의 범용성의 위대함, 그 근원적 방향성을 파악하지 못하면 허공의 신화로 끝나버리고 마는 것이다. 이 땅에 아무런 임팩트를 주지 못하는 것이다. 아인슈타인도 성적이 좋지 못한 범용한 소년이었다는 것을 상기하자!

凡爲天下國家有九經: 曰脩身也, 尊賢也, 親親也, 敬大臣也, 體羣臣也, 子庶民也, 來百工也, 柔遠人也, 懷諸侯也。脩身

則道立，尊賢則不惑，親親則諸父昆弟不怨，敬大臣則不眩，體羣臣則士之報禮重，子庶民則百姓勸，來百工則財用足，柔遠人則四方歸之，懷諸侯則天下畏之。齊明盛服，非禮不動，所以脩身也；去讒遠色，賤貨而貴德，所以勸賢也；尊其位，重其祿，同其好惡，所以勸親親也；官盛任使，所以勸大臣也；忠信重祿，所以勸士也；時使薄斂，所以勸百姓也；日省月試，旣稟稱事，所以勸百工也；送往迎來，嘉善而矜不能，所以柔遠人也；繼絕世，擧廢國，治亂持危，朝聘以時，厚往而薄來，所以懷諸侯也。凡爲天下國家有九經，所以行之者一也。

무릇 천하天下·국國·가家를 다스리는 데는 아홉 가지 벼리가 있습니다. 그 첫째는 군주가 자기 몸을 닦는 것입니다. 둘째는 현인을 존중하는 것입니다. 셋째는 가까운 혈연을 친하게 하는 것입니다. 넷째는 대신大臣들을 공경하는 것입니다. 다섯째는 뭇 신하들을 내 몸과 같이 여기는 것입니다. 여섯째는 뭇 백성을 내 아들과 같이 여기는 것입니다. 일곱째는 다양한 기술자들이 꼬이게 만드는 것입니다. 여덟째는 먼 지방의 사람들까지도 화목하게 만드는 것입니다. 아홉째는 제후들을 회유하는 것입니다. 군주가 자기 몸을 닦으면 도道가 바르게 서게 됩니다. 현인을 존중하면 도에 관하여 미혹함이 사라집니다. 가까운 혈연을 친하게 하면 아버지 항렬의 사람들과 형제들이 모두 원망하지 않습니다. 대신大臣들을 공경하면 관료사회의 제반업무평가에 관하여 현혹됨이 없어집니다. 뭇 신하들을 내 몸과 같이 여기면 관료의 주축인 선비들의 보은報恩의 예禮가 중후해집니다. 뭇 백성을 내 아들과 같이 여기면 백성들이 서로 권면하여 선善에 힘씁니다. 다양한 기술자들이 꼬이게 만들면 재정과 쓰임이 풍요로워집니다. 먼 지방의 사람들까지 화목케 하면 사방에서 귀순하여 인구가 증가하고 국력이 탄탄해집니다. 제후들을 회유하면 천하사람들이 모두 당신의 나라를 외경스럽게 바라볼 것입니다. 첫째로 재계하여 몸과 마음을 맑게 하고 복장을 성대히 하고 예가 아니면 움직이지 아니함이 몸을 닦는 것이외다. 둘째로, 모함하는 이들을 제거하고 여색을 멀리하며, 재물을 낮게 여기고 덕德을 귀하게 여김은 현인을 권면하는 것이외다. 셋째로, 그 지위를 높게 해주고 녹祿을 두텁게 해주고 그들과 호오好惡의 감정을 같이 함으로써 융화를 꾀하는 것이 친친親親을 권면하는 것이외다. 넷째로, 높은 관직에 권위를 부여하고 그들로 하여금 부하를 스스로 부리도록 맡겨주는 것이 대신을 권면하는 것이외다. 다섯째로, 군주가 가슴으로부터 우러나오는 성의를 다하고 그 녹祿을 재질과 성과에 맞추어 정중하게 하는 것이 뭇 신하들을 권면하는 것이외다. 여섯째로, 인민을 공사公事에 징용할 때에는 함부로 하지 아니 하고 알맞은 때로써 하며 그들로부터 거두어들이는 것은 될 수 있는 대로 박薄하게 하는 것이 뭇 백성을 권면하는 것이외다. 일곱째로, 매일 일하는 것을 살펴보고 달마다 시험을 보고 월급을 그 일의 능률과 성과에 맞추어 정당하게 부여함이 백공百工을 권면하는 것이외다. 여덟째로, 가는 자를 후하게 전송하고 오는 자를 반가이 맞이하며, 능력있는 자는 잘 대접하되 능력이 없는 자라도 긍휼히 여김이 먼 지방의 사람들을 화목하게 만드는 것이외다. 아홉째로, 끊어진 세대를 이어 제사를 지낼 수 있도록 해주며, 국가기능을 상실한 나라들을 다시 흥하게 해주며, 어지러워진 나라를 다시 질서있게 만들어주고 넘어지는 나라를 다시 붙들어 잡아주며, 제후가 천자에게 자국의 상황에 관해 보고하는 조朝와 때에 맞추어 대부를 시켜 천자에게 공물貢物을 헌상하는 빙聘의 예를 너무 번거롭지 않도록 때에 맞추어 하도록 해주며, 가는 것은 후하게 하고 오는 것은 박하게 하는 것이야말로 제후를 회유하는 것이외다. 대저 천하·국·가를 다스림에 구경九經이 있으나, 그것을 실천케 만드는 그 근본은 하나입니다.

沃案 공자의 정치관을 요약한 "구경九經"의 논의를 이 단락에 독립

시켜 놓았다. "구경九經"이란 나라를 다스리는 아홉 가지 벼리, 즉 아홉 가지의 원칙적인 강령이라는 뜻이다. 이 논의가 여기에는 앞 단과 그냥 연결되어 있지만, 『가어』에는 바로 앞에 애공의 질문이 삽입되어 있다.

> 애공은 또 이렇게 물었다: "그러면 정치라는 것은 이것만 다하면 되는 것입니까?"
>
> 公曰: "政其盡此而已乎?"

그러니까 앞의 지·인·용, 그리고 "지소이수신知所以脩身" "지소이치인知所以治人" "지소이치천하국가知所以治天下國家"의 논의가 너무도 추상적이었기 때문에, 애공이 이것만 다하면 되는 것이냐고 묻자, 공자로서는 보다 구체적인 정치강령political manifesto을 제시할 필요를 느끼었던 것이다.

여기 제시한 "구경九經," 즉 아홉 개의 정치강령은 오늘날의 정치현실에 적용하여도 조금도 어긋남이 없다. "수신脩身" "존현尊賢" "친친親親" "경대신敬大臣" "체군신體群臣" "자서민子庶民" "래백공來百工" "유원인柔遠人" "회제후懷諸侯"는 최고의 통치자가 가슴에 새겨야 할 개인적·사회적·행정적·민주적·경제적·외교적 원리들을 모두 포괄하고 있다. 그리고 재미있는 사실은 이 강령이 폐쇄적인 국가개념을 전제로 하고 있지 않다는 것이다. 다시 말해서 춘추·전국시대의 국가라는 것은 국경의 개념이 명료하지 않았으며, 인구의 이동이 자유로웠으며, 기술자나 유세객, 그리고 정치적 인재들의 왕래가 비교적 자유롭게 이루어졌던 매우 느슨한 복합체였다. 따라서 좋은 정치를 한다는 것은 인구와 인재가 저절로 사방에서 모여들게 만드는 것을 의미했다. 20세기 미국이 세계문명의 주축이 될 수 있었던 것도 사방에서 이민과 인재가 모여들었기 때문에 가능했던 일이었다. 히틀러의 억압이 미국의 발흥을 가져왔다 해도 과언이 아닐 것이다. 그것은 부정적인 억압과 자유의 역학관계일 뿐 아니라, 무엇보다는 미국이 짧은 역사를 통하여 갖추어 놓은 사회의 모습이 인간이라면 누구든지 한번 가서 살고 싶은 욕망이 끓어오르도록 도시의 구조와 자유로운 삶의 환경을 조성해놓았기 때문이었다. 그 "아메리칸 드림American Dream"이 지금은 "인류의 재앙the disaster of the human race"으로 흉물화되고 있다는 것이 우리가 살고 있는 세계의 비극인 것이다. 여기 공자가 말하는 구경九經의 이상국가*politeia*는 플라톤이 말하는 철인왕의 이상국가보다는 훨씬 더 현실적이고, 비관념적이며, 보편주의적이고, 조화롭고, 개방적이며 관용주의의 원칙을 지키고 있다.

우선 가장 눈에 띄는 것은 "존현尊賢"이 "친친親親" 앞에 왔다는 사실이다. 정치는 "천하위공天下爲公"의 원칙을 지켜야 하며, "천하위가天下爲家"가 되어서는 아니 된다(「예운禮運」). "친친"은 주관적 감정관계이며 "존현"은 객관적 정치행위이다. "친親"은 주어져 있는 것이지만, "현賢"은 애써 발견해야 할 대상이다. 현인을 현인으로서 대접하고 숭상하고 활용하는 사회, 이것이 바로 정치의 제1번지인 것이다. 한말의 유의儒醫인 이제마李濟馬, 1837~1900가 천하의 악惡이 투현질능妬賢嫉能보다 더 심한 것이 없고, 천하의 선善이 호현낙선好賢樂善보다 더 큰 것이 없다고 한 것은 바로 이러한 『중용』의 사상을 계승한 것이다(天下之惡莫多於妬賢嫉能, 天下之善莫大於好賢樂善). 그는 의사였지만 약으로만은 세상을 구할 수 없으며, 오직 현인을 현인으로서 대접하고 선인을 즐거워하는 사회적 치방治方이야말로 천하의 대약大藥이라고 선포하였던 것이다: "천하가 병을 얻는 것은 모두 투현질능에서 온다. 천하가 병에서 치료되는 것은 모두 호현낙선에 기인한다. 투현질능이야말로 천하의 다병多病이요, 호현낙선이야말로 천하의 대약大藥이다. 天下之受病都出於妬賢嫉能, 天下之救病都出於好賢樂善。妬賢嫉能, 天下之多病也; 好賢樂善, 天下之大藥也。"

참으로 호방한 대인의 속시원한 말이라 하겠으나, 현자를 질투하고 능력있는 자를 억압하던 구한말의 정세가 얼마나 극심했는가, 그 참상에 우리는 눈을 떠야 할 것이다. 구한말의 이러한 동무東武의 비탄이 오늘날의 정가를 바라보는 심정과 동일하다고 한다면 과연 인간의 역사에서 무슨 진보를 운운할 것이냐?

나 역시 한때 대의大醫가 되고자 하는 꿈을 꾸었으나 내가 환자가 심하게 몰려드는 나의 클리닉의 정점에서 그 문을 닫은 것은 동무東武의 영향도 없지 않았다. 병든 자의 구병救病도 중요하지만 병들지 않은 자의 방병防病도 중요하고, 병든 개인의 구원도 절박하지만 병든 사회의 구원은 더 절박한 것이다. 미친놈이 차를 몰고 사람을 마구 치어대는데, 뒤따라가면서 치료만 하기보다는 우선 그 운전대를 뺏어야 한다는 독일 신학자 본회퍼Dietrich Bonhoeffer, 1906~1945의 절규를 우리는 망각해서는 아니 된다. 본회퍼는 교회가 세계를 위하여 존재해야 한다고 생각했으며, 그리스도교는 비종교적으로 해석되어야 한다고 주장했다. "하나님 앞에서 하나님 없이" 행동해야 한다는 역설적인 케리그마를 외치며 그는 히틀러에게 총부리를 겨누었다. 그는 1945년 4월 9일 이른 아침에 39세라는 젊은 나이로 처형되었다.

구경九經의 첫 2 항목만 해도 이미 플라톤이 말하는 "철인왕Philosopher King"의 모든 것을 포섭하는 "내성외왕內聖外王"의 모습이라 할 것이다.

수 신 脩 身	존 현 尊 賢
내 성 內 聖 Philosopher	외 왕 外 王 King

13절에서 14절로 넘어갈 때에도 애공의 질문이 있다. 공자가 구경의 대강을 말하자, "그러나 무슨 수로 이런 일을 다 실천합니까?爲之奈何?"하고 묻는다. 공자는 이에 대하여 실천방안을 설명해주는 것이다. 따라서 구경은 텍스트 그 자체로써 이미 공자에 의한 설명을 내포하므로 나의 구구한 설명을 필요로 하지 않는다. 그러나 제일 마지막에 "후왕이박래厚往而薄來"라 한 구절은 제국주의를 지향하는 대국이 꼭 지켜야 할 덕성을 선포하는 것으로, 매우 중요한 공자의 언급이다. 실상 중국의 제국주의는 과거로부터 어느 정도 이러한 너그러움을 지켜왔다. 세계질서는 어차피 대국과 소국이 있게 마련이다. 강대국과 약소국이

있게 마련이다. 그리고 세계질서의 바른 구심점 역할을 하는 강대국은 세계국제역학질서에 있어서 요청되는 사태일 수도 있다. 그런데 강대국은 반드시 약소국에 대하여 "후왕이박래厚往而薄來" 해야 한다. 가는 것을 후하게 하고 오는 것을 박하게 한다는 뜻이다. 과거로부터 조선은 중국과 조공관계를 유지했지만, 중국은 조선으로부터 받은 것보다 더 후하게 준다고 하는 원칙을 지켰다. 공자-자사의 위대한 영향이라 아니 할 수 없다. 『노자』에도 이런 말이 있다: "대국은 아랫물이다. 그래서 하늘 아래의 모든 윗물이 흘러들어 오는 곳이며, 하늘 아래의 모든 숫컷이 모여드는 암컷이다. 大國者下流, 天下之交, 天下之牝。"

오늘날 미국의 쇠퇴는 바로 미국이 하류下流가 되기를 거부하고 상류上流가 되려는 그릇된 욕심에 사로잡혀 있다는 데 있다. 그러함으로써 자신을 왜소하게 만드는 것이다. 쇠고기파동을 보든지, FTA협정에 임하는 태도를 보든지, 한국땅을 군사기지로 활용하는 자세를 보든지 "박왕이후래薄往而厚來"하는 무기탄無忌憚의 착취를 서슴치 않는 것이다. 중국이 만약 미국의 전철을 반복한다면 중국은 세계 리더로서의 소망을 갖기 어려울 것이다.

마지막에 "소이행지자일야所以行之者一也"의 "일一"은 역시 "성誠"이라고 해석할 수밖에 없다는 데 주석가들의 의견이 일치한다. 천하국가를 다스리는 대원칙인 구경九經을 실천케 만드는 그 궁극적 도덕성이 우주적인 "성誠"에 있다고 말함으로써 정치와 도덕과 자연을 융합시키고 있다.

제20장 속에서 "일야一也"라는 표현이 4번 나온다. 첫째와 마지막 "일一"은 "성誠"을 지시한 것이고 중간 두 개의 "일一"은 범용을 예찬한 것이다. 그 내면의 궁극적 뜻은 상통하는 바가 있다고 할 것이다.

凡事豫則立, 不豫則廢。言前定則不跲, 事前定則不困, 行前定則不疚, 道前定則不窮。在下位不獲乎上, 民不可得而治矣。獲乎上有道, 不信乎朋友, 不獲乎上矣; 信乎朋友有道, 不順乎親, 不信乎朋友矣; 順乎親有道, 反諸身不誠, 不順乎親矣; 誠身有道, 不明乎善, 不誠乎身矣。誠者, 天之道也; 誠之者, 人之道也。誠者, 不勉而中, 不思而得, 從容中道, 聖人也。誠之者, 擇善而固執之者也。博學之, 審問之, 愼思之, 明辨之, 篤行之。有弗學, 學之弗能弗措也; 有弗問, 問之弗知弗措也; 有弗思, 思之弗得弗措也; 有弗辨, 辨之弗明弗措也; 有弗行, 行之弗篤弗措也。人一能之, 己百之; 人十能之, 己千之。果能此道矣, 雖愚必明, 雖柔必强。"

모든 일은 사전에 미리 성실한 바탕 위에서 단속하면 확고하게 서고, 미리 단속함이 없이 무방비 상태로 임하면 낭패를 봅니다. 인간의 언어는 미리 잘 생각해놓으면 차질이 없고, 일도 미리 잘 준비해놓으면 곤혹스럽지 아니 하고, 행동도 미리 방침을 잘 세워놓으면 병폐가 없습니다. 도道야말로 미리 갈 곳을 잘 정해놓으면 샛길로 빠져 막다른 골목에 부닥치는 그런 궁색한 일이 없게 되는 것입니다. 그러므로 아랫자리에 있으면서 윗사람에게 신임을 얻지 못하면 백성을 다스릴 기회를 얻지 못할 것입니다. 윗사람에게 신임을 얻는 것은 방법이 있으니, 먼저 친구들에게 신임을 받지 못하면 윗사람에게도 당연히 신임을 얻지 못하는 것입니다. 친구들에게 신임을 받는 것은 방법이 있으니, 먼저 부모님께 효순하지 못하면 친구들에게도 당연히 신임을 받지 못하는 것입니다. 부모님께 효순하는 것은 방법이 있으니, 자기 몸에 돌이켜보아 성실하지 못하면 부모님께도 당연히 효순할 수 없는 것입니다. 자기 몸을 성실하게 하는 것은 방법이 있으니, 선善을 명료하게 인식하지 못하면 몸을 성실하게 할 길이 없을 것입니다. 성誠 그 자체는 하느님의 도道입니다. 성誠해지려고 노력하는 것은 사람의 도道입니다. 성誠 그 자체는 힘쓰지 않아도 들어맞으며, 고민하며 생각하지 않는데도 얻어지며, 마음을 탁 놓고 편안하게 있는데도 도에 들어맞으니 이것이야말로 성인聖人의 경지라 할 수 있지요. 성誠해지려고 노력한다는 것은 선善을 택하여 굳게 잡고 실천하는 자세이니 보통 사람의 경지라 할 수 있지요. 널리 배우십시오. 자세히 물으십시오. 신중히 생각하십시오. 분명하게 사리를 분변하십시오. 돈독히 행하십시오. 배우지 않음이 있을지언정, 배울진대 능하지 못하면 도중에 포기하지 마십시오. 묻지 않음이 있을지언정, 물을진대 알지 못하면 도중에 포기하지 마십시오. 생각하지 않음이 있을지언정, 생각할진대 결말을 얻지 못하면 도중에 포기하지 마십시오. 분변하지 않음이 있을지언정, 분변할진대 분명하지 못하면 도중에 포기하지 마십시오. 행하지 않음이 있을지언정, 행할진대 독실하지 못하거든 도중에 포기하지 마십시오. 남이 한 번에 능하거든 나는 백 번을 하며, 남이 열 번에 능하거든 나는 천 번을 하십시오. 과연 이 호학역행好學力行의 도道에 능하게만 되면, 비록 어리석은 자라도 반드시 현명해지며, 비록 유약한 자라도 반드시 강건하게 될 것입니다."

沃案 여기서 그 유명한 "성誠"론이 최초로 등장하고 있다. 제20장을 문자 그대로 공자와 애공과의 문답으로서 받아들인다면, "성론誠論"의 핵심이 이미 공자에게서 형성된 것이라고 보아야 할 것이다. 이 문제는 매우 논란의 여지가 있다. 왜냐하면 『논어』에 철학적 성찰로서의 "성

誠"에 관한 개념이 전혀 엿보이지 않기 때문이다. 아마도 이 부분은 공자의 말씀자료의 성격을 빌은 자사의 창작이라고 보는 것이 더 역사적 정황에 맞을 것 같다. 하여튼 여기 "성誠"이 등장하는 맥락은 크게 보아 구경九經과의 상관된 맥락이다.

아래 있는 자가 윗사람의 신심을 획득하려면 친구에게 믿음을 얻을 수 있어야 하며, 친구에게 믿음을 얻을 수 있으려면 당연히 먼저 부모님께 효순하는 사람이어야 하며, 부모님께 효순하는 사람은 반드시 자기 몸에 돌이켜보아 성실함이 있어야 한다. 여기 "성신誠身"이라는 개념이 등장한다. 그 뜻은 자신의 몸을 성실하게 한다는 뜻이다. 결국 "성誠"이 최초로 언급된 맥락은 내 몸의 성실함이다. 몸Mom, 그 자체를 성誠의 구현체로서 파악하는 것이다. 그러나 공자는 성誠을 어디까지나 인간의 윤리적 맥락ethical context에서 언급한 것이다. 이 윤리적 맥락을 자사는 우주론적 맥락cosmological context으로 확대시킨 것이다. 이 확대를 위하여 이미 자사는 귀신장(제16장)에서 귀신의 성실함으로서 "성誠"을 논하였던 것이다. 그러니까 『가어』 「애공문정」에 나오는 A자료와 B자료를 활용하여 자사는 제21장부터의 성誠의 우주론적·심성론적 결구를 구성한 것이라고 볼 수 있다.

"성자誠者"는 성 그 자체이다. 그래서 그것을 하늘의 길, 하느님의 길天之道이라고 말한 것이다. 칸트의 말을 빌리면 그것은 물자체Ding-an-sich를 의미할 것이다. 그러나 공자-자사의 물자체는 칸트처럼 초월적이지 않다. 우리의 윤리적·일상적 체험의 세계와 연속성을 지닌다.

"성지자誠之者"는 성誠해지려고 노력하는 과정Process이다. "지之"는 앞의 말을 동사화시키는 작용이 있다. 그러니까 "성자誠者"는 성 그 자체이며 하느님 그 자체이다. 그것은 우주의 신성Divinity 그 자체이다. 그러나 "성지자誠之者"는 성해지려고 끊임없이 발버둥치는 인간의 노력이다. 그래서 그것을 "사람의 길人之道"이라고 말한다. 인생이란 무엇인가? 인생이란 결국 성誠이라는 종착역을 향해 칙칙폭폭 끊임없이 달려가는 성지誠之호 열차의 모습이다. 그 종착역에 도달할지 안 할지는 여기 질문의 대상이 되질 아니 한다. 왜냐 열차는 달리는 한에 있어서만 열차이기 때문이다. 열차는 과정Process이다. 인생은 과정이다. 인생의 목적이란 그 과정에 내재하는 것이다. "성자誠者"는 "성지자誠之者"에 내재하는 것이다.

그런데 공자는 이 성誠과 성지誠之의 관계를 우주론적으로 확대시키지 않고 인간의 주체적 도덕성의 완성이라는 측면에서 다시 설명한다. "성자誠者"는 불면이중不勉而中하고, 불사이득不思而得하고, 종용중도從容中道하는 성인의 경지이다. 그러나 "성지자誠之者"는 택선이고집지擇善而固執之 하는 범용한 인간의 노력이다. 성인의 경지는 천天의 경지요, 선善을 택하여 고집하는 범용한 사람의 경지는 인人의 경지이다. 그러나 인人과 천天의 거리는 결코 멀지 않다. 인은 끊임없이 박학博學, 심문審問, 신사愼思, 명변明辨, 독행篤行하면 천天의 경지로 나아갈 수 있다. 박학과 심문을 합쳐서 우리가 쓰는 학문學問이라는 단어가 생겨났고, 신사와 명변을 합쳐서 우리가 쓰는 사변思辨이라는 단어가 생겨난 것이다. 학문과 사변은 지知의 세계이고 독행篤行은 행行의 세계이다. 지행

합일의 노력하는 과정 그 자체가 결국 인간을 하느님으로 만든다. 남이 한 번에 능하다고 하면 나는 백 번을 하라! 남이 열 번에 능하다고 하면 나는 천 번을 하라! 인일능지기백지人一能之己百之, 인십능지기천지人十能之己千之! 어려서부터 내 인생의 좌우명이었다. 나는 형제들에게서 항상 "돌대가리"라는 소리를 들었다. 공부 잘하는 조카들에 비교해봐도 나는 확실히 돌대가리였다. 그러나 나는 노력했다. 주변의 사람들에 비해 천 배의 노력이라도 마다하지 않았다. 그래서 내 호가 "돌대가리"를 뜻하는 "도올=돌"이 된 것이다. 중용의 도에만 능할 수 있다면, 그토록 치열하게 노력하고 능구能久할 수 있다면, 아무리 어리석은 자라도 반드시 명석해질 것이며雖愚必明, 아무리 유약한 자라도 강하게 될 것이다雖柔必强! 중용 만세!

곡부에서 공자시절의 그 모습으로 남아있는 것을 찾기란 매우 어렵다. 그러나 여기 남아있는 밋밋한 토성土城은 삼환三桓이 발호하던 시절의 역사적 자취를 그대로 전해준다. 풍납토성 비슷하게 생겼다. 공자도 애공도 이 토성을 보았을 것이다.

第二十一自誠明章

zì chéng míng wèi zhī xìng zì míng chéng wèi zhī jiào chéng
自誠明，謂之性；自明誠，謂之教。誠
자 성 명 위 지 성 자 명 성 위 지 교 성

zé míng yǐ míng zé chéng yǐ
則明矣，明則誠矣。
즉 명 의 명 즉 성 의

沃案 여기서부터 소위 자사의 성론誠論이 본격적으로 시작된다. 그러니까 21장은 자사성론子思誠論의 총론이라고 말할 수 있다. 앞서 지적했듯이 제1장의 총론과 "성性"과 "교敎"라는 개념이 오버랩되고 있다. 주희도 이 장이, 공자가 앞 장에서 "성자誠者"를 "천도天道"라 보았고, "성지자誠之者"를 "인도人道"라 보았다는 사실에 근거하여, 천도와 인도의 핵심을 같이 말한 총론장이라고 규정하고, 제22장에서 32장까지 11개의 장은 모두 자사의 입론立論이며, 그것은 바로 이 장의 내용을 반복하여 추명推明(미루어 밝힘)한 것이라고 보았다. 따라서 다음 11개 장은 천도나 인도 그 중 하나만을 번갈아 말한 것으로 본다.

21장	천도天道	22장	24장	26장			30장	31장	32장	33장 『중용』 전편의 요약
	인도人道	23장	25장	27장	28장	29장				

제21장【자성명장 自誠明章】

성誠에서부터 명明으로 구현되어 나아가는 것을 성性이라 일컫고, 명明에서부터 성誠으로 구현되어 나아가는 것을 교敎라고 일컫는다. 성誠하면 곧 명明해지고, 명明하면 곧 성誠해진다.

주희가 『중용』이라는 텍스트를 시스테마틱하게 보려는 태도는 가상하지만 과연 22~32장의 내용을 그렇게 천도와 인도로 나누어 볼 수 있는지에 관해서는 나는 크게 공감할 수가 없다. 결과적으로 그렇게 규정할 수 있을지는 몰라도 자사가 그런 의식을 가지고 텍스트를 안배安排하였다고 생각할 수는 없다.

이 장의 첫 구절에 대한 레게의 번역은 다음과 같다.

> When we have intelligence resulting from sincerity, this condition is to be ascribed to nature; when we have sincerity resulting from intelligence, this condition is to be ascribed to instruction.

그리고 윙칫 찬의 번역은 다음과 같다.

> It is due to our nature that enlightenment results from sincerity. It is due to education that sincerity results from enlightenment.

그리고 플라크스 교수의 번역은 다음과 같다.

> When one's path of cultivation proceeds from integral wholeness to conscious understanding, this can be attributed to the predisposition of inborn nature; if, however, it proceeds from conscious understanding to integral wholeness, this must be attributed to the effects of moral instruction.

이 삼자의 번역이 표현은 좀 다르기는 해도 그 심층구조에 있어서 크게 다르지는 않다. 번역술어를 비교하면 다음과 같다.

술어 / 번역자	성誠	명明	성性	교敎
James Legge	sincerity	intelligence	nature	instruction
Wing-tsit Chan	sincerity	enlightenment	our nature	education
Andrew Plaks	integral wholeness	conscious understanding	the predisposition of inborn nature	the effects of moral instruction

"자성명自誠明"은 문자 그대로 번역하면 "성誠으로부터 밝아진다"는 뜻이고, "자명성自明誠"은 "명明으로부터 성실해진다"는 뜻이다. "자自"는 "from"의 뜻이다. 나는 "자성명自誠明"을 "성誠으로부터 명明으로 간다" 즉 "성誠에서부터 명明으로 구현되어 나아간다"라고 번역했고, "자명성自明誠"은 "명明으로부터 성誠으로 간다" 즉 "명明에서부터 성誠으로 구현되어 나아간다"라고 번역했다. 이것은 내가 대학교 때(21세) 처음 『중용』을 읽었을 때 이해한 방식으로 번역한 것이다. 텍스트에서 처음 받은 느낌은 평생을 간다.

여기 앞 장의 논의와 관련지으면, "성誠"은 "성자誠者"에 상응하고 "명明"은 "성지자誠之者"에 상응한다고 볼 수 있다. 사실 "명明"에 관해서는 우리가 "문명文明"이라는 말을 쓰지만, "밝음"이란 항상 인간세상의 "밝음"과 관련되어 있다. 동서고금의 옛 사람들이 모두 혼돈의 자연은 "어두움"이라고 생각했고, 그 어두움으로부터 밝은 질서(코스모스*kosmos*)를 만들어 놓은 것은 "문명"이라고 생각했다. "문명"은 인간의 "언어"와 항상 깊은 관련이 있다. 그런데 요한복음의 저자 요한은 이 인간세상의 문명질서야말로 "어두움"(스코티아*skotia*)이라고 생각했고, 예수인 로고스Logos야말로 진정한 "밝음"이라고 생각했다. 문명에 대한 긍정이 없고 저주로써 사유가 시작되는 것이다. 현세를 저주해야만 "천당"을 팔아먹을 수 있는 논리적 근거가 마련되는 것이다. 그런데 재미있는 것은 자사는 보통 모든 고대문명의 사람들이 "어두움"으로 파악한 천지자연을 부정적으로 파악한 것이 아니라, "성誠의 질서"(the Cosmos of *Cheng*)로 파악한다는 것이다. 그것은 "어두움"이 아니라 우리 인간세 "밝음"의 본원이다.

세계들 / 동서차이	**천지자연**	**인간문명**	**천당세계**
기독교 Christianity	어두움 *skotia*	어두움 *skotia*	밝음, 빛 *phōs*
유교 Confucianism	성誠	밝음明	천당은 따로 없다 fiction

그러니까 성誠에 기반하여 명明으로 나아가는 인간이라는 코스모스의 측면을 "성性"이라 하고 명明을 기반으로 하여 성誠으로 나아가는 인간이라는 코스모스의 측면을 "교教"라고 한다는 뜻이다. 여기서 성誠, 명明, 성性, 교教는 측면의 차이the difference between aspects일 뿐이지 모두 부정적인 함의를 지니고 있질 않다. 그것은 너무도 당연하다. 유교에는 구원론salvation theory이 없다. 신독의 위성론爲聖論the Theory of Becoming Sage만 있을 뿐이다. 어둠에서 밝음으로 가는 것이 아니라, 성誠이라는 위대한 자연의 질서에서 밝음明을 창출하는 끊임없는 적극적·긍정적 창조의 과업만 있을 뿐이다(盛德大業, 至矣哉! 富有之謂大業, 日新之謂盛德, 生生之謂易!). 그러니까 더 간결하게 직접적으로 말하면 "성性"이란 자연에서 문명으로 가는 과정과 관련되고, "교教"라는 것은 문명에서 자연으로 가는 과정과 관련되는 것이다. 다시 말해서 우리는 끊임없이 천명天命을 받을 수 있는 개방적인 성性nature이 있기 때문에 자연으로부터 문명을 창출해낼 수 있고, 또 이미 문명에 소속해 있는 인간은 끊임없이 교육education을 통하여 자연으로 회귀해야 하는 것이다. 그러

므로 인간은 성誠과 명明, 즉 자연과 문명의 거리를 항상 좁혀나가야 하는 것이다. 그러니까 "성性의 과정Process of Nature"과 "교敎의 과정Process of Education"은 항상 동시적이며 중층적이며 오버랩되는 것이다. 이것을 "성즉명의誠則明矣, 명즉성의明則誠矣"라고 표현한 것이다.

현대의 모든 산업사회의 교육은 명明으로부터 성誠을 지향하지 않고, 더 말단의 명明만을 지향한다는 데 문제가 있는 것이다. 그런 의미에서 플라크스Andrew Plaks가 성誠을 "integral wholeness"라고 번역한 것은 일리가 있다. 유기체의 본래적인 온전한 전체모습이라는 뜻이다.

우리는 "유교"하면 "꼴보수"라는 생각을 갖기 쉽다. 그러나 조선왕조에서 크게 득을 보고 살았던 양반들의 상당수가 을사늑약, 경술국치를 당하는 과정에서 용감하게 국난을 극복하는데 헌신했다. 그만큼 유교는 우리민족에게 정의감을 심어주었던 것이다. 안동지역의 깨인 유생들은 격렬하게 일제에 항거했는데 그 시발점의 하나가 바로 의성김씨 대종택이 있는 내앞마을(川前里)에 자리잡고 있는 협동학교協東學校이다. 동산東山 유인식柳寅植, 의성김씨 종손 김병식金秉植, 만주벌 호랑이 김동삼金東三 등이 합심하여 만든 이 학교는 우리나라 구국계몽운동의 중요한 센터였다. 1910년 7월 18일 보수세력이 이 학교의 교감 등 3인을 살해하는 사건이 발생, 전국적 파문을 일으켰다. 협동학교의 지속적 깨우침은 안동지역에서 위대한 독립운동가들이 배출되는 응집력의 한 요소가 되었다. 안동에 가면 백하구려白下舊廬 협동학교를 꼭 찾아가 보라!

第二十二天下至誠章

wéi tiān xià zhì chéng wéi néng jìn qí xìng néng jìn qí xìng zé
唯天下至誠,爲能盡其性;能盡其性,則
유 천 하 지 성 위 능 진 기 성 능 진 기 성 즉

néng jìn rén zhī xìng néng jìn rén zhī xìng zé néng jìn wù zhī
能盡人之性;能盡人之性,則能盡物之
능 진 인 지 성 능 진 인 지 성 즉 능 진 물 지

xìng néng jìn wù zhī xìng zé kě yǐ zàn tiān dì zhī huà yù
性;能盡物之性,則可以贊天地之化育;
성 능 진 물 지 성 즉 가 이 찬 천 지 지 화 육

kě yǐ zàn tiān dì zhī huà yù zé kě yǐ yú tiān dì cān yǐ
可以贊天地之化育,則可以與天地參矣。
가 이 찬 천 지 지 화 육 즉 가 이 여 천 지 참 의

沃案 인류에게서 종교가 생겨난 것은 제1차적으로는 "상징언어" 덕분이다. 상징언어가 없고 싸인언어sign language만 있는 동물에게는 종교라는 것이 없다. 그런데 언어와 결부되는 인간의 원초적 종교감정은 "공포," "두려움Fear"이다. 원시인에게 자연은 두려움의 대상이었다. 우리도 산 속에 홀로 있으면, 웬지 엄습하는 두려움을 느낀다. 이 두려움의 감정이 언어와 결합되면, 우리에게 두려움을 일으키는 감정의 주체는 언어화(개념화)되어 독자적인 생명력을 갖는다. 그런 "공포관념Fear Concept"이 결국 "하나님"이라는 것이다. 그러나 인지가 발달

제22장【천하지성장天下至誠章】

오직 천하의 지극한 성誠이라야 자기의 타고난 성性을 온전히 발현할 수 있다. 자기의 타고난 성性을 온전히 발현할 수 있게 되어야 타인의 성性을 온전히 발현케 할 수가 있다. 타인의 성을 온전히 발현케 할 수 있어야 모든 사물의 성性을 온전히 발현케 할 수 있다. 모든 사물의 성을 온전히 발현케 할 수 있어야 천지의 화육化育을 도울 수 있다. 천지의 화육을 도울 수 있어야 비로소 천天과 지地와 더불어 온전한 일체가 되는 것이다.

하고, 언어가 하나의 약속체계일 뿐이라는 생각이 생겨나면, 공포의 주체인 하나님이라는 언어만으로 인간을 공갈협박하기는 어려워진다. 그러나 이미 신을 대행하여 인간들에게 "공포주기"를 지속시키는 제사장계급들은 그 "공포신Fear God"으로부터 획득한 권위의 근원적 붕괴를 허락하지 않는다. 그래서 공포관념으로서의 하나님을 좀더 비노골적이고 의젓한 하나님으로 제품을 변화시키려고 노력한다. 그 새로운 제품이 대강 인간세의 도덕성을 보장하는 근거로서의 "도덕적 하나님Moral God"이다. 그래도 이 "도덕적 하나님" 덕분에 기독교를 비롯한 대부분의 고등종교라 하는 것들이 밥먹고 살 수가 있었다. 이러한 "도덕적 하나님"을 칸트는 『실천이성비판』의 한 주제로 삼고 있는데, 아무리 실천이성의 요청으로서의 도덕적 하나님을 말해도 그것은 초월적 픽션에 지나지 않는 것이다.

그러나 중국인들은 주나라 이후부터 이미 인간의 도덕을 하나님이라는 초월적 픽션으로써 보장받을 생각을 하지 않았다. 인간의 도덕은 오직 인간의 주체적 행위의 문제이며, 사르트르가 말하는 바 실존이 본질에 앞선다는 생각은 실존주의의 기발한 명제가 아니라 인간의 너무도 너무도 당연한 상식에 속하는 것이었다.

인간의 종교는 "도덕적 하나님"이라는 관념으로부터 한 차원 더 진화하지 않으면 아니 된다. 이 새로운 차원의 하나님이 곧 "천지론적 하나님Tian-di Cosmological God or Cosmic God"이라는 것이다. 이것은 매우 이해하기가 어렵지 않다. 예를 들면, 물리학자들이 우주에 관한 근원적인 법칙을 발견할 때, 그것이 대개 수리적인 가설에 기초해 있다는 이유로 우리는 그것을 "객관적 법칙objective law"으로서만 생각한다. 그러나 그것은 결코 객관적이지 않다. 아무리 객관적이라고 해도 그것은 이미 우리의 언어를 통하여 규정된 것이며, 우주 그 자체는 아니다. 우주에 대한 인간의 약속체계일 뿐이다. 그러니까 사실 과학법칙도 그 본질에 있어서는 "예술"과 크게 다르지 않다. 그것은 인간이 자연自然이라는 캔버스에 그리는 그림과도 같은 것이다. 그러나 피카소와 아인슈타인의 그림이 다른 것은 피카소는 임의성을 지니는 데 반하여 아인슈타인은 임의성을 지니지는 않는다는 것일 뿐이다. 인간이 개발한 보편언어에 의한 일반법칙과의 관련성 속에서 가장 일반적인 형태의 가설이어야 하기 때문이다. 그러나 이러한 과학법칙이 그려내는 자연의 모습은, 그 자체로 "객관"이라고 말해버리기에는 너무도 정교하고 아름답고 웅장하고 성스러운 것이다. 그 법칙 그 자체가 우리에게 숭고한 감정을 자아내는 외경의 대상이 될 수 있는 것이다. 더구나 그것이 물리적 법칙만을 대상으로 삼는 것이 아니라, 물리物理에서부터 출발한 생리生理의 세계를 대상으로 삼을 때, 그 외경심은 말할 수 없이 복잡한 차원의 언어와 감정을 생산한다. 우주를 물리학적으로 보든, 화학적으로 보든, 생물학적으로 보든, 그것은 결국 하나의 생명일 뿐이다. 이 거대한 온생명이 어떠한 법칙을 가지고 있든지간에 그것이 일반법칙으로서 보편성과 특수성을 지닐 때, 우리는 그것을 단순히 "객관"이라고만 말할 수 없다. 자연의 법칙, 그 자체가 외경의 대상이며, 하나님이 되어야 한다는 것이다. 자사는 이 "자연의 법칙"을 "성실하다"라는 말로 표현한다. 천지의 모든 움직임은 성실하다는 것이다. 세부적인 면에서 우리는 그것에 대해 유감을 가질 수도 있지만(『중용』 부부지우장) 전체적으로 보면 그것은 항상 성실하다는 것이다. 따라서 자사에게 있어서는 자연의 법칙 그 자체가 종교적 경건성의 대상이며 인륜도덕의 법칙이며 심미적 찬탄의 대상이며 인간문명의 모든 가치의 궁극적 기준이 된다. 다시 말해서 자사의 "성誠"이라는 개념은 과학과 종교와 윤리와 미학과 정치적 가치를 통합하는 것이다. 이런 사상은 참으로 서양인들에게는 있어본 적이 없다. 인간Man과 자연Nature과 신God이 뿔뿔이 흩어져 있기 때문이다.

"성誠"은 형용사인 동시에 명사이다. 즉 하나님이라는 명사는 그 본질에 있어서 형용사라는 것이다. 주부가 따로 존재하는 것이 아니라, 술부 속에 내재하는 것이다.

따라서 여기 "천하지성天下至誠"이라는 것은 인간으로서 우주적인 지극한 성誠의 가치를 온몸에 구현한 자를 가리킨다. "천하天下"란 인간세를 가리키는 것이다. 지성至誠하면 자기의 성을 다 발현할 수 있고能盡其性, 나아가 타인의 성을 다 발현할 수 있고能盡人之性, 더 나아가 물의 성을 다 발현할 수 있다能盡物之性. 물의 성을 다 발현할 수 있으면 천지의 화육化育을 도울 수 있고, 천지의 화육을 도울 수 있게 되면 곧 천지와 더불어 삼위일체를 이루게 된다可以與天地參矣. 마지막의 "與天地參"은 "여천지삼"으로도 "여천지참"으로도 읽을 수 있다. 천天과 지地와 더불어 삼위일체가 된다고 말할 수도 있고, 또 천지와 더불어 같이 만물의 화육에 참여한다는 뜻으로 새길 수도 있는 것이다. 나는 "참"을 선호한다.

제22장(천하지성장)은 『중용』에서 가장 인용빈도수가 높은 장이다. 그러나 이 장의 메시지는 도가의 입장에서는 비판의 대상이 된다. 인간이 천지의 화육을 좌지우지할 수 있는 것과도 같은 착각을 인간에게 심어줄 수도 있기 때문이다. 너무 인간을 오만하게 그렸다는 것이다. 그러나 여기 인간은 자연의 정복자가 아니라, 대자연의 일체一體이며, 대자연의 생명의 약동의 찬자贊者일 뿐이다. 따라서 도가사상가들이 염려하는 그러한 오류는 여기 부재하다. 단지 유가는 인간의 문명의 파워가 너무 극대화되어 천지자연을 파괴할 수도 있기 때문에, 인간이 자신의

문명에 대하여 끝까지 책임을 져야 한다는 도덕적 권유를 포기하지 않는다. 도가는 인간에게 우주 경영자로서의 권한이나 자격을 부여하지 않는 데 반하여, 유가는 인간에게 우주 경영자로서의 권한, 자격, 책임을 부여하는 것이다.

서양의 삼위일체Trinity는 성부Holy Father, 성자Holy Son, 성신Holy Spirit인데 우리 전통 속의 삼위일체는 하늘Heaven, 땅Earth, 인간Man이라는 이 엄연한 사실도 기억하고 넘어가자! 성부, 성자, 성신이 한 몸이 되는 것이 좋을까, 하늘, 땅, 인간이 한 몸이 되는 것이 좋을까? 이 땅의 젊은이들이 두고두고 비교해서 생각해주었으면 한다.

북간도 화룡 청산소학교 구지. 현대사에 대한 인식을 결여한 인간은 고전을 공부할 자격이 없다. 현대사는 "나"의 기점起点이다. 한국사람에게 있어서 현대사는 일제침략사에 대한 반성이다. 이 반성이 없는 자들은 한국인이라 말할 수 없다. 청산리대첩은 일본정규군을 1,200명이나 사살한 세계전투사에 혁혁히 빛나는 우리 독립군의 쾌거이지만(1920년 10월), 그것은 그 지역에 살고 있던 조선동포 주민들의 소리없는 지원으로만 가능한 일이었다. 그리고 일제는 그 대첩의 보복으로 청산리일대의 한인마을을 무자비하게 초토화시켰다. 청산리대첩비가 서 있는 곳 부근에 스러진 청산리소학교의 옛 팻말이 아직도 남아있었다. "화초를 애호하자" 그 얼마나 정감있는 언어인가? 지금은 이런 팻말조차 찾아볼 수 없을 것이다.

第二十三其次致曲章

qí cì zhì qū qū néng yǒu chéng chéng zé xíng xíng zé zhù
其次致曲。曲能有誠，誠則形，形則著，
기 차 치 곡 곡 능 유 성 성 즉 형 형 즉 저

zhù zé míng míng zé dòng dòng zé biàn biàn zé huà wéi tiān
著則明，明則動，動則變，變則化。唯天
저 즉 명 명 즉 동 동 즉 변 변 즉 화 유 천

xià zhì chéng wéi néng huà
下至誠爲能化。
하 지 성 위 능 화

沃案 이 장은 "성誠"이라는 가치를 "화化"와 연결시킴으로써 하나의 새로운 테마를 드러내고 있다. 일본의 20세기 사상사를 주도한 대사상가, 마루야마 마사오丸山真男, 1914~1996는 그의 명저 『일본정치사상사연구日本政治思想史研究』(번역서는 김석근 번역으로 통나무에서 출간됨. 1995)라는 논문 속에서 중국을, "자신을 스스로 변화시킬 수 없는 지속의 제국Ein Reich der Dauer"이라는 헤겔의 말을 빌어 규정함으로써, 중국문명의 비역사성을 기정사실화하고 있다. 이것은 그가 중국의 역사를 답보상태에 놓여있는 전근대적인 정체성의 범위에서 규정함으로써, 암암리 일본역사와 사상은 근대적 "작위作爲"의 논리를 철저히 구현해왔다는 것을

제23장【기차치곡장其次致曲章】

다음으로 힘써야 할 것은 치곡致曲의 문제이다. 그것은 소소小小한 사물에 이르기까지 모두 지극하게 정성을 다한다는 것이다. 그리하면 소소한 사물마다 모두 성誠이 있게 된다. 성誠이 있게 되면 그 사물의 내면의 바른 이치가 구체적으로 형상화된다. 형상화되면 그것은 외부적으로 드러나게 된다. 드러나게 되면 밝아진다. 밝아지면 움직인다. 움직이면 변變한다. 변하면 화化한다. 오직 천하의 지성至誠이래야 능히 화化할 수 있다.

어필시키는 대비적 수사修辭를 구사하고 있는 것이다. 이 "작위作爲"의 논리를 마루야마는 이미 에도시대의 사상가 오규우 소라이荻生徂徠, 1666~1728가 주자학을 해체시키는 "코가쿠古學"운동에서 치열하게 모색하여, 그 논리가 동아시아역사에 있어서의 일본역사의 근대적 특수성을 발현시켰다고 주장한다. 이 문제에 관한 나의 비판적 검토는 『일본정치사상사연구』 한국판에 기나긴 해제解題로서 실려있으므로 그것을 참고해주었으면 한다. 그러나 우리가 "근대성Modernity"을 운운할 때, 그 근대성의 기준을 서양으로 잡는 한에 있어서는 모든 여타문명의 역사가 근대라는 측면에서 서양에 못 미치는 것으로 비칠 것은 명약관화한 것이다. 인간은 과연 근대적이어야만 하는가? 인간의 역사는 반드시 서양사가 말하는 "근대Modern Period"를 구현해야만 하는가? 도무지 이런 문제가 나에게는 답변할 가치조차 없는 케케묵은 오치誤置의 오류로서만 느껴진다. 내가 지금 "여기 서울에서" 잘 살고 있으면 됐지, 왜 내가 근대적으로 살아야만 하는가? "잘 사는 게 무엇이냐?"만 논의하면 됐지, 왜 모던, 프리모던, 포스트모던을 이야기해야 하는가? 누가 길거리를 지나가는데 어떤 사람이 갑자기 이렇게 묻는다면 어떨까?: "너 요즈음도 마누라 패냐?" 만약 이 사람이 평소에 항상 마누라를 패던 사람이라면 모르되, 근본적으로 마누라를 팬 적이 없는 사람이라면 이 질문에 대답할 수가 없다. "예스 앤 노"가 근원적으로 불가능한 것이다. 서양에서의 모던Modern이란 프리모던pre-Modern이 있기 때문에만 가능한 언사이다. 그런데 "프리모던"이란 반드시 이성보다는 계시를 중시하고, 합리적 사유보다는 비합리적 사유를, 개인의 자유의지보다는 신에게의 복속을 높게 평가하던 종교적 가치와 결부되어 있다. 이런 종교가 없던 사람들에게 "모던"이란 전혀 무의미한 언어일 수도 있다.

그런데 자사는 "성誠"과 관련하여 "잘 삶"의 가치 속에 가장 중요한 것이 "화化"라고 말한다. 중용이란 적당한 가운데가 아니라 근원적으로 나를 끊임없이 변화시키는 데 있다는 것이다. 그런데 우리가 요즈음은 "변화變化"라는 말을 한 단어로 쓰는데, 옛날에는 "변變"은 물리적 변화를 의미하는 것으로, "화化"는 화학적 변화를 의미하는 것으로 구분하여 생각하였다. A가 비슷한 A로 변하는 것이 아니라, A가 A 아닌 것으로 변할 때 "화化"라는 표현을 썼다. 달걀이 병아리로 변하는 것은 분명 달걀이 달걀 아닌 것으로 변한 것이다.

맹자도 인간의 경지의 단계를 6단계로 설정하여, "선인善人→신인信人→미인美人→대인大人→성인聖人→신인神人"을 말하였는데, "성인聖人"의 덕성에는 반드시 "화化"가 포함되어야 한다고 말했다. "화化"라는 것은 우리가 보통 쓰는 "감화感化"라는 말과 상통하는 것인데, 그 "감화"의 본뜻은 "영향을 준다"는 정도의 의미가 아니라 "근원적인 패러다임 쉬프트를 이룩한다"는 것을 의미한다. 인격체에 있어서는 어떤 "아이덴티티의 변화"가 일어나는 것이다. 성인은 「학기學記」의 말을 빌리면 "화민성속化民成俗"할 수 있어야 한다. 즉 자기가 속한 문명의 패러다임을 근원적으로 변화시켜야 한다. 「학기」의 저자는 "군자여욕화민성속君子如欲化民成俗, 기필유학호其必由學乎!"라고 외치고 있는데, 우리가 결국 "배운다"는 것은 "화化"를 이룩하기 위함이라는 뜻이다. 또 배우지 않고 "화化"를 이룩할 수는 없다는 뜻이다.

"성실하다誠"는 뜻이 보수적인 중용을 의미하는 것이 아니라 끊임없는 "화化"를 이룩해야 한다는 것이다. 요즈음 다이어트를 하는 사람도 80kg에서 10kg을 빼기는 쉬운 일이지만, 그런 정도의 수치는 오르락내리락 하는 "변變"의 단계이다. 1년이나 2년 정도의 시간에 그가 만약 매우 건강하게 50kg으로 내려왔다고 한다면 그는 단순히 몸무게를 뺀 사람이 아니라, 근원적으로 생활습관과 성격, 인격구조의 "화化"를 체험한 사람일 것이다. "주색식酒色食"의 과도함에는 장수가 따로 없다. 결국 신체는 타성에 굴복하여 죽음의 해체로 간다. 그러나

"주색식酒色食"을 절제하는 인격은 "화化"의 단계를 거치지 않으면 형성되기 어렵다. 그 "화化"의 경지를 이 장은 단계적으로 설명하고 있다. 그리고 천지대자연의 "성誠"의 덕성, 그리고 그것을 계성繼成하는 인간의 성性의 소이연이 근원적으로 "화化"를 이룩하는 데 있다고 하는 이 엘랑비탈의 도약은 마루야마 마사오의 "지속의 제국론"(여기서 말하는 "지속"은

비역사적 "불변"을 의미한다)을 붕괴시키기에 충분한 것이다. 과연 일본문명이 더 "화化"한 문명인지, 중국문명이 더 "화化"한 문명인지, 그것은 단안을 내리기 어려운 과제상황이다. 개화기의 일시적 춘몽과도 같은 좁은 편견들을 이제 우리 동아시아역사에서 씻어내야 하리라고 나는 생각한다.

북간도 독립운동의 산실, 조선동포들의 정신적 구심점, 명동학교에서 보이는 언덕에 한 농부가 밭을 갈고 있었다. 서전서숙을 이어 김약연 선생이 주도. 나운규, 윤동주, 문익환, 수 많은 지사들이 이 학교 출신. 반군사독재투쟁에 앞장선 기독교장로회의 뿌리도 여기에 있다.

第二十四至誠如神章

zhì chéng zhī dào kě yǐ qián zhī guó jiā jiāng xīng bì yǒu
至誠之道，可以前知。國家將興，必有
지 성 지 도 가 이 전 지 국 가 장 흥 필 유

zhēn xiáng guó jiā jiāng wáng bì yǒu yāo niè xiàn hū shī guī
禎祥；國家將亡，必有妖孽。見乎蓍龜，
정 상 국 가 장 망 필 유 요 얼 현 호 시 귀

dòng hū sì tǐ huò fú jiāng zhì shàn bì xiān zhī zhī bú
動乎四體。禍福將至：善，必先知之；不
동 호 사 체 화 복 장 지 선 필 선 지 지 불

shàn bì xiān zhī zhī gù zhì chéng rú shén
善，必先知之。故至誠如神。
선 필 선 지 지 고 지 성 여 신

沃案 많은 문헌비평가들이 이 장을 제16장의 귀신장과 결부시키고 두 장이 자사의 오리지날한 논의가 아닌 것처럼 간주하는 오류를 범하여 왔다. 모자라는 생각일 뿐이다. 이 장은 세속에서 말하는 "귀신"과는 관련이 없다. 이 장의 주제는 어디까지나 "성誠"이지 "귀신"이 아니다. 처음에 나오는 "지성지도至誠之道, 가이전지可以前知"라는 말에 관해서 또 많은 사람들이 마치 "전지前知"(미리 안다)의 목적이 "지성지도至誠之道"인 것처럼 잘못 해석하는 오류를 범한다. 지성지도를 미리 알 수 있다는 말이 아니라, 지성至誠의 도道를 구현한 사람은 세상일을 그것이 일어나기

제24장【지성여신장至誠如神章】

지성至誠의 도道를 구현한 사람은 세상 일을 그것이 일어나기 전에 미리 알 수가 있다. 국가가 장차 흥하려고 하면 반드시 상서로운 조짐이 나타나며, 국가가 장차 망하려고 하면 반드시 요망스러운 재앙의 싹이 나타난다. 그리고 그런 길흉의 조짐은 산대점이나 거북점에도 드러나고, 관여된 사람들의 사지 동작에도 드러나게 마련이다. 화禍나 복福이 장차 이르려고 할 때, 지성至誠의 도道를 구현한 자는 그 원인이 되는 좋은 것도 반드시 먼저 알며, 좋지 않은 것도 반드시 먼저 알아 계신戒愼한다. 그러므로 지성至誠은 하느님과 같다고 할 것이다.

전에 미리 알 수가 있다는 것이다. "미리 앎"이란 인간의 과학적인 사유에 깔려있는 근원적인 충동이다. 사물을 법칙적으로 이해한다는 것은 미래를 예측할 수 있다는 장점이 있기 때문에 그러한 방식을 취하는 것이다. 우리는 기상과학 때문에 일기예보를 할 수 있게 된 것이다. 모든 "점복占卜의 예술"이 과학적 충동과 관련이 있다. 그러나 점복占卜은 수리적, 법칙적 규율에 의존하지 않았다. 너무도 임의적이라는 데 그 문제가 있는 것이다. 거북 배때기가 뜸열에 갈라지는 선線은 지극히 우연적이며, 지극히 임의적이며, 일정한 확률성조차도 갖지 못하는 것이다. 그래서 점은 점일 뿐이다. 그러나 점을 치는 사람의 상황판단력에 무엇인가 신비스러운 신통력이 있을 수는 있다. 그러나 이 장에서 말하는 주제는 "성誠"이라는 것이 자연의 법칙적 요소를 가지고 있기 때문에 미래를 예측하는 데 일정한 도움을 준다는 것이다. 지성至誠의 도道를 구현한 사람은 대략적으로 미래를 예측할 수 있는 힘을 가지고 있기 때문에, 신성하다고 평가한 것이다. 지성至誠을 하느님의 자리에까지 올린 발언이 "지성여신至誠如神"이라는 말이다. 그러나 그것은 미신적인 예언이 아니고 과학적이고도 합리적인 "전지前知"이다. 성실한 사람이라면 누구나, 성실한 자신의 삶의 모습에서 자신의 미래를 예측할 수 있어야 할 것이다.

조명희趙明熙, 1894~1938를 아는 사람은 우리 주변에 거의 없다. 그러나 그는 연해주 한인들의 영웅이다. 그는 국내에서 최서해, 이기영, 한설야 등과 함께 카프(KAPF)파로 활동하던 문학가였는데 1928년 연해주로 망명하여 엄청나게 활발한 교육활동을 벌인다. 큰 인격자로서 많은 인재들을 감화시켰다. 여기 보이는 학교는 우수리스크 뿌질로프카 한인학교인데 그가 교장으로 있었다. 폐교가 되어 철거위기에 놓여있다. 당시 그가 가르치던 학교교재가 블라디보스톡 향토사박물관에 보관되어 있었다(소수민족을 고려하여 연해주 교육부가 직접 편찬. 1927). 내가 직접 박물관을 방문하여 그 교재를 찾아내었는데 너무도 아름다운 내용이었다. 민족주의자였던 그는 1938년 5월 11일 쏘비에트정권에 의하여 총살되었다.

깨진 유리창 안으로 보이는 책걸상

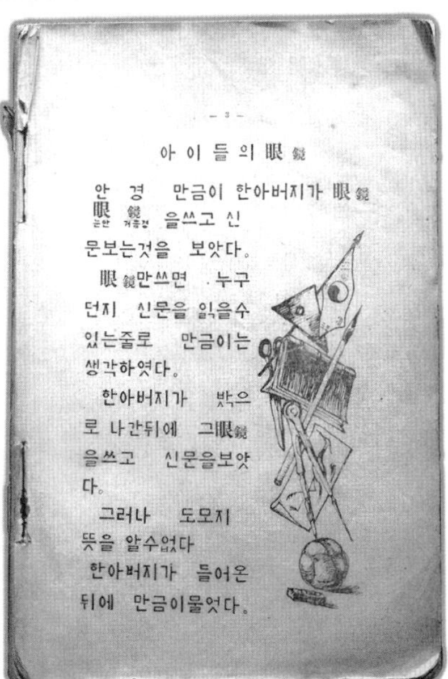

— 3 —

아 이 들 의 眼鏡

안 경
眼鏡 만금이 한아버지가 眼鏡
눈안 거울경
을쓰고 신문보는것을 보앗다。

眼鏡만쓰면 누구던지 신문을 읽을수 있는줄로 만금이는 생각하엿다。

한아버지가 밖으로 나간뒤에 그眼鏡을쓰고 신문을보앗다。

그러나 도모지 뜻을 알수없다

한아버지가 들어온뒤에 만금이물엇다。

블라디보스톡 박물관에서 내가 읽은 국어교본

第二十五誠者自成章

chéng zhě zì chéng yě ér dào zì dào yě
1 誠者自成也，而道自道也。
성 자 자 성 야 이 도 자 도 야

chéng zhě wù zhī zhōng shǐ bù chéng wú wù shì gù jūn zǐ
2 誠者物之終始，不誠無物。是故君子
성 자 물 지 종 시 불 성 무 물 시 고 군 자

chéng zhī wéi guì
誠之爲貴。
성 지 위 귀

chéng zhě fēi zì chéng jǐ ér yǐ yě suǒ yǐ chéng wù yě
3 誠者，非自成己而已也，所以成物也。
성 자 비 자 성 기 이 이 야 소 이 성 물 야

chéng jǐ rén yě chéng wù zhì yě xìng zhī dé yě hé
成己，仁也；成物，知也。性之德也，合
성 기 인 야 성 물 지 야 성 지 덕 야 합

wài nèi zhī dào yě gù shí cuò zhī yí yě
外內之道也，故時措之宜也。
외 내 지 도 야 고 시 조 지 의 야

제25장【성자자성장誠者自成章】

[1]성誠은 스스로 이루어가는 것이요, 도道는 스스로 길지워 나가는 것이다. [2]성誠은 물物의 끝과 시작이다. 성誠하지 못하면 물物도 있을 수 없다. 그러므로 군자는 성誠해질려고 노력하는 것을 삶의 가장 귀한 덕으로 삼는다. [3]성誠이라는 것은 인간 스스로 자기를 이룰 뿐 아니라 동시에 반드시 자기 밖의 모든 물物을 이루어 줌으로써 구현되는 것이다. 자기를 이룸을 인仁이라 하고, 나 이외의 사물을 이룸을 지知라 한다. 인仁과 지知는 인간의 성性이 축적하여 가는 탁월한 덕성이며, 인간존재의 외外와 내內를 포섭하고 융합하는 도道이다. 그러므로 성誠은 어떠한 상황에 처하여지더라도 반드시 그 사물의 마땅함을 얻는다.

沃案 우리가 어디를 걷다가 돌에 채였는데, 그 돌이 어떻게 그곳에 있게 되었냐고 누가 물으면, 우리는 그 돌은 항상 거기에 있던 거라고 말할 것이 분명하다. 그래도 그러한 대답에 별 문제를 느끼지는 않을 것이다. 그런데 그곳에 시계가 놓여 있었고, 째깍째깍 시계바늘이 움직이고 있다면, 누가 어떻게 그 물건이 거기 있게 되었냐고 물으면, 우리는 그냥 돌처럼 항상 거기 있던 거라고 말하기에는 좀 거북스러운 느낌을 갖게 될 것이다.

시계는 정교하며, 여러 개의 부품들로 이루어져 있으며 그 부품들은 거저 짜맞춰져 있는 것이 아니라 특정한 "목적"을 위해서 정밀하게 짜맞춰진 것이라는 것을 발견하게 될 것이다. 그렇게 되면 누구든지 그 시계를 관찰하기만 해도, 그것을 만든 존재가 반드시 있으며, 그 존재는 시계의 구조를 이해하고 그 용도에 따라 설계했다는 결론을 내릴 수밖에 없게 된다. 이것이 찰스 다윈Charles Darwin, 1809~82의 진화론을 논박하는 창조론자들이 논쟁의 준거로 삼기 좋아하는 페일리William Paley, 1743~1805(찰스 다윈에게도 영향을 준 사상가. "지적 설계론"의 조종)의 『자연신학*Natural Theology*』 속에 쓰여져 있는 말들이다. 내가 여기서 지금 진화론과 창조론, 혹은 진화론에 관한 다윈진영과 비다윈진영의 다양한 생각의 갈래들의 논쟁 속으로 휘말릴 생각은 없다. 나는 오로지 자사의 생각만을 전달하면 그만이다.

우선 돌멩이와 시계의 비유에 있어서 시계가 돌멩이보다 정교하다는 생각, 그리고 돌멩이는 목적 있는 디자인이 없는 것 같고, 시계는 그런

디자인이 있다는 생각은 매우 유치하고 나이브한 엉터리 소견이다. 돌멩이의 세부적인 결정구조는 최소한 시계보다는 더 인위적으로 만들기 어려운 것이다. 그리고 시계는 놓아두면, 곧 작동을 멈춘다. 작동이 멈춘 한에 있어서는 그것은 돌멩이보다도 더 형편없는 저차원적인 물건일 수도 있다. 천지만물에 대해 가치적인 서열을 매긴다든가, 디자인의 목적이 디자인 밖에 있는 어떤 존재자에 의하여 부과되었다는 생각은 자사에게는 부질없는 생각이다. 내가 대학교 시절에 제25장의 "성자자성야誠者自成也, 이도자도야而道自道也"라는 이 한마디를 발견하지 못했다면 나는 동방철리를 연구하는 학인으로서의 생애를 선택하지 않았을지도 모른다. 나는 이 25장을 해후하게 되면서 나의 생애를 전부 걸고도 남을 진리가 한문고전에 있다는 확신을 갖게 된 것이다. 자사는 다윈의 지혜를 자그마치 2300년을 앞서 말했다. 그것도 우발적으로 한 구절 말한 것이 아니라, 전 사상의 체계로서 조직적으로 웅변한 것이다.

"성자자성誠者自成"이라는 말은 우주의 모든 성실한 법칙이 외재적인 존재자에 의하여 조작되는 것이 아니라 스스로 이루어져가는 과정에 있다는 것이다. 우주의 모든 법칙은 그 법칙성을 스스로 내부에서 생성해 간다는 뜻이다. 우주의 길은 사람이 조작적으로 만든 것이 아니라 스스로 길지워 나가는 것이라는 뜻이다. 우주진화의 법칙이 어떠하든지간에 그 진화의 법칙은 우주 스스로 이루고 길지워 가는 것이다. "자성自成" "자도自道"라는 말은 지금도 생성중의 과정에 있다는 뜻을 내포한다. 우주는 그 자체가 창조이다. 하나님이 하나님을 스스로 창조하는 것이다. 따라서 창조는 일시적인 고정일 수가 없으며, 끊임없이 지속되는 것이다. 웰즈H. G. Wells, 1866~1946의 『세계사*A Short History of the World*』를 펼치면 몇년 전까지만 해도 서양의 사가들은 이 세계가 BC 4004년 봄에 창조되었느냐, 가을에 창조되었느냐를 놓고 격렬한 논쟁을 벌이고 있었다고 쓰여져 있다. 이 환상적으로 정확한 오류는 히브리민족의 성경인 「창세기」를 잘못 해석한 결과라고 했다. 최근까지만 해도 창세의 연대를 BC 4004년으로 비정해놓고 있었던 사람들의 창조론과 이미 BC 5세기에 "성자자성誠者自成"을 웅변하고 있었던 자사의 논의는 신화문명과 인문문명의 차이를 극명하게 말해주는 것이다. 하나님의 창조가 BC 4004년에 완료된 것이라면 그것은 창조가 아니다. 창조는 시종始終을 말할 수 없는 착종錯綜의 과정인 것이다. 그래서 자사는 말한다: "성誠이라는 것은 물物의 끝과 시작이다.誠者物之終始." 방금 창조는 시종始終이 없다고 말했는데, 왜 물物의 종시終始를 말하는가? 여기의 "물物"이란 기氣의 개체단위사회를 말하는 것이며 물론 시종始終, 즉 생멸生滅이 있는 것이다. 그러나 물의 멸滅은 곧 새로운 생生을 의미하는 것이다. 물의 종終은 새로운 시始를 의미하는 것이다. 그래서 "물지시종物之始終"이라 말하지 않고 "물지종시物之終始"라고 말한 것이다. 한 유기체의 시간단위를 말하지 않고, 그 단위와 타 단위의 연접을 말한 것이다. 물의 종시終始라는 것은 물物의 끊임없는 생성의 과정을 말하는 것이다. 물의 해체는 물의 새로운 조합을 의미한다. 그래서 자사는 말한다: "불성무물不誠無物." 성실하지 아니 하면 만물이 존재하지 않는다. 이것은 원효가 말하는 인식론적 심법心法의 생멸生滅이 아니다. 이것은 진실로 리얼한 "무물無物"이다. 성誠이 아니면 물物이 존재할 수 없는 것이다. 하나님은 없어도 물物은 존재한다. 그래서 하나님은 픽션이다. 그러나 성실한 우주의 법칙이 다 망가지면 물物은 존속할 길이 없다. 그래서 성誠을 주희는 진실무망眞實無妄이라고 말한 것이다(誠者, 眞實無妄之謂, 天理之本然也). 성誠이라는 것을 "자기"만을 이룰 뿐 아니라 나 이외의 "환경세계Umwelt"를 이루게 해준다. 자기를 이루는 것은 인仁이요, 그것은 내內이다. 나 이외의 환경세계를 이루는 것은 지知요, 외外이다. 그러나 인仁과 지知, 내內와 외外는 항상 변증법적으로 통합되어 성性의 덕德을 이루어간다. 그것이 바로 인간의 성誠이요, 중용이다.

"골골谷谷마다 진달래요, 촌촌村村마다 학교로다." 이것은 조선인들이 나라를 잃은 후 두만강을 건너가 서·북간도에 새로운 다이애스포라를 개척한 모습을 읊은 이야기다. 그들은 이역에서 돈을 모아 학교를 세워, 조국의 독립을 위하여 젊은이들을 교육시켰다. 그 효시가 헤이그 밀사 이상설李相卨, 1871~1917이 용정에 세운 서전서숙瑞甸書塾(1906년 설립)이다. 그 서숙의 전통은 지금도 용정실험소학교로써 이어져가고 있다. 항일투쟁의 역꾼들이 이런 곳에서 길러진 것이다. 그런데 지금도 우리나라는 일제를 용인하고 미국을 찬양하며 통일을 적대시하며 민족정기를 죽이는 교육을 상식으로 생각하는 자들이 국권을 농락하는 현상이 상존하고 있다. 이 땅의 젊은이들이여! 절대 속지말자! 민족의 통일과 자존을 거부하는 모든 소인배들은 그대들의 스승이 될 수 없고, 이 땅의 리더가 될 수 없다는 것을 반드시 기억하자!

第二十六至誠無息章

gù zhì chéng wú xī
1 故至誠無息。
고 지 성 무 식

bù xī zé jiǔ jiǔ zé zhēng
2 不息則久, 久則徵,
불 식 즉 구 구 즉 징

zhēng zé yōu yuǎn yōu yuǎn zé bó hòu bó hòu zé gāo míng
3 徵則悠遠, 悠遠則博厚, 博厚則高明。
징 즉 유 원 유 원 즉 박 후 박 후 즉 고 명

bó hòu suǒ yǐ zài wù yě gāo míng suǒ yǐ fù wù yě yōu jiǔ suǒ yǐ chéng wù yě
4 博厚, 所以載物也; 高明, 所以覆物也; 悠久, 所以成物也。
박 후 소 이 재 물 야 고 명 소 이 부 물 야 유 구 소 이 성 물 야

bó hòu pèi dì gāo míng pèi tiān yōu jiǔ wú jiāng
5 博厚配地, 高明配天, 悠久無疆。
박 후 배 지 고 명 배 천 유 구 무 강

rú cǐ zhě bú xiàn ér zhāng bú dòng ér biàn wú wéi ér chéng
6 如此者, 不見而章, 不動而變, 無爲而成。
여 차 자 불 현 이 장 부 동 이 변 무 위 이 성

tiān dì zhī dào kě yī yán ér jìn yě qí wéi wù bú èr zé qí shēng wù bú cè
7 天地之道, 可一言而盡也: 其爲物不貳, 則其生物不測。
천 지 지 도 가 일 언 이 진 야 기 위 물 불 이 즉 기 생 물 불 측

tiān dì zhī dào bó yě hòu yě gāo yě míng yě yōu yě
8 天地之道: 博也, 厚也, 高也, 明也, 悠也,
천 지 지 도 박 야 후 야 고 야 명 야 유 야

제26장【지성무식장至誠無息章】

[1]그러므로 지성至誠은 쉼이 없다. [2]쉼이 없으면 오래가고, 오래가면 징험이 드러난다. [3]징험이 드러나면 유원悠遠하고, 유원하면 박후博厚하고, 박후하면 고명高明하다. [4]박후博厚하기 때문에 만물을 실을 수 있고, 고명高明하기 때문에 만물을 덮을 수 있고, 유구悠久하기 때문에 만물을 완성시킬 수 있는 것이다. [5]박후博厚는 땅과 짝하고, 고명高明은 하늘과 짝하고, 유구悠久는 시공의 제약성을 받지 아니 한다. [6]이와 같은 자는 내보이지 않아도 스스로 드러나며, 움직이지 않아도 세계를 변화시키며, 함이 없어도 만물을 성취시켜 준다. [7]천지의 도道는 한마디 말로써 다 표현할 수 있는 것이니, 그 물됨이 두 마음이 없다는 것이다. 그러한즉 그것이 물物을 생성함이 무궁하여 다 헤아릴 길 없는 것이다. [8]아! 천지의 도道이시여! 드넓도다! 두텁도다! 드높도다! 밝도다! 아득하도다! 오래도다! [9]이제 저 하늘을 보라! 가냘픈 한 가닥의 빛줄기가 모인 것 같으나, 그것이 무궁한데 이르러서는 보라! 해와 달과 별들이 장엄하게 수를 놓고 있지 아니 하뇨! 만물을 휘덮는도다! 이제 저 땅을 보라! 한 줌의 흙이 모인 것 같으나, 그것이 드넓고 두터운데 이르러서는 보라! 화악華嶽을 등에 업고도 무거운 줄을 모르며, 황하와 황해를 가슴에 품었어도 그것이 샐 줄을 모르지 아니 하뇨! 만물을 싣는도다! 이제 저 산을 보라! 한 주먹의 돌덩

jiǔ yě
久也。
구 야

jīn fú tiān sī zhāo zhāo zhī duō jí qí wú qióng yě rì yuè
9 今夫天, 斯昭昭之多, 及其無窮也, 日月
금 부 천 사 소 소 지 다 급 기 무 궁 야 일 월

xīng chén xì yān wàn wù fù yān jīn fú dì yī cuō tǔ zhī
星辰繫焉, 萬物覆焉。今夫地, 一撮土之
성 신 계 언 만 물 부 언 금 부 지 일 촬 토 지

duō jí qí guǎng hòu zài huà yuè ér bù zhòng zhèn hé hǎi
多, 及其廣厚, 載華嶽而不重, 振河海
다 급 기 광 후 재 화 악 이 부 중 진 하 해

ér bù xiè wàn wù zài yān jīn fú shān yī quán shí zhī duō
而不洩, 萬物載焉。今夫山, 一卷石之多,
이 불 설 만 물 재 언 금 부 산 일 권 석 지 다

jí qí guǎng dà cǎo mù shēng zhī qín shòu jū zhī bǎo cáng
及其廣大, 草木生之, 禽獸居之, 寶藏
급 기 광 대 초 목 생 지 금 수 거 지 보 장

xīng yān jīn fú shuǐ yī sháo zhī duō jí qí bù cè yuán
興焉。今夫水, 一勺之多, 及其不測, 黿、
흥 언 금 부 수 일 작 지 다 급 기 불 측 원

tuó jiāo lóng yú biē shēng yān huò cái zhí yān
鼉、蛟、龍、魚、鼈生焉, 貨財殖焉。
타 교 룡 어 별 생 언 화 재 식 언

shī yún wéi tiān zhī mìng wū mù bù yǐ gài yuē tiān zhī
10 詩云: "維天之命, 於穆不已!" 蓋曰天之
시 운 유 천 지 명 오 목 불 이 개 왈 천 지

suǒ yǐ wéi tiān yě wū hū bù xiǎn wén wáng zhī dé zhī chún
所以爲天也。"於乎不顯, 文王之德之純!"
소 이 위 천 야 오 호 불 현 문 왕 지 덕 지 순

gài yuē wén wáng zhī suǒ yǐ wéi wén yě chún yì bù yǐ
蓋曰文王之所以爲文也。純亦不已。
개 왈 문 왕 지 소 이 위 문 야 순 역 불 이

이가 모인 것 같으나, 그것이 드넓고 거대한데 이르러서는 보라! 초목이 생성하고 금수가 생활하며 온갖 아름다운 보석이 반짝이지 아니 하뇨! 이제 저 물을 보라! 한 바가지의 물줄기가 모인 것 같으나, 그것이 헤아릴 수 없는 경지에 이르러서는 보라! 자라와 악어와 이무기와 용과 물고기와 거북이가 자라나며 온갖 귀중한 재화가 그 속에서 번식하지 아니 하뇨! [10]시詩는 말한다: "하느님께서 우리 문왕께 내리시는 명命이시여! 아~ 참으로 아름답고 충실하여 영원히 그치지 않는도다!" 이 시구는 하느님께서 만물의 본원이신 하느님되신 까닭을 말한 것이다. "아~ 크게 빛나는도다! 문왕의 덕의 순결함이여!" 이 시구는 문왕께서 문文이라는 시호를 얻으신 까닭을 말한 것이다. 이 모든 것은 천명과 문왕과 대자연의 순결한 성실함이 그침이 없음을 말하고 있는 것이다.

沃案 이 장은 나의 인생을 뒤바꾸는 계기가 된 장이다. 그러나 나의 실존적 감격을 독자들에게 그대로 이입시킬 수는 없는 노릇이다. 번역문안대로 독자들 스스로 읽어 터득하기를 바란다. 나는 대학교 때 처음 『중용』을 접했는데 『중용』을 읽어가다가 이 장에 이르러 눈물을 쏟고 말았다. 강의실에 앉아 하염없이 감격의 눈물을 흘렸는데, 그것이 계기가 되어 나는 김충렬 교수와 깊은 인연을 맺게 되었다. 그 뒤로 나는 20년 동안 김충렬 선생님과 사제의 정을 나누며 무궁한 배움을 얻었지만, 사제이기 전에 인간적으로 둘도 없는 친구였다. 그러다가 김충렬 선생님은 나를 떠났다. 그 뒤로 나도 유감없이 그를 떠났다. 그렇게 20년을 안 보고 살았는데 나는 그의 부음을 들었다. 나는 그의 장례에도 가질 않았다. 그러나 신문에 장중하고 정중한 생평기사를 썼다. 그 기나긴 40년간의 희노애락의 착종이 이 26장을 매개로 이루어진 것이다.

이 장에서는 "지성무식至誠無息," 그 한마디만 기억하면 된다. 앞서 말했지만 지금 나는 봉혜를 4년째 키우고 있는데 봉혜의 삶을 보면 지성무식至誠無息이라는 자사의 말씀이 저절로 생각난다. 봉혜는 잠시도 쉼이 없이 땅을 판다. 봉혜의 노동, 새끼를 부화시키고 장성케 만들며, 또 자신의 보금자리를 개척하는 그 모든 노력은 참으로 쉼이 없다. 무식無息이다. 하물며 사람의 지성至誠한 삶이랴! 이 땅에서 스러지는 그 순간까지 무식無息해야 하지 않겠는가!

이 장은 천지에 바치는 율로지eulogy의 최정상의 아름다운 문학이라 말해야 할 것이다. 그런데 천지에 대한 보다 깊은 이해가 필요하다. "천지天地"는 자사시대에 성립한 유니크한 코스몰로지cosmology의 한 유형이다. 우리가 살고있는 우주를 "천지"라고 표현하는 언어개념을 가지고 있는 경우는 한자문화권 이외에서는 세계 어느 민족에게서도 찾아볼 수 없다. 서양언어에 있어서도 "Universe"니 "World"니 "Cosmos"니 하는 말은 있어도, "Heaven and Earth"라는 말로써 하나의 유기적 개념을 표현하는 단어는 없다. "천지天地"는 기철학적 세계관을 전제하지 않으면 이해되지 않는다. 천天은 무형자이며 형이상자이며 도道이며 혼魂이며 신神이다. 지地는 유형자이며 형이하자이며 기器이며 백魄이며 정精이다. 천지는 음양의 기의 다른 이름이다. 본 장에서는 이러한 우주관을 달리 문학적으로 표현하여, 천天은 만물萬物을 부覆하여 고명高明하다 하였고 지地는 만물萬物을 재載하여 박후博厚하다 하였다. 부물覆物하는 천天과 재물載物하는 지地가 하나의 생명환을 이루어 그 사이에서 만물萬物이 생성되는 것이다. 그러니까 천이 만물의 아버지가 되고 지가 만물의 어머니가 되는 것이다. 이 천지의 태극상이 하나의 거대생명을 형성하고 있는 것이다.

지금 우리는 하늘의 공기가 예로부터 생명이 살 수 있는 조건을 갖춘 상태로 있었다고 생각하기 쉬우나, 원초적 바다나 선캄브리아기에만 해도 그러한 조건은 존재하지 않았다. 빛과 물을 이용한 광합성의 진전으로 산소가 최초로 나타난 것이다. 식물이 광합성을 통하여 대기로 산소를 방출하고 또 그 산소를 동물들이 호흡에 활용하여 이산화탄소를 배출하는 생태론적 체계가 밸런스를 유지할 때만이 태극상의 천지가 유지되는 것이다. 세포호흡에서 사용된 각 산소분자에 대해 1분자의 이산화탄소가 방출되고, 역으로 광합성에서 받아들인 각 이산화탄소에 대해 1분자의 산소가 방출되는 것이다. 태초 어느 시기까지는 산소가 존재하지 않았다. 이러한 하늘－땅에서는 우리가 태극을 논할 수 없다. 땅의 주된 성분인 "흙"이라는 것도 30억 년에 가까운 생명체의 지성무식의 수고로운 작업에 의하여 축적적으로 달성된 것이다. 지구 표면에는 원래 흙이라는 것이 없었다. 그것은 단지 딱딱한 암석일 뿐이었다. 이 지각의 암석권이 수분·공기·온도의 기후조건과 고등식물과 토양생물의 종합적 영향에 의하여 장기간에 걸쳐 분해되면서, 매우 어렵게 흙이 형성된 것이다. 지구 육지의 평균 60cm 정도의 흙이 만들어졌고, 그 흙이 인류문명을 탄생시킨 것이다. 그러니까 천지는 실상 대기권과 지구표면의 피드백시스템을 말하는 것이다. 지구와 태양 사이에는 직접적인 피드백시스템이 존재하지 않는다. 태양은 일방적으로 준다. 천지는 태양의 복사에너지를 감금시켜서 순환시킨다.

천지가 하나의 온생명이라는 말은 매우 구체적인 함의를 지닌 것이다. 다시 말해서 천지에서 생명이 태어났다고 말하기보다는, 진화론적으로 말하자면 우발적으로 생겨난 생명체에 의하여 천지라는 물리적 조건이 생명화되어 현재 태극상을 형성한 것이다. 이 태극상이 깨진다면 우리는 천지를 논할 수가 없게 된다. 현재 우리가 사랑하는 문명의 기후조건도 안정권에 접어든지도 불과 1만 년밖에 되지 않는다. 이렇게 본다면 "천지의 운명"은 생각하는 것보다는 매우 짧은 것일 수도 있다. 그러나 문명의 시간에 비해서 그것은 장구한 역사성을 갖기 때문에 그 생성과 해체를 우리가 극적으로 감지하지 못할 뿐이다. 저기 보이는 인수봉이 영원히 있을 것 같지만 어느 세월엔가 사라질 수도 있다. 그러나 묵묵히 그 의연한 자태를 버티고 있는 그 모습에 우리는 신적인 경외감을 표해야 하지 않을까? 자사의 천지예찬은 그것이 덧없는 것일 수도 있기에 더욱 애절한 찬사를 발하고 있는 것일지도 모른다. 나는 그러한 인仁한 마음으로 자사의 언어에 눈물을 쏟았던 것 같다.

한양漢陽은 전 세계의 도시 중에서 유교적 이념을 구현한 유니크한 도시이다. 서안西安이나 쿄오토오京都와 같이 4각형으로 기획된 인위적 냄새의 도시와는 맛이 영 다르다. 자연적 산세의 리듬을 활용하고 산수의 자연적 분할에 따라 좌조우사左祖右社의 궁궐 구도를 짰다. 18,627m의 삥 둘러친 성곽에는 4대문과 4소문이 있다. 나는 서울의 좌청룡인 낙산駱山 아래서 글을 쓰기에 낙산의 옛 성곽길에서 산보를 곧잘 한다. 저 멀리 서울의 조산祖山인 삼각산 인수봉이 보인다. 인수봉은 지하 60㎞의 깊이에서 만들어진 마그마가 지각을 뚫고 지표로 올라오다 천천히 식으면서 굳은 돌인데 중생대 쥐라기 중·후기인 1억 6천만 년 전에 오늘의 모습으로 된 것이다. 그러니까 서울지역에서 살았던 공룡도 인수봉을 보았을 것이다. 조선의 자연은 너무도 아름답다. 지진이나 해일의 피해를 적게 받는다. 이렇게 안정된 자연 속에 살면서 남한과 북한이 으르렁거리며 싸우고 있는 현실은 너무도 가소롭고도 부끄러운 것이다. 나는 어렸을 때 6·25전쟁을 경험했지만 성장과정을 통하여 순탄한 시대를 살았다. 우리세대는 정말 행복에 겨운 세대이다. 그러나 묻는다. 우리는 행복에 겨운 만큼 정당한 노력을 했는가? 과연 후손들에게 찢어진 산하를 물려 주어야 할 것인가?

第二十七尊德性章

dà zāi shèng rén zhī dào
1 大哉聖人之道!
대 재 성 인 지 도

yáng yáng hū fā yù wàn wù jùn jí yú tiān
2 洋洋乎! 發育萬物, 峻極于天。
양 양 호 발 육 만 물 준 극 우 천

yōu yōu dà zāi lǐ yí sān bǎi wēi yí sān qiān
3 優優大哉! 禮儀三百, 威儀三千。
우 우 대 재 예 의 삼 백 위 의 삼 천

dài qí rén ér hòu xíng
4 待其人而後行。
대 기 인 이 후 행

gù yuē gǒu bù zhì dé zhì dào bù níng yān
5 故曰: "苟不至德, 至道不凝焉。"
고 왈 구 불 지 덕 지 도 불 응 언

gù jūn zǐ zūn dé xìng ér dào wèn xué zhì guǎng dà ér jìn jīng
6 故君子尊德性而道問學, 致廣大而盡精
고 군 자 존 덕 성 이 도 문 학 치 광 대 이 진 정

wēi jí gāo míng ér dào zhōng yōng wēn gù ér zhī xīn dūn
微, 極高明而道中庸, 溫故而知新, 敦
미 극 고 명 이 도 중 용 온 고 이 지 신 돈

hòu yǐ chóng lǐ
厚以崇禮。
후 이 숭 례

shì gù jū shàng bù jiāo wéi xià bú bèi guó yǒu dào qí yán
7 是故居上不驕, 爲下不倍。國有道, 其言
시 고 거 상 불 교 위 하 불 배 국 유 도 기 언

zú yǐ xīng guó wú dào qí mò zú yǐ róng shī yuē jì
足以興; 國無道, 其默足以容。詩曰: "旣
족 이 흥 국 무 도 기 묵 족 이 용 시 왈 기

제27장【존덕성장 尊德性章】

[1]아~ 위대하도다! 성인의 도道여! [2]성인의 도道는 지상 어느 곳에나 흘러넘치는 듯하여 만물을 잘 발육시키는도다! 만물이 드높게 자라 하늘에 이르도록! [3]성인의 도道는 진실로 넉넉하고 크도다! 예의禮儀가 삼백 가지나 되고, 위의威儀가 삼천 가지나 되는도다! [4]그러나 이 모든 것이 사람을 기다린 연후에나 행하여질 수 있는 것이다. [5]그러므로 옛말에, "지극한 덕이 아니면 지극한 도道는 모이어 결정結晶되지 아니 한다"라고 한 것이다. [6]그러므로 군자는 덕성德性을 존중하는 동시에 반드시 문학問學을 통하여 도道를 실천한다. 광대廣大함을 지극히 하는 동시에 정미精微함을 극진하게 탐구하며, 고명高明함을 극한까지 밀고가는 동시에 일상적 중용中庸의 길을 걸어가며, 옛것을 내면에 온양溫釀시키는 동시에 새것을 창조할 줄 알며, 후덕한 내면을 돈독히 하는 동시에 사회적 예를 존숭尊崇한다. [7]그러므로 덕성德性과 학문學問을 겸비한 자는 윗자리에 거해서는 아랫사람에게 교만하게 행동치 아니하며, 아랫자리에 있게 되면 윗사람을 배반치 아니 한다. 나라에 도가 있게 되면 언변으로 정사에 참여하여도 높은 지위에 오르기에 족하고, 나라에 도가 없으면 은거하여 침묵하여도 세상이 그를 용납하기에 족하다. 시詩에 가로되, "이미 도리에 밝은데 또 지혜까지 있으시니, 그 몸을 잘도 보전하시는도다!"라고 하였는

míng qiě zhé yǐ bǎo qí shēn qí cǐ zhī wèi yú
明且哲，以保其身。”其此之謂與！
명 차 철 이 보 기 신 기 차 지 위 여

沃案 20장 말미에서 시작된 성론誠論이 21장~26장에서 본격적으로 다루어졌다. 제26장에서 천지에 대한 극구의 찬미가 아름다운 한 편의 시처럼 흘러갔다. 그리고는 제27장 첫머리에서 "성인지도聖人之道"라는 말이 나오고 있다. 여기 성인聖人은 물론 성誠의 덕성을 구현한 인물일 것이다. 그런데 이 장이 21~26장의 내용과 다른 것은, 앞 장들이 모두 "성誠"과 관련된 추상적 논의인데 반하여 이 장의 논의는 그 덕의 구현체인 "사람"을 주제로 삼고 있다는 것이다. "아~ 위대하도다! 성인의 도여!大哉聖人之道!"라고 서두를 장식하는 것은 인문세계를 구현하는 인물에 관한 예찬으로 그 성격이 바뀌고 있다는 것이다. "예의삼백禮儀三百"이니 "위의삼천威儀三千"이니 하는 말들은 모두 인간세 문명의 찬란함을 말하고 있는 것이다. 이러한 문명의 질서가 모두 지덕至德 즉 성誠을 구현한 인물 덕분에 지도至道가 응집凝集되어 이루어지는 것이라고 말하고 있는 것이다. 여기서 물론 "성인聖人"은 일반화된 개념일 수도 있고 중국문명의 초창기의 컬쳐 히어로우일 수도 있지만, 여기 "성인聖人"은 앞뒤의 문맥으로 보아 막연한 "선왕先王"을 가리키기보다는 암암리 "공자孔子"를 지시하고 있다고 보아야 할 것이다. 자사가

데, 바로 이것을 두고 한 말일 것이다.

『중용』을 집필하게 된 근원적인 소이연이 여기 드러난다. 공자야말로 지도至道를 응집시켜 예의삼백, 위의삼천을 다 만들어낸 인물이라는 것이다. 이러한 자사의 공자예찬이 『중용』에서는 매우 은밀하게 이루어지지만 『맹자』에서는 매우 노골적으로 이루어진다. 맹자는 공공연히 공자를 하늘로 이고 다녔다. 그렇게 해서 우리 심상에 "공맹지도孔孟之道"라고 하는 유교Confucianism의 권위가 확립되기에 이르렀지만, 그 단초는 모두 자사의 『중용』에서 찾아질 수 있다.

이 유교의 원형인 성인지도聖人之道를 이 장에서는 "지덕至德"과 "지도至道"로 나누어 말하고, 그것을 다시 "존덕성尊德性"과 "도문학道問學"으로 나누어 말한다는 것이 특징이다. 이 존덕성과 도문학의 문제는 동방인의 가치관의 특질을 이루게 되었으며, 수신과 호학의 구체적 내용이 되었으며, 신유학Neo-Confucianism(송학宋學 Song Confucianism)의 대강령이 되었다. 존덕성과 도문학은 정주학程朱學의 헌법과도 같은 것이다. 원래 우리가 "도덕道德"이라는 말을 쓰지만, 현대어로서의 "도덕道德"은 서양의 "morality"를 번역한 번역술어일 뿐이지, 우리말이 아니다. 우리말의 "도덕道德"은 서양사람들이 말하는 "도덕morality"과는 거리가 멀다. 노자사상은 철저하게 도덕부정의 사상이지만 그의 책의 제목은 『도덕경道德經』이다. 다시 말해서 도道와 덕德은 현대어(서양어)의 도덕과는 관계가 없는 것이다. 도道는 언어의 문제이며 지식의 문제이며 인식의 문제이다. 덕德은, 도가 어디까지나 객관적 세계를 대상으로 하는 것이라면, 내면적·주관적 세계를 대상으로 하는 것이다. 도는 인식의 문제이지만, 덕은 "몸의 축적"에 관한 것이다. 모든 덕은 나의 몸에 습관으로서 쌓여서 이루어지는 것이다. 도를 통하여 세계를 인식하고, 덕을 통하여 나의 내면적 도덕적 주체를 건설하는 것이다. 도와 덕이 인간의 전부라고 말할 수 있다. 인간은 이 양측면의 변증법적 교섭으로 이루어지는 것이다. 덕만 있고 도가 없으면 답답하고 맹충이같이 소견이 좁고 보수적인 인간이 될 것이요, 도만 있고 덕이 없으면 깊이가 없고 맛이 없고 아구만 살아 움직이는 천박한 인간이 될 것이다. 도를 통해 끊임없이 세계를 바로 인식하고 그 바탕 위에서 나의 내면세계를 건설하고, 또 그 내면세계를 바탕으로 더 넓은 세계를 인식해야 하는 것이다. 이러한 주제를 가장 극명하게 표현한 것이 바로 정이천程伊川, 1033~1107의 다음과 같은 말이다. 이 말은 『근사록近思錄』「위학爲學」58에 실려 근세 유자들에게 너무도 널리 암송되었던 『정씨유서程氏遺書』의 한 구절이다.

함양수용경涵養須用敬, **진학즉재치지**進學則在致知。

여기 함양涵養은 자사의 존덕성尊德性을 가리키고, 진학進學은 자사의 도문학道問學을 가리킨다. 내면적 덕성을 함양하는 데 있어서는 반드시

경敬의 마음자세를 가져야 하고, 배움을 나아가게 하는 데는 객관적 사리를 탐구하여 앎을 확충해나가야 한다는 것이다. "존덕성尊德性"은 문자 그대로 덕성을 높이는 것이다. "존尊"이 타동사이고 "덕성德性"이 목적이다.

그것과 파라렐리즘을 유지하는 "도문학道問學"의 해석에 있어서 전통적으로 "도道"를 단순한 전치사처럼 가볍게 처리하는 경향이 있는데 이것은 좀 숙고되어야 할 문제이다. 정현이 "도道, 유유야猶由也"라고 하였고 이를 계승한 주희가 "도道, 유야由也"라고 가볍게 처리함으로써 "도道"에 특별한 의미를 부여하지 않고 "문학問學에 말미암는다"라고만 번역해 버린 것이다. 그러나 공영달이 소疏에서 "행도유어문학行道由於問學"이라고 해설하였듯이 좀 깊은 의미를 "도道"에 부여해야 할 것이다. "도문학道問學"의 해석에 있어서 우리는 "묻고 배우는 것을 통하여 도道를 실천한다" 든가, "묻고 배우는 것을 도道로 삼는다"든가, "문학問學을 통하여 진리의 길을 개척해나간다"는 방식으로 도道의 의미를 적극적으로 해석해야 할 것이다. 그러나 하여튼 "존덕성이도문학尊德性而道問學"에 있어서 짝을 이루는 주개념은 "덕성德性"과 "문학問學"이다. 덕성德性은 함양涵養이며, 문학問學은 진학進學이다.

배움이라는 것은 항상 물음이 앞서야 배울 수 있다. 그래서 "문학問學"이라고 말하는 것이다. 인간은 나서 죽을 때까지 묻고 배우고, 묻고 배우고 해야 한다. 언어를 소유한 인간의 특권이다. "군자존덕성이도문학君子尊德性而道問學"이라는 문구 이후에 이어진 말들은 모두 이 카테

고리와 같은 대비의 함의를 지닌 병행구들이다.

존덕성尊德性	도문학道問學
치광대致廣大	진정미盡精美
극고명極高明	도중용道中庸
온고溫故	지신知新
돈후敦厚	숭례崇禮

마지막 시구절에서 우리가 잘 아는 "명철보신明哲保身"이라는 말이 생겨났다. 이희승 『국어대사전』에는 "총명하고 사리에 밝아, 일을 잘 처리하여서 몸을 보전함"이라고 풀이되어 있다.

노론유학의 산실 둔암서원遯巖書院의 강당. 응도당이라는 당호는 본 장의 "구불지덕苟不至德, 지도불응언至道不凝焉"에서 왔다.

우리나라 국보 제1호 남대문의 이름, "숭례문崇禮門"도 본 장에서 따온 것이다. 정도전이 그 이름을 짓고 양녕대군이 글씨를 썼다. 임진왜란·병자호란·일제파괴, 6·25전쟁을 견디어 낸 유일한 성문이던 남대문이 우리시대에 불탔다는 것은 매우 부끄러운 일이다. 그것은 우리시대의 도덕적 해이를 상징하는 사건이다.

창덕궁 정문 이름, "돈화문敦化門"도 『중용』에서 왔다. 제30장을 보라! 임진왜란으로 창덕궁이 불탈 때 돈화문도 소실되었다. 현존하는 돈화문은 광해군 원년에 지은 것이다. 우리 선조들은 이와같이 고전의 감각으로 그들의 세계를 구성했다. 그것은 이름이기 전에 삶의 의미였다.

第二十八吾從周章

zǐ yuē yú ér hào zì yòng jiàn ér hào zì zhuān shēng hū jīn
1 子曰:"愚而好自用,賤而好自專,生乎今
자 왈 우 이 호 자 용 천 이 호 자 전 생 호 금

zhī shì fǎn gǔ zhī dào rú cǐ zhě zāi jí qí shēn zhě yě
之世,反古之道。如此者,烖及其身者也。"
지 세 반 고 지 도 여 차 자 재 급 기 신 자 야

fēi tiān zǐ bú yì lǐ bú zhì dù bù kǎo wén
2 非天子,不議禮,不制度,不考文。
비 천 자 불 의 례 불 제 도 불 고 문

jīn tiān xià jū tóng guǐ shū tóng wén xíng tóng lún
3 今天下,車同軌,書同文,行同倫。
금 천 하 거 동 궤 서 동 문 행 동 륜

suī yǒu qí wèi gǒu wú qí dé bù gǎn zuò lǐ yuè yān suī
4 雖有其位,苟無其德,不敢作禮樂焉;雖
수 유 기 위 구 무 기 덕 불 감 작 예 악 언 수

yǒu qí dé gǒu wú qí wèi yì bù gǎn zuò lǐ yuè yān
有其德,苟無其位,亦不敢作禮樂焉。
유 기 덕 구 무 기 위 역 불 감 작 예 악 언

zǐ yuē wú shuō xià lǐ qǐ bù zú zhēng yě wú xué yīn lǐ
5 子曰:"吾說夏禮,杞不足徵也;吾學殷禮,
자 왈 오 설 하 례 기 부 족 징 야 오 학 은 례

yǒu sòng cún yān wú xué zhōu lǐ jīn yòng zhī wú cóng zhōu
有宋存焉;吾學周禮,今用之,吾從周。"
유 송 존 언 오 학 주 례 금 용 지 오 종 주

제28장【오종주장吾從周章】

[1]공자께서 말씀하시었다: "어리석으면서도 자기 생각만을 고집하려 하고, 신분이 낮으면서도 자기 마음대로 행동하려 하고, 지금 세상에 태어나 지금 세상의 법도로 살고 있으면서도 옛날의 도道로만 돌아가려고 하는 자들이 많다. 이와 같은 사람들은 재앙이 그 몸에 미칠 수밖에 없다." [2]천자의 위位를 얻은 자가 아니면 예禮를 의논할 수 없고, 도度를 제정하지 못하며, 문文을 고정考定할 수 없다. [3]그러나 지금 우리가 살고 있는 이 세상에는 수레가 같은 바퀴간격을 공유하며, 문서가 같은 글씨체를 공유하며, 사람의 행동방식이 같은 습속을 공유하고 있으니, 참으로 새로운 문명을 작위하기에는 좋은 시절이다. [4]그러나 비록 그 위位를 가지고 있더라도 그 덕德이 없으면 감히 예악禮樂을 제작할 수는 없는 것이요, 비록 그 덕德이 있다 할지라도 그 위位가 없으면 또한 감히 예악을 제작할 수 없는 것이다. [5]공자께서 말씀하시었다: "내가 하夏나라의 예를 말하고는 있으나, 그 하나라의 후예인 기杞나라가 충분한 증험을 대주지 못하고 있다. 나는 은殷나라의 예를 배운 사람이다. 그리고 그 은나라의 예는 송宋나라에서 제한적으로 보존되어 있다. 그런데 나는 또 주周나라의 예를 배웠다. 그런데 이 주나라의 예는 지금 어디에서나 보편적으로 사용되고 있다. 그러니 나는 주周를 따를 수밖에 없다."

沃案 이 장이 문헌비평가들에게 항상 문제가 된 것은 "금천하今天下, 거동궤車同軌, 서동문書同文, 행동륜行同倫"이라는 말의 해석과 그것을 기준으로 한 문헌학적 연대추정에 관한 것이었다. "거동궤車同軌, 서동문書同文"은 진시황 때 도량형을 통일하고, 수레바퀴 간격을 통일하고, 문자의 다양한 형태를 예서체로 통일하는 이사李斯의 개혁안 이후에나 논의될 수 있는 것이므로 이 『중용』의 메시지는 진시황 이후에 성립한 것이라는 주장이다. 따라서 이 구절 하나를 기준으로 하여 『중용』이라는 텍스트 전체가 진시황 이후에, 즉 한초漢初에 성립한 문헌이라는 것이다. 그렇게 되면 『중용』의 성립연대는 우리가 추정하는 것보다, 약 300년 가깝게 내려잡아야 할 것이다(한무제漢武帝가 오경박사를 두는 시기 부근으로 본다면).

그러나 이것은 매우 조잡한 견해이다. 어느 한 구절을 트집잡아 텍스트 전체를 운운할 수도 없거니와(그 구절이 후대에 착간으로 삽입된 것일 수도 있다), 본시 "거동궤車同軌, 서동문書同文, 행동륜行同倫"은 진시황 때 비로소 이루어진 사건이 아니라, 주요한 에포크가 있을 때마다 거론되고 시행되었던 것이다. 도량형을 통일하고, 수레바퀴 간격을 일정하게 하고, 문자를 통일했다는 것은 진나라 방식의 통일을 의미하는 것이며, 그것이 그 이전에 그러한 통일시도나 기준이 부재했다는 것을 의미하지 않았다. 공자-자사의 시대에도 이미 수레의 통일이 있었기 때문에 유세객들이 열국을 주유할 수 있었고, 예의작법도 공통된 방식이 존재했으며, 진시황 때처럼 철저하지는 않았다 할지라도 문자의 통일이 이루어져 있었다.

다음에 이 장에서 가장 중요한 메시지는 "천자天子의 위位를 얻은 자가 아니면非天子, 예禮를 의논할 수 없고不議禮, 도度를 제정할 수 없고不制度, 문文을 고정考定할 수 없다不考文"는 말인데, 이것은 예악형정의 "작作"의 조건이 천자天子 수준의 위位를 전제로 한다는 것이다. 그만큼 문명文明의 작위作爲라는 것은 범인이 임의적으로 할 수가 없는 신성한 행위라는 것이다. 이러한 논의를 강조해서 말하는 자사의 의도는 매우 아이러니칼하다. 예악禮樂의 작위가 그만큼 어렵고 특별한 지위를 요구한다는 것을 강조함으로써 그 작위에 대하여 신성함을 부여하고 있지만, 결국 암암리 할아버지 공자의 "작위作爲"를 역설적으로 부각시키고 있는 것이다. 공자는 천자의 지위를 얻지 못했지만, 천자에 상응하는 지덕至德을 소유하고 있었으므로 결국 "술述"을 통해 "작作"을 한 것이라는 역설을 묵시적으로 펼치고 있는 것이다.

공자가 "오종주吾從周"라고 말한 것은, 공자야말로 주나라의 인문질서를 완성시킨 최대의 거목이라는 사실이 그 말씀 속에 배태되어 있다고 자사는 역설적인 주장을 펼치고 있는 것이다.

곡부의 태묘는 주공을 모셨다. 공자가 주공을 그리워하게 된 것도 어려서부터 주공의 사당을 가까이 했기 때문이다.『논어』(3-15)에 공자가 대사구로서 태묘에 들어가 대제의 예를 물었다는 이야기가 나오는데 그 현장이 바로 이곳이다. 태고의 정취가 서리는 곳이다.

第二十九王天下章

wàng tiān xià yǒu sān zhòng yān qí guǎ guò yǐ hū
1 王天下有三重焉, 其寡過矣乎!
왕 천 하 유 삼 중 언 기 과 과 의 호

shàng yān zhě suī shàn wú zhēng wú zhēng bú xìn bú xìn mín fú
2 上焉者雖善無徵, 無徵不信, 不信民弗
상 언 자 수 선 무 징 무 징 불 신 불 신 민 불

cóng xià yān zhě suī shàn bù zūn bù zūn bú xìn bú xìn mín
從; 下焉者雖善不尊, 不尊不信, 不信民
종 하 언 자 수 선 불 존 불 존 불 신 불 신 민

fú cóng
弗從。
불 종

gù jūn zǐ zhī dào běn zhū shēn zhēng zhū shù mín kǎo zhū sān
3 故君子之道, 本諸身, 徵諸庶民, 考諸三
고 군 자 지 도 본 저 신 징 저 서 민 고 저 삼

wáng ér bú miù jiàn zhū tiān dì ér bú bèi zhì zhū guǐ shén
王而不繆, 建諸天地而不悖, 質諸鬼神
왕 이 불 류 건 저 천 지 이 불 패 질 저 귀 신

ér wú yí bǎi shì yǐ sì shèng rén ér bú huò
而無疑, 百世以俟聖人而不惑。
이 무 의 백 세 이 사 성 인 이 불 혹

zhì zhū guǐ shén ér wú yí zhī tiān yě bǎi shì yǐ sì shèng
4 質諸鬼神而無疑, 知天也; 百世以俟聖
질 저 귀 신 이 무 의 지 천 야 백 세 이 사 성

rén ér bú huò zhī rén yě
人而不惑, 知人也。
인 이 불 혹 지 인 야

shì gù jūn zǐ dòng ér shì wéi tiān xià dào xíng ér shì wéi tiān
5 是故君子動而世爲天下道, 行而世爲天
시 고 군 자 동 이 세 위 천 하 도 행 이 세 위 천

제29장【왕천하장 王天下章】

[1]천하에 왕노릇하는 데 세 가지 중요한 것이 있다. 이를 잘 행하면 허물이 적을 것인저! [2]고대사회의 예악으로 거슬러 올라가면 그것은 좋기는 한데 증험할 길이 없다. 증험할 길이 없으니 믿을 수 없다. 믿을 수 없으니 백성들이 따르지 않는다. 현대사회의 예악으로 내려오면 그것도 좋기는 한데 존엄하지 않다. 존엄하지 않으니 믿을 수 없다. 믿을 수 없으니 백성들이 따르지 않는다. [3]그러므로 군자의 도道라고 하는 것은 반드시 먼저 자기 수신脩身의 상태에 근본하여, 그것을 뭇 백성들에게 징험해보아야 하는 것이다. 그리고 그것을 하·은·주 고대 선왕들의 제작에 상고하여 오류가 발생하지 않도록 끊임없이 검토해야 하며, 또 그것을 천지 대자연의 법칙 위에 세워 놓아도 어긋남이 없도록 끊임없이 조정해야 하며, 또 그것을 천지조화의 생명력인 귀신에게 물어보아도 의심될 만한 것이 없어야 하며, 마지막으로 백세百世 삼천 년이 지나도록 성인을 기다려, 그때 성인의 판결을 받는다 해도 미혹함이 없을 정도로 지금 완벽해야 하는 것이다. [4]그것을 천지조화의 생명력인 귀신에게 물어보아도 의심될 만한 것이 없다라고 한 것은 하느님을 아는 것이다. 백세 삼천 년이 지나도록 성인을 기다려, 그때 성인의 판결을 받는다 해도 미혹함이 없을 정도로 지금 완벽해야 한다는 것은 사람을 아는 것이다. [5]그러므

xià fǎ yán ér shì wéi tiān xià zé yuǎn zhī zé yǒu wàng
下法，言而世爲天下則。遠之則有望，
하 법 언 이 세 위 천 하 칙 원 지 즉 유 망

jìn zhī zé bú yàn
近之則不厭。
근 지 즉 불 염

shī yuē zài bǐ wú wù zài cǐ wú yì shù jī sù yè
6 詩曰："在彼無惡，在此無射。庶幾夙夜，
시 왈 재 피 무 오 재 차 무 역 서 기 숙 야

yǐ yǒng zhōng yù jūn zǐ wèi yǒu bù rú cǐ ér zǎo yǒu yù
以永終譽!"君子未有不如此而蚤有譽
이 영 종 예 군 자 미 유 불 여 차 이 조 유 예

yú tiān xià zhě yě
於天下者也。
어 천 하 자 야

로 군자는 동動함에 영세토록 천하의 도道가 되고, 행行함에 영세토록 천하의 법法이 되고, 말함에 영세토록 천하의 칙則이 된다. 그를 멀리 하여도 우러러 보게 되고, 그를 가까이 하여도 싫증나지 않는다. [6]시詩에 가로되: "저기 있어도 미움받지 아니 하며, 여기 있어도 역겨움이 없어라! 아침 일찍부터 저녁 늦게까지 항상 노력하니, 영원토록 명예롭게 살리라." 군자가 이와 같이 하지 않고서 갑자기 천하에 명예를 얻는 자는 있어본 적이 없다.

독도는 외롭지 않다. 우리민족의 영원한 독립을 상징하는 "독립의 섬"이다.

沃案 이 장 역시 번역문을 참고하면서 독자들이 스스로 생각 드는 대로 새기는 것이 좋을 것이다. 제일 처음에 "왕천하王天下"라는 말이 나오는데 이것 역시 전후 문맥으로 보아, "왕천하王天下"의 주체로서 공자상이 어른거리고 있다고 보아야 할 것이다. 공자는 분명 천하에 왕노릇을 한 사람은 아니지만, 왕노릇을 하기에 충분한 덕성을 갖춘 인간이었다는 것이다. 그러한 가설하에서 진정하게 "왕노릇하는 것"이 무엇인가를 이 장은 말하고 있다. 왕천하王天下하는 데 세 가지 중요한 것이 있다고 했는데, 그 세 가지가 무엇인지에 관해서는 구체적 언급이 없다. 주석가마다 제설이 분분하다. 주희는 "의례儀禮, 제도制度, 고문考文"으로 보았으나, 나는 구경九經과의 관련을 떠나 생각할 수 없다고 보아 "수신脩身, 존현尊賢, 친친親親"을 제시한다.

왕천하의 내용을 살펴보면 막연하게 고대의 문물에만 의존하지 않는 현실주의realism, 그리고 백성들과 다스림의 가치를 공유해야 한다는 경험주의empiricism, 그리고 정치적 권력의 임의성이 배제된 보편주의universalism가 강조되고 있다는 것을 알 수 있다. 여기에 가장 기억할 만한 메시지는 "질저귀신이무의質諸鬼神而無疑, 지천야知天也; 백세이사성인이불혹百世以俟聖人而不惑, 지인야知人也。"라는 구절일 것이다. 대자연의 생명력인 귀신에게 물어보아도 의심될 바 없으면 그것은 지천知天에 해당되고, 3천 년이 지나 성인의 판결을 받는다 해도 미혹함이 없을 정도로 지금 완벽해야 한다는 것은 지인知人에 해당된다는 것이다. 즉 치세의 법칙이 대자연법칙과 어긋남이 없어야 하며, 또 유구한 인간세의 법칙과 어긋남이 없어야 한다는 것이다. 지천知天과 지인知人의 보편성을 확립할 때만이 비로소 참으로 왕천하王天下할 수 있다는 것이다. 그러면서 왕천하하는 군자와 백성의 관계를 가리켜, "원지즉유망遠之則有望, 근지즉불염近之則不厭"이라고 표현했다. 멀리하여도 우러러 보게 되고, 가까이 하여도 싫증나지 않는다는 뜻인데 이것은 공자의 이미지에 매우 부합된다. 공자는 누구에게든지 "원지즉유망遠之則有望, 근지즉불염近之則不厭"의 이미지를 지녀왔던 것이 분명하다. 그러한 현실적인 공자상을 통하여 자사는 이상적인 왕도王道를 그려내고 있는 것이다.

몇년 전만 해도 우리는 자유롭게 해금강을 왕래할 수 있었다. 그런데 한 관광객의 죽음으로 인하여 모든 왕래가 경색되기 시작했다. 한 아낙의 죽음이 원인이 되었다고 말하기 보다는, 그러한 불행한 사건을 기다렸다는 듯이, 그것을 빌미로 모든 평화적 왕래가 두절되기 시작한 것이다. 이에 대하여 남·북한의 지도체제가 모두 책임이 있다. 대의를 위한 상호 이해와 양보와 과실의 호상시인이 없는 것이다. 이러한 경직은 결과적으로 국운을 대외종속적으로 만든다. 북한은 중국에 더 종속되고, 남한은 미·일에 더 종속된다. 어찌 이것이 바람직한 인간세의 모습이란 말인가? 이 사진은 내가 고교후배인 정몽헌 현대회장과 같이 금강산에 갔을 때 찍은 것이다. 부친의 유훈을 선계선술善繼善述하려는 의지로 가득찬 문학소년 같은 그의 순결한 얼굴이 생각난다. 그는 고인이 되었다. 나는 그를 위하여 추모시를 썼다. 그 시비는 비로봉을 병풍으로 하고 온정각에 우뚝 서 있다. 『중용』이 가르치는 것은 자연에 대한 외경이다. 그 외경심 속에서 성실하게 인간과 하늘을 포용하는 것이다. 통일을 방해하고 지연시키는 어떠한 논의도 중용에 어긋난다.

第三十仲尼祖述章

zhòng ní zǔ shù yáo shùn xiàn zhāng wén wǔ shàng lǜ tiān
[1] 仲尼祖述堯、舜，憲章文、武，上律天
중 니 조 술 요 순 헌 장 문 무 상 률 천

shí xià xí shuǐ tǔ
時，下襲水土。
시 하 습 수 토

pì rú tiān dì zhī wú bù chí zài wú bù fù dào pì rú
[2] 辟如天地之無不持載，無不覆幬，辟如
비 여 천 지 지 무 불 지 재 무 불 부 도 비 여

sì shí zhī cuò xíng rú rì yuè zhī dài míng
四時之錯行，如日月之代明。
사 시 지 착 행 여 일 월 지 대 명

wàn wù bìng yù ér bù xiāng hài dào bìng xíng ér bù xiāng bèi
[3] 萬物並育而不相害，道並行而不相悖，
만 물 병 육 이 불 상 해 도 병 행 이 불 상 패

xiǎo dé chuān liú dà dé dūn huà cǐ tiān dì zhī suǒ yǐ wéi
小德川流，大德敦化，此天地之所以爲
소 덕 천 류 대 덕 돈 화 차 천 지 지 소 이 위

dà yě
大也。
대 야

제30장【중니조술장 仲尼祖述章】

[1]우리의 위대한 스승 중니仲尼께서는 요堯임금·순舜임금을 조종으로 삼아 그들의 모든 덕성을 펼쳐내시었고, 문왕과 무왕의 도道를 본받아 그것을 만천하에 빛나게 만드시었다. 위로는 하늘의 때를 본받고, 아래로는 생명의 본원인 물과 흙, 그 땅의 덕성을 구현하시었다. [2]우리의 스승 중니의 덕성은 비유컨대 하늘과 땅이 실어주지 않음이 없고 덮어주지 않음이 없는 것과 같도다. 또 비유컨대 봄·여름·가을·겨울이 어김없이 차례대로 운행하며 해와 달이 번갈아 빛을 발하는 것과 같도다. [3]저 대자연에 피어나는 만물들을 보라! 저 만물들은 서로 같이 자라나면서도 서로를 해침이 없다. 저 대자연을 수놓는 무수한 길道들을 보라! 저 길들은 서로 같이 가면서도 서로 어긋남이 없다. 소덕小德은 시냇물처럼 자연스럽게 흐르고, 대덕大德은 우주의 끊임없는 화생化生을 도타웁게 하니, 이것이야말로 천지가 위대한 까닭이다.

沃案 여태까지 나의 해설이 너무 지나치게 공자를 중심으로 문구를 과도해석한 것이 아닌가 하고 의구심을 품어온 사람이 있을 수도 있다. 그러나 여기 "중니조술仲尼祖述" 이하의 문구를 분석해보면 그런 말을 할 수가 없게 된다. 결국 앞의 제27장부터 제29장까지의 언어가 제30장부터 노골적으로 시작되는 "중니조술仲尼祖述"의 논리를 정당화하기 위해서 매우 세심하게 오케스트레이션 되어온 것이라는 맥락의 흐름을 시인하지 않을 수 없기 때문이다. "중니仲尼"라는 공자의 자字는 제2장에 나왔고, 여기 마지막에서 다시 나오고 있다. 제1장에서 총론을 말하고 난 후부터는, 제2장에서 제30장까지 "중니仲尼"는 숨은 주어로 잠복해 있었다는 것을 의미하는 것이다. 중니께서는 "요순을 조술하여 문무를 헌장하였고, 위로는 천시天時를 조율하였고 아래로는 수토水土의 덕성을 구현하였다" 라는 명제는 이미 공자가 "작위作爲"의 "위位"를 지녔냐, 못 지녔냐 하는 따위의 질문은 문제가 되지 않는다. 중국문명의 모든 패러다임이 공자를 통하여 조술되었고 빛나게 되었으며, 하늘과 땅의 법칙도 그를 통하여 화육의 안정성을 획득하였다고 말함으로써 그를 진정한 중국문명의 집대성자로서 어필시키고 있는 것이다. 그의 덕성은 이미 하늘의 덮음과 땅의 실음과도 같은 우주적 스케일로 확대되고 있다. 공자는 이미 우주적 인간Cosmic Man이 된 것이다. 사실 이것은 예수를 "하나님의 아들"이라고 표현하는 것보다 실제적으로는 더 높인 것이다. 공자는 "하나님의 아들"이 아닌 "하나님" 그 자체가 되어버린 것이다. 그러나 공자는 경배의 대상이 아니며, 신앙의 대상으로서 타자화되지 않는다. 우리 모두가 공자처럼 우주적 인간이 될 수 있기 때문에 공자의 이미지는 개방적이며, 어디까지나 우리 실존 속으로 내면화되어야 할

그 무엇이다. 이러한 맥락에서 『중용』에서 매우 잘 인용되는 구절이 나오고 있다: "만물병육이불상해萬物並育而不相害, 도병행이불상패道並行而不相悖." 공자의 우주적 덕성은 자연의 성실함을 구현하였기 때문에 철저히 공존共存·상생相生·상조相助의 논리를 체현하고 있다. 공자사상의 가장 큰 특징 중의 하나가 바로 공존의 관대함, 치세에 있어서의 관용주의*Tolerantia*이다. 이러한 입장은 『가어』에 매우 잘 표현되어 있다.

잔디밭에 풀들이 서로 같이 자라면서 타자를 해치려고 노력하지는 않는다. 큰 놈은 큰 대로, 작은 놈은 작은 대로 자신의 탄소동화작용에 충실할 뿐이다. 이 우주에는 무수한 법칙이 있으나 그 법칙들은 서로 충돌하지 않는다. 뉴턴의 절대적 시공과 아인슈타인의 상대적 시공이 서로 싸우지는 않는다.

그 다음에 나오는 "소덕천류小德川流, 대덕돈화大德敦化"라는 명제도 같은 공존·상생의 논리를 말해주고 있다. 소덕은 소덕 나름대로 유니크한 의미가 있으며, 대덕은 대덕 나름대로 포괄적인 작용이 있다는 것이다. 소덕의 작은 천류와 같은 흐름이 없이는 대덕의 거대한 돈화敦化가 있을 수 없다. "돈화敦化"에 "화化"라는 근원적인 변화의 의미가 들어있다는 것도 주목할 필요가 있다. 모세혈관의 충실한 작용들이 있어야 우리 몸의 대동맥의 대순환이 이루어질 수 있는 것이다. 유기체적 세계관에 있어서는 이러한 소덕과 대덕의 유기적 작용의 통합이 중요하다. 우리나라 서울 창덕궁의 대문의 이름도 "대덕돈화大德敦化"에서 온 것이며, 남대문의 이름은 존덕성장(제27장)의 "돈후이숭례敦厚以崇禮"의 마지막 두 글자에서 온 것이다.

第三十一聰明睿知章

wéi tiān xià zhì shèng wéi néng cōng míng ruì zhì zú yǐ yǒu lín
1 唯天下至聖，爲能聰明睿知，足以有臨
유 천 하 지 성 위 능 총 명 예 지 족 이 유 림

yě kuān yù wēn róu zú yǐ yǒu róng yě fā qiáng gāng yì
也；寬裕溫柔，足以有容也；發强剛毅，
야 관 유 온 유 족 이 유 용 야 발 강 강 의

zú yǐ yǒu zhí yě zhāi zhuāng zhōng zhèng zú yǐ yǒu jìng yě
足以有執也；齊莊中正，足以有敬也；
족 이 유 집 야 재 장 중 정 족 이 유 경 야

wén lǐ mì chá zú yǐ yǒu bié yě
文理密察，足以有別也。
문 리 밀 찰 족 이 유 별 야

pǔ bó yuān quán ér shí chū zhī
2 溥博淵泉，而時出之。
보 박 연 천 이 시 출 지

pǔ bó rú tiān yuān quán rú yuān xiàn ér mín mò bù jìng yán
3 溥博如天，淵泉如淵。見而民莫不敬，言
보 박 여 천 연 천 여 연 현 이 민 막 불 경 언

ér mín mò bù xìn xíng ér mín mò bù yuè
而民莫不信，行而民莫不說。
이 민 막 불 신 행 이 민 막 불 열

shì yǐ shēng míng yáng yì hū zhōng guó yì jí mán mò zhōu
4 是以聲名洋溢乎中國，施及蠻貊。舟
시 이 성 명 양 일 호 중 국 이 급 만 맥 주

chē suǒ zhì rén lì suǒ tōng tiān zhī suǒ fù dì zhī suǒ zài
車所至，人力所通，天之所覆，地之所載，
거 소 지 인 력 소 통 천 지 소 부 지 지 소 재

rì yuè suǒ zhào shuāng lù suǒ zhuì fán yǒu xuè qì zhě mò bù
日月所照，霜露所隊，凡有血氣者，莫不
일 월 소 조 상 로 소 추 범 유 혈 기 자 막 불

zūn qīn gù yuē pèi tiān
尊親。故曰配天。
존 친 고 왈 배 천

제31장【총명예지장聽明睿知章】

[1]오로지 우리의 스승 중니와 같으신 천하의 지극한 성인이라야 능히 총명예지聽明睿知할 수 있어서 족히 임臨할 수 있으며, 관유온유寬裕溫柔하여 족히 용容할 수 있으며, 발강강의發强剛毅 하여 족히 집執할 수 있으며, 재장중정齊莊中正하여 족히 경敬할 수 있으며, 문리밀찰文理密察하여 족히 별別할 수 있다. [2]아~ 위대한 중니의 덕성이여! 보박溥博하시고 연천淵泉하시니 때에 맞추어 솟아 넘쳐 천하에 펼쳐지는도다! [3]아~ 보박溥博하심은 저 넓고 드넓은 하늘과 같고, 연천淵泉하심은 저 깊고 깊은 샘과도 같아라! 그 드넓고 드깊은 덕성을 살짝 내보이시면 백성들이 공경치 아니 함이 없고, 말로 옮기시면 백성들이 신뢰하지 아니 함이 없고, 행동으로 실천하시면 백성들이 기뻐하지 아니 함이 없어라! [4]그러하므로 지극한 성인의 명성은 중원中原의 땅에 양양洋洋히 넘칠 뿐 아니라 아직 개명치 못한 주변의 만蠻과 맥貊의 땅에도 널리 미친다. 배와 수레가 미치는 곳이나 사람들이 걸어서 통하는 곳이나, 아니! 하늘이 덮고 땅이 싣고 해와 달이 비추고 서리와 이슬이 내리는 모든 곳에, 생활하는 혈기血氣가 생동하는 인간이라면 그를 존경하지 아니 하는 자가 없고 그를 친애하지 아니 하는 자가 없다. 그래서 그 분이야말로 하느님과 짝하신다라고 말하는 것이다.

沃案 제31장에서 공자예찬은 하늘을 찌른다. 공자는 "배천配天"자로서 숭앙崇仰된다. 공자는 하느님의 친구가 된 것이다. 그 세부적 논의는 나의 번역문을 따라가면 별로 놓칠 것이 없다. 공자는 "천하지성天下至聖"으로서 추앙되었는데, 실제로 공자는 송나라 때 "지성문선왕至聖文宣王"의 시호를 획득하였고 원나라에 이르러 "대성지성문선왕大成至聖文宣王"으로 추증된다. 지금도 곡부에 가면 공자의 무덤 앞에 이 시호가 새겨져 있다.

공자의 덕성을 다섯 가지로 표현했는데 그것은 각기 성聖·인仁·의義·예禮·지智에 해당된다. 이것이 원래 "오행五行"의 의미였다. 자사의 작으로 추정될 수 있는 『오행五行』이라는 문헌이 최근 비단자료와 죽간자료로 두 차례 출토되었는데, "오행五行"은 금·목·수·화·토가 아니라 인·의·예·지·성을 의미하는 것이었다는 사실이 입증되었고, 또한 『순자』의 문헌적 진실성이 입증되었다. 『순자』는 『오행』이라는 문헌을 사맹학파思孟學派의 저작으로 정확하게 기술해놓고 있기 때문이다.

<table>
<tr><td rowspan="5">천天
하下
지至
성聖</td><td>성聖</td><td>총명예지
聰明睿知</td><td>임臨
Government</td><td rowspan="5">오五
행行</td></tr>
<tr><td>인仁</td><td>관유온유
寬裕溫柔</td><td>용容
Inclusiveness</td></tr>
<tr><td>의義</td><td>발강강의
發强剛毅</td><td>집執
Social Justice</td></tr>
<tr><td>예禮</td><td>재장중정
齊莊中正</td><td>경敬
Earnestness</td></tr>
<tr><td>지智</td><td>문리밀찰
文理密察</td><td>별別
Discernment</td></tr>
</table>

산동성 곡부 공림孔林의 공자묘

第三十二聖知天德章

wéi tiān xià zhì chéng wéi néng jīng lún tiān xià zhī dà jīng lì
1 唯天下至誠，爲能經綸天下之大經，立
유 천 하 지 성 위 능 경 륜 천 하 지 대 경 입

tiān xià zhī dà běn zhī tiān dì zhī huà yù fú yān yǒu suǒ yǐ
天下之大本，知天地之化育。夫焉有所倚?
천 하 지 대 본 지 천 지 지 화 육 부 언 유 소 의

zhūn zhūn qí rén yuān yuān qí yuān hào hào qí tiān
2 肫肫其仁! 淵淵其淵! 浩浩其天!
준 준 기 인 연 연 기 연 호 호 기 천

gǒu bù gù cōng míng shèng zhì dá tiān dé zhě qí shú néng zhī zhī
3 苟不固聰明聖知達天德者，其孰能知之?
구 불 고 총 명 성 지 달 천 덕 자 기 숙 능 지 지

제32장【성지천덕장聖知天德章】

[1]오직 천하의 지성至誠이라야 능히 천하의 대경大經을 경륜經綸할 수 있고, 천하의 대본大本을 세울 수 있고, 천지의 화육化育을 알 수 있다. 이러한 지성至誠의 도를 실현하는 인물이 자신의 성실함을 도외시하고 무엇을 따로 의지하리오? [2]우리의 위대한 스승 중니의 지성至誠한 모습이시여! 준준肫肫하시니 인仁 그 자체로다! 연연淵淵하시니 연淵 그 자체로다! 호호浩浩하시니 천天 그 자체로다! [3]만일 진실로 총명과 성지聖知를 구비하고 천덕天德에 통달한 자, 우리의 스승 중니가 아니라면 과연 그 누가 천지의 화육을 알아 소통시킬 수 있겠는가!

외설악 울산바위. 아름답기 그지없는 우리 산하

沃案 제31장의 "천하지성天下至聖"을 여기서는 "천하지성天下至誠"으로 바꾸어 논의함으로써 앞 장의 논의를 추상적인 테마로써 강화시키고, 또 "성聖"과 "성誠"의 상통성을 다시 한 번 강조하고 있다. "천하지대본天下之大本"이라는 말은 제1장에 나왔고, "천지지화육天地之化育"이라는 말과 "천하지성天下至誠"이라는 말은 모두 제22장에 나왔다. 앞 장의 논의들을 다시 한 번 언급하면서 총체적으로 마무리하려는 자세를 취하고 있다.

준준肫肫·연연淵淵·호호浩浩는 천·지·인 삼재三才사상과 관련이 있다.

삼재三才	인人	인仁	준준肫肫
	지地	연淵	연연淵淵
	천天	천天	호호浩浩

이것은 공자를 인성의 구현자로서 준준肫肫하고(간곡하고 지극하다), 땅의 구현자로서 연연淵淵하며(그윽한 깊이가 있다), 하늘의 구현자로서 호호浩浩하다(드넓고 광대하다)고 말함으로써 천·지·인 삼재의 모든 덕성을 한 몸에 구현하고 있다고 말한 것이다. 공자의 가르침이 단순한 윤리적 교훈에 그치지 않고 우주적 진리를 구현하는 체계로서 유교화Confucianization될 수 있었던 것은 역시 자사의 노력이 컸다고 보아야 할 것이다. 동방문화권에서 공자상이 지니는 그 유니크한 의미체계는

결코 호락호락 스러지는 일은 없을 것이다. 공자는 끊임없이 비판되었지만 끊임없이 우리 곁으로 다가왔다.

금강산 구룡폭포. 천지생물지심天地生物之心의 상징. 지은이 촬영. 2004. 8. 5.

第三十三無聲無臭章

shī yuē yì jǐn shàng jiǒng wù qí wén zhī zhù yě gù jūn zǐ
1 詩曰:“衣錦尙絅,”惡其文之著也。故君子
시 왈 의 금 상 경 오 기 문 지 저 야 고 군 자

zhī dào àn rán ér rì zhāng xiǎo rén zhī dào dì rán ér rì wáng
之道,闇然而日章;小人之道,的然而日亡。
지 도 암 연 이 일 장 소 인 지 도 적 연 이 일 망

jūn zǐ zhī dào dàn ér bú yàn jiǎn ér wén wēn ér lǐ zhī yuǎn
君子之道,淡而不厭,簡而文,溫而理。知遠
군 자 지 도 담 이 불 염 간 이 문 온 이 리 지 원

zhī jìn zhī fēng zhī zì zhī wēi zhī xiǎn kě yǔ rù dé yǐ
之近,知風之自,知微之顯,可與入德矣。
지 근 지 풍 지 자 지 미 지 현 가 여 입 덕 의

shī yún qián suī fú yǐ yì kǒng zhī zhāo gù jūn zǐ nèi xǐng
2 詩云:“潛雖伏矣,亦孔之昭!”故君子內省
시 운 잠 수 복 의 역 공 지 소 고 군 자 내 성

bù jiù wú wù yú zhī jūn zǐ zhī suǒ bù kě jí zhě qí wéi
不疚,無惡於志。君子之所不可及者,其唯
불 구 무 오 어 지 군 자 지 소 불 가 급 자 기 유

rén zhī suǒ bù jiàn hū
人之所不見乎。
인 지 소 불 견 호

shī yún xiàng zài ěr shì shàng bù kuì yú wū lòu gù jūn zǐ
3 詩云:“相在爾室,尙不愧于屋漏。”故君子
시 운 상 재 이 실 상 불 괴 우 옥 루 고 군 자

bù dòng ér jìng bù yán ér xìn
不動而敬,不言而信。
부 동 이 경 불 언 이 신

shī yuē zòu gé wú yán shí mǐ yǒu zhēng shì gù jūn zǐ bù
4 詩曰:“奏假無言,時靡有爭。”是故君子不
시 왈 주 격 무 언 시 미 유 쟁 시 고 군 자 불

제33장【무성무취장 無聲無臭章】

[1]시詩에 가로되: "화려한 비단옷을 입었네. 그 위에 망사 덧옷을 드리웠네." 이 노래가사는 그 문채가 너무 과도하게 드러나는 것을 싫어한다는 뜻이다. 그러므로 군자의 도道는 언뜻 보면 어두운 듯하지만 날이 갈수록 찬연하게 빛나며, 소인의 도道는 언뜻 보면 찬란한 듯하지만 날이 갈수록 빛이 사라진다. 군자의 도道는 맛이 담박하지만 싫증나지 않으며, 간결하지만 치열한 질서가 있으며, 온화한 빛이 흐리게 감돌지만 그 내면에 정연한 조리가 있다. 아무리 먼 것도 가까운 데서 시작함을 알고, 아무리 세찬 바람도 이는 곳이 있음을 알고, 아무리 미세한 것이라도 그것이야말로 잘 드러나는 것임을 안다면 나아가 덕德을 닦을 수 있게 되는 것이다. [2]시詩는 말한다: "물고기 물에 잠겨 깊게 꼭꼭 숨어있네. 그렇지만 물이 맑아 너무도 밝게 잘 보여라!" 이와같이 내면을 숨길 길이 없으므로 군자는 안으로 살펴보아 부끄러움이 없어야 하고, 그 마음의 지향하는 바가 미움 살 일이 없어야 하는 것이다. 범인들이 미치지 못하는 군자의 훌륭한 점은 오로지 타인들이 보지 못하는 그 깊은 내면에 있는 것이로다! [3]시詩는 말한다: "그대 방에 홀로 있을 때라도 하느님께 비는 제단 있는 저 구석에서 남이 안 본다고 부끄러운 짓을 하지는 말지어다." 그러므로 군자는 움직이어 자기를 뽐내지 않아도 사람들이 저절로 공경하고, 말을 하지 않

shǎng ér mín quàn bù nù ér mín wēi yú fū yuè
賞而民勸，不怒而民威於鈇鉞。
상 이 민 권 불 노 이 민 위 어 부 월

shī yuē bù xiǎn wéi dé bó bì qí xíng zhī shì gù jūn zǐ
5 詩曰：“不顯惟德！百辟其刑之。”是故君子
시 왈 불 현 유 덕 백 벽 기 형 지 시 고 군 자

dǔ gōng ér tiān xià píng
篤恭而天下平。
독 공 이 천 하 평

shī yún yú huái míng dé bú dà shēng yǐ sè zǐ yuē shēng
6 詩云：“予懷明德，不大聲以色。”子曰：“聲
시 운 여 회 명 덕 부 대 성 이 색 자 왈 성

sè zhī yú yǐ huà mín mò yě shī yuē dé yóu rú máo
色之於以化民，末也。”詩曰：“德輶如毛。”
색 지 어 이 화 민 말 야 시 왈 덕 유 여 모

máo yóu yǒu lún shàng tiān zhī zài wú shēng wú xiù zhì yǐ
毛猶有倫。“上天之載，無聲無臭，”至矣！
모 유 유 륜 상 천 지 재 무 성 무 취 지 의

고 침묵을 지켜도 사람들이 믿음을 준다. [4]시詩에 가로되: "열조烈祖께 제사음악을 연주하니 하느님께서 내려오시지만, 제사지내는 이와 하느님, 모두 말이 없어라. 제사지내는 모든 사람이 같이 하느님의 감화를 받아 서로 다투는 일 없어라." 그러므로 군자는 백성들에게 구태여 상을 내리지 않아도 백성들은 서로 기뻐하며 권면하고, 군자는 진노를 보이지 않아도 백성들은 망나니의 큰 도끼를 두려워하는 것보다도 더 그의 위세를 존중한다. [5]시詩에 가로되: "아아! 크게 빛나는 선왕의 덕이시여! 뭇 제후들이 그 덕을 본받지 않을 수 없나이다!" 그러므로 군자가 공경함을 더욱더욱 돈독히 하면 천하가 평화스럽게 되는 법이다. [6]시詩는 말한다: "하느님께서 문왕文王에게 이르셨도다. 나는 명덕을 가진 자를 사랑하노라. 나는 큰소리치고 얼굴빛에 감정을 노출시키는 그런 자를 귀하게 여기지를 않노라." 이에 공자께서 말씀하시었다: "소리와 얼굴빛은 백성을 교화시킴에는 말엽적인 것이다." 또 시詩에 가로되: "덕德이란 가볍기가 털과 같아도 진실로 실행키가 어렵다." 그렇지만 "털"이라고 말해도 그것은 실오라기만큼의 무게라도 있어 비교될 수 있지 아니 한가? 문왕을 찬양하는 노래에, "하느님께서 하시는 일은 소리도 없고 냄새도 없어라!"라는 가사가 있는데 이 표현이야말로 더 이상 비교할 바 없이 지극하다 할 것이다.

沃案 유교의 가장 심도깊은 경전이며, 인류의 최고의 지혜문학이라고 말할 수 있는 『중용』이 마지막 장을 "공자孔子"라고 하는 특정한 인물을 주어로 하여 구성하지 않았다는 사실은 저자의 심미적 감각의 탁월함과 그 케리그마 속에 애초로부터 "공자컬트"는 포함되어 있지 않았다는 것을 의미한다. 만약 『중용』이 30장·31장·32장의 논조로 끝났다면 『중용』은 우리에게 사랑받는 경전이 되지 않았을지도 모른다. 그러나 제33장은 완벽하게 평범한 "군자君子" 즉 보통 인간의 일상적 문제로 다시 회귀하고 있다. 이 장에 "군자君子"라는 주어만 일곱 번이 등장하고 그 이상의 과도한 강조형의 개념은 전혀 사용하지 않는다. 그리고 시詩, 즉 노래가사로써만 전장을 구성하고 있는데, 앞 장들의 인용방식과 매우 다르다. 앞 장들에 있어서는 시詩가, 먼저 논리전개가 앞서고 난 후에 그 논리를 정당화하기 위하여 뒤늦게 등장한다. 그러나 여기서는 먼저 시詩가 인용되고 그 시구절에 근거하여 설명방식으로 논리가 뒤따를 뿐이다. 이것은 마치 희랍비극에 있어서, 마지막 대단원의 "코러스" 같은 느낌이 든다.

공관복음서 중에서 가장 먼저 쓰여진 오리지날한 형태의 마가복음에서는 예수의 부활이 물리적인 형태로 언급되지 않는다. 막달라 마리아, 야고보의 어머니 마리아, 그리고 살로메 이 세 여자가 향품을 사두었다가 안식 후 첫날 매우 일찍이 해돋은 때에 그 무덤에 가보니 예수의 시신을 찾을 수 없었다. 그리고 이렇게 끝난다: "여자들이 심히 놀라 떨며 나와 무덤에서 도망하고 무서워하며 아무에게 아무 말도 하지 못하더라." 참으로 멋있는 대단원이다. 그런데 후대의 필사자들이 거기에다가 지저분한 뒷얘기들을 덧붙였고, 그것의 증보판을 낸 마태나 누가도 복잡한 뒷이야기들을 개칠해댔다. 세 여인이 빈 무덤에서 두려워 벌벌 떨고 있는 모습! 그 이상의 강렬한 부활증언이 어디에 있겠는가!

이 위대한 『중용』도 "무성무취無聲無臭, 지의至矣"라는 말로 끝난다. 전편이 얘기한 모든 주제가 소리도 없고 냄새도 없는 지극한 무형의 세계로 회귀하는 것이다. 공자예찬도 사라지고 오직 평범한 인간이 겪어야 하는 일상적 삶의 무형의 가치만 남는 것이다. 제1장에서 말한 "막현호은莫見乎隱, 막현호미莫顯乎微," 즉 은미한 신독愼獨의 세계로 회귀한 것이다. 개인의 고독! 누구도 형체화할 수 없는 인간의 내면의 덕의 쌓임! 밤새 소리없이 소록소록 쌓이는 백설처럼 인간의 내면에 쌓이는 신독의 덕성이야말로 『중용』의 궁극적 주제라고 말할 수 있을 것이다.

서울의 조산祖山, 북한산 인수봉仁壽峰. 『논어』6-21 "인자수仁者壽"에서 그 이름이 왔다. 대자연에 대하여 외경심을 갖지 못하는 자는 『중용』을 안다 말할 수 없다. 이 강토를 훼손치 말자!

후기 後記

본서는 결코 『중용한글역주』의 요약본이라고 말할 수 없다. 『역주』가 고증, 전거, 자의字義의 추구에 충실하고자 했다면 『중용, 인간의 맛』은 각 장의 총체적 의미를 우리 삶의 통찰 속에서 자유롭게 전개한 것이다. 나는 본서를 집필하면서 내 생애에서 맛보기 어려웠던 한 사상가로서의 즐거움을 맛보았다. 이 책을 먼저 본 사람은 다시 『역주』를 참고하면 반드시 큰 배움이 있을 것이다. 학문적 엄밀함을 습득하면서 더 성숙한 사고를 할 수 있게 될 것이다.

이 책의 특징 중의 하나가 사진과 사진의 캡션이 또 하나의 책의 흐름을 형성하고 있다는 것이다. 캡션의 글들이 말하고자 하는 본의를 종합적으로 조감해보면 우리가 살고 있는 시대의 당위를 의식할 수 있을 것이다. 여기 실린 사진들은 내가 두 발로 걸어다니며 몸으로 느낀 현대사의 기록이다. 그것들은 임진권군과 나의 작품이다.

내 『노자』강의와 내 『중용』강의를 다 들은 나의 제자, 자용子庸이 나에게 이런 말을 한 적이 있다: "『노자』에서는 생각하는 법을 배웠고,

『중용』에서는 살아가는 법을 배웠습니다.” 매우 짤막한 멘트이지만 내 귓전에 계속 아롱거린다. 『중용』은 우리에게 삶을 가르친다. 한국의 젊은이들이 『중용』을 읽고 새로운 삶을 건설할 수 있기를 갈망한다. 『중용』은 영원한 삶의 혁명the perennial revolution of Life이다.

우리발음과 중국어발음은 중국음운학자인 최영애교수와 내가 상의하여 결정하였다. 언어는 변한다. 발음도 계속 변한다. 따라서 완벽한 정답은 없다. 중국어발음도 대륙에서 많이 변하였다. 대륙 현재 표준음을 기준으로 하면서 고풍을 반영하였다. 중국에서 나온 서물의 발음표기보다 더 정밀한 고증을 거친 발음체계라는 것을 이해해 주었으면 한다. 우리발음도 다양한 언해본을 참고하여 신중하게 결정하였다.

2011년 8월 18일
오후 7시 20분
낙송암에서

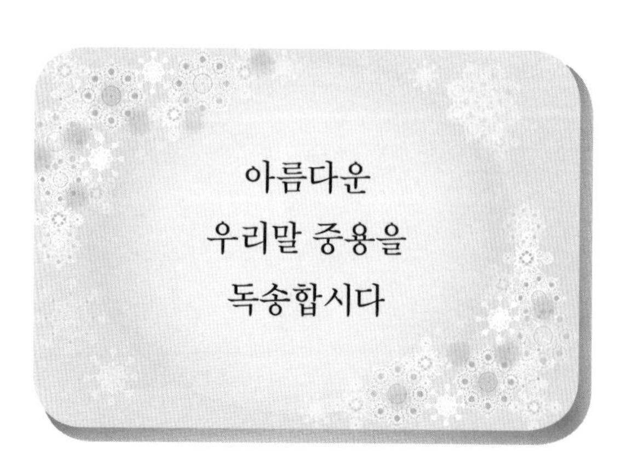

1 천명장

천天이 명命하는 것, 그것을 일컬어 성性이라 하고, 성을 따르는 것, 그것을 일컬어 도道라 하고, 도를 닦는 것, 그것을 일컬어 교敎라고 한다. [2]도道라는 것은 잠시須臾라도 떠날 수 없는 것이다. 도가 만약 떠날 수 있는 것이라면 그것은 도가 아니다. 그러므로 군자君子는 보이지 않는 데서 계신戒愼하고, 들리지 않는 데서 공구恐懼한다. [3]숨은 것처럼 잘 드러나는 것이 없으며, 미세한 것처럼 잘 나타나는 것이 없다. 그러므로 군자는 그 홀로있음獨을 삼가는愼 것이다. [4]희노애락喜怒哀樂이 아직 발현되지 않은 상태를 중中이라 일컫고, 그것이 발현되어 상황의 절도節에 들어맞는 것을 화和라고 일컫는다. 중中이라는 것은 천하天下의 큰 근본大本이요, 화和라는 것은 천하사람들이 달성해야만 할 길達道이다. [5]중中과 화和를 지극한 경지에까지 밀고 나가면, 천天과 지地가 바르게 자리를 잡을 수 있고, 그 사이에 있는 만물萬物이 잘 자라나게 된다.

2
시중장

중니께서 말씀하시었다: "군자君子의 행위는 중용을 지킨다. 그러나 소인小人의 행위는 중용에서 어긋난다. [2]군자가 중용을 행함은 군자다웁게 때에 맞추어 중中을 실현한다. 그러나 소인이 중용을 행함은 소인다웁게 기탄忌憚함이 없다."

3
능구장

공자께서 말씀하시었다: "중용이여, 참으로 지극하도다! 아~ 사람들이 거의 그 지극한 중용의 덕을 지속적으로 실천하지 못하는구나!"

4
지미장

공자께서 말씀하시었다: "도道가 왜 행하여지고 있지 않은지, 나는 알고 있도다. 지혜롭다 하는 자들은 도度를 넘어서서 치달려 가려고만 하고, 어리석은 자들은 마음이 천한 데로 쏠려 미치지 못한다. 도道가 왜 이 세상을 밝게 만들지 못하고 있는지, 나는 알고 있도다. 현명한 자들은 분수를 넘어가기를 잘하고 불초不肖한 자들은 아예 못미치고 만다. [2]사람이라면 누구든 마시고 먹지 않는 자는 없다. 그러나 맛을 제대로 아는 이는 드물다."

5
도기불행장

공자께서 말씀하시었다: "아~ 진실로 도道가 행하여지질 않는구나!"

6
순기대지장

공자께서 말씀하시었다: "순임금은 크게 지혜로우신 분이실진저! 순임금께서는 무엇이든지 묻기를 좋아하셨고 비근한 말들을 살피기를 좋아하셨다. 사람들의 추한 면은 덮어주시고 좋은 면을 잘 드러내주시었다. 어느 상황이든지 그 양극단을 모두 고려하시어 그 중中을 백성에게 적용하시었다. 이것이 바로 그 분께서 순舜이 되신 까닭이로다!"

7 개왈여지장

공자께서 말씀하시었다: "세상 사람들이 모두 나를 보고 순임금처럼 지혜롭다고 말하는데, 나를 휘몰아 그물이나 덫이나 함정 속으로 빠뜨려도 나는 그것을 피하는 방법도 알지 못한다. 세상 사람들이 모두 내가 지혜롭다고 말하는데 나는 중용을 택하여 지키려고 노력해도 불과 만 1개월을 지켜내지 못하는구나!"

8 회지위인장

공자께서 말씀하시었다: "안회의 사람됨이란, 항상 중용을 택하되 하나의 선善한 일이라도 깨닫게 되면, 그것을 진심으로 고뇌하면서 가슴에 품어 잃는 법이 없었다."

9 백인가도장

공자께서 말씀하시었다: "천하국가란 평등하게 다스릴 수도 있는 것이다. 높은 벼슬이나 후한 봉록도 거절할 수도 있는 것이다. 서슬퍼런 칼날조차 밟을 수도 있는 것이다. 그러나 중용은 능能하기 어렵다."

10 자로문강장

자로子路가 강强에 관하여 공자님께 여쭈었다. [2]공자께서 대답하시었다: "그대가 묻는 것이 남방의 강强을 가리키는가? 북방의 강强을 가리키는가? 그렇지 않으면 그대 자신이 지향하는 강强을 가리키는가? [3]너그러움과 유순함으로써 가르쳐주고, 무도

無道함에 보복하지 않는 것이 남방의 강強이니, 군자가 이에 거居한다. [4]병기와 갑옷을 입고 전투에 임하여 죽더라도 싫어하지 않는 것은 북방의 강強이다. 네가 말하는 강자強者는 결국 여기에 거居하겠지. [5]그러므로 군자는 화합하면서도 흐르지 않으니, 아~ 그러한 강強이야말로 진정한 강함이로다! 가운데 우뚝 서서 치우침이 없으니, 아~ 그러한 강強함이야말로 진정한 강함이로다! 나라에 도가 있어도 궁색한 시절에 품었던 지조를 변하지 아니 하니, 아~ 그러한 강強이야말로 진정한 강함이로다! 나라에 도가 없어도 평소에 지녔던 절개를 죽음에 이를지언정 변치 아니 하니, 아~ 그러한 강強이야말로 진정한 강함이로다!"

11
색은행괴장

공자께서 말씀하시었다: "숨어있는 편벽한 것들을 들쑤셔내고, 괴이한 행동을 하면, 후세에 조술祖述될 만큼 이름을 날릴지는 모르겠으나, 나는 그런 짓을 하지 않는다. [2]군자가 길을 따라 가다가 중도에 그만두는 일이 있는데, 나는 중도에 그만두는 그런 짓은 할 수 없노라. [3]군자는 중용을 실천함을 의지삼아, 세상에 은둔하여 사람들에게 알려지지 아니 한다 할지라도 후회함이 없나니, 이는 오직 성자聖者만이 능할 뿐이로다."

12
부부지우장

군자의 도道는 명백하게 드러나 알기 쉬운 듯하면서도 가물가물 숨겨져 있다. [2]보통 부부夫婦의 어리석음으로도 가히 더불어 군자의 도道를 알 수 있는 것이어늘, 그 도道의 지극함에 이르게 되면 비록 성인이라 할지라도 또한 알지 못하는 바가 있다. 보통 부부夫婦의 못남으로도 가히 더불어 군자의 도道를 실행할 수 있는 것이어늘, 그 도道의 지극함에 이르게 되면 비록 성인이라 할지라도 또한 실행하지 못하는 바가 있다. 너무도 너무도 거대한 천지의 불확정성에 관하여 평범한 사람들은 유감을 가지고 있을 수도 있다. 그러므로 대소大小우주의 경지를 통달한 군자가 거대한 것을 말하면 천하天下가 능히 그것을 싣지 못하며, 극소한 것을 말하면 천하天下가 능히 그것을 깨지 못한다. [3]시詩는 말한다: "솔개는 치솟아 하늘에 다다르고, 잉어는 연못에서 튀어 오른다." 이것은 그 도道가 위와 아래에 모두 찬란하게 드러남을 은유한 것이다. [4]군자의 도道는 부부간의 평범한 삶에서 발단되어 이루어지는 것이니, 그 지극함에 이르게 되면 하늘과 땅에 꽉 들어차 빛나는 것이다.

13 도불원인장

공자께서 말씀하시었다: "도道는 사람에게서 멀리 있지 아니하다. 사람이 도를 실천한다 하면서 도가 사람에게서 멀리 있는 것처럼 생각한다면 그는 결코 도를 실천하지 못할 것이다. [2]시詩는 말한다: '도끼자루를 베네. 도끼자루를 베네. 그 벰의 법칙이 멀리 있지 않아.' 도끼가 꽂힌 도끼자루를 잡고 새 도끼자루를 만들려고 할 때에는 자기가 잡고있는 도끼자루를 흘깃 보기만 해도 그 자루 만드는 법칙을 알 수 있는 것이어늘, 오히려 그 법칙이 멀리 있다고 생각하니 얼마나 어리석은 일인가! 그러므로 군자는 사람의 도리道理를 가지고서 사람을 다스릴 뿐이니, 사람이 스스로 깨달아 잘못을 고치기만 하면 더 이상 다스리려고 하지 않는다. [3]충서忠恕는 도道로부터 멀리 있지 아니 하다. 자기에게 베풀어보아 원하지 아니 하는 것은 또한 남에게도 베풀지 말지어다. [4]군자君子의 도道는 넷이 있으나, 나 구丘는 그 중 한 가지도 능하지 못하도다! 자식에게 바라는 것으로써 아버지를 잘 섬겼는가? 나는 이것에 능하지 못하도다. 신하에게 바라는 것으로써 임금을 잘 섬겼는가? 나는 이것에 능하지 못하도다. 아우에게 바라는 것으로써 형님을 잘 섬겼는가? 나는 이것에 능하지 못하도다. 붕우에게 바라는 것을 내가 먼저 베풀었는가? 나는 이것에 능하지 못하도다. 사람이란 모름지기 항상스러운 범용의 덕을 행하며 항상스러운 범용의 말을 삼가하여야 한다. 이에 부족함이 있으면 감히 힘쓰지 아니 할 수 없는 것이요, 이에 여유로움이 있으면 절제하고 조심하여 감히 자고自高치 아니 하여야 할 것이다. 언言은 반드시 행行을 돌아보아야 하며, 행行은 반드시 언言을 돌아보아야 하니, 군자가 어찌 삼가하여 독실篤實하지 아니 할 수 있으리오!"

14
불원불우장

군자는 그 자리에 처하여 그 자리에 합당한 행동에 최선을 다할 뿐, 그 자리를 벗어난 환상적 그 무엇에 욕심내지 않는다. [2]부귀에 처해서는 부귀에 합당한 대로 도를 행하며, 빈천에 처해서는 빈천에 합당한 대로 도를 행하며, 이적夷狄에 처해서는 이적夷狄에 합당한 대로 도를 행하며, 환난에 처해서는 환난에 합당한 대로 도를 행한다. 군자는 들어가는 곳마다 스스로 얻지 못함이 없다. [3]윗자리에 있을 때는 아랫사람을 능멸하지 아니 하며, 아랫자리에 있을 때는 윗사람을 끌어내리지 아니 한다. 오직 자기 자신을 바르게 할 뿐, 타인에게 나의 삶의 상황의 원인을 구하지 아니 하니 원망이 있을 수 없다. 위로는 하늘을 원망치 아니 하며, 아래로는 사람을 허물치 아니 한다. [4]그러므로 군자는 평이한 현실에 거居하면서 천명天命을 기다리고, 소인은 위험한 짓을 감행하면서 요행을 바란다. [5]공자께서 말씀하시었다: "활쏘기는 군자의 덕성과 유사함이 있으니, 활을 쏘아 과녁을 벗어나더라도 오히려 그 이유를 자기 몸에서 구한다."

15
행원자이장

군자의 도道는 비유컨대 먼 곳을 가려면 반드시 가까운 데로부터 하며, 높은 곳을 오르려면 반드시 낮은 데로부터 함과 같다. [2]시詩에 가로되: "아내와도 자식들과도 마음 맞아 하나됨이 슬瑟과 금琴이 서로 화합하듯 하여라. 게다가 형과도 동생과도 또 한마음 되니, 화락和樂함이 끝이 없네. 너의 온 가족을 평온케 하라. 그리하면 너의 아내와 자식들이 즐거우리라." [3]공자께서 말씀하시었다: "부모님께서 물려주신 가정을 순화롭게 하여 부모님께 순종하여야 할 것이로다!"

16
귀신장

공자께서 말씀하시었다: "귀신鬼神의 덕德됨이 참으로 성대하도다! [2]보아도 보이지 않고, 들어도 들리지 않지만, 귀신은 모든 사물을 체현시키며 하나도 빠뜨리지 않는다. [3]천하天下의 사람들로 하여금 재계齋戒하고 깨끗이 하게 하며, 의복을 성대하게 하여, 제사祭祀를 받들게 하는도다. 그리곤 보라! 귀신은 바닷물이 사방에 넘실넘실 넘치듯 하지 아니 한가! 저 위에도 있는 듯하며, 좌에도 우에도 있는 듯하지 아니 하뇨! [4]시詩에 가로되: '신이여 오시도다. 그 모습 헤아릴 길 없어라. 어찌 감히 역겨워 하오리이까!'" [5]대저 귀신은 숨겨져 있지만 너무도 잘 드러난다. 만물을 하나도 빠뜨리지 않는 그 생성의 성誠, 그 진실함을 가릴 수 없음이 이와 같도다!

17
순기대효장

공자께서 말씀하시었다: "순임금은 진실로 대효大孝이시로다! 덕德으로는 성인聖人이 되시고, 존귀함으로는 천자가 되시어, 널리 사해四海의 천하를 다스리시었다. 돌아가신 후에는 종묘宗廟의 제사를 흠향하시니, 자손들은 대대로 그 제사를 보전하여 끊이지 않았다. [2]그러므로 순舜과 같은 대덕大德은 반드시 그 합당한 위位를 얻으며, 반드시 그 합당한 녹祿을 얻으며, 반드시 그 합당한 이름을 얻으며, 반드시 그 합당한 수壽를 얻는다. [3]그 까닭이란 하늘이 물物을 생生할 때에는 반드시 그 재질에 따라 생장의 다양한 진로를 돈독히 하기 때문이다. 그러므로 세차고 반듯하게 솟아올라오는 것은 북돋아주고, 비실비실 기우는 것은 갈아엎어 버린다. [4]시詩에 가로되: '아름답고 화락하신 군자君子이시여! 그 고운 덕성이 찬란하게 드러나시네. 백성을 사랑하시고 사람을 사랑하시는도다. 하늘로부터 행운의 복록을 받으시네. 하늘은 그를 보우하여 끊임없이 명命을 내리시네. 하늘은 그를 거듭거듭 보살피시는도다.'" [5]그러므로 대덕大德을 구현하는 자는 반드시 명命을 받는다.

18 문왕무우장

공자께서 말씀하시었다: "아~ 실로 근심이 없으실 분은 오직 문왕文王뿐이실 것이다! 왕계王季와 같은 훌륭한 아버지를 두셨고, 무왕武王과 같은 훌륭한 아들을 두셨으니 근심이 없으시리로다. 아버지가 작作하시었고 그 아들이 술述하시었도다. [2]무왕武王께서는 태왕大王·왕계王季·문왕文王의 기업基業을 이으사, 한번 갑옷을 차려 입으시니 천하를 소유하게 되시었다. 그럼에도 그 몸은 천하에 드러난 아름다운 이름을 잃지 아니 하시었다. 존귀함으로는 천자가 되시었고, 널리 사해四海의 천하를 다스리시었다. 돌아가신 후에는 종묘의 제사를 흠향하시니, 자손들은 대대로 그 제사를 보전하여 끊이지 않았다. [3]무왕武王은 말년에 비로소 천명을 받으시고 얼마 안 있어 승하하시어 예를 정할 틈이 없었다. 그래서 그의 동생 주공周公께서 문왕과 무왕의 덕德을 완성하여 예를 제정하시었다. 주공은 태왕大王과 왕계王季를 추존하여 왕王으로 높이시고, 그 위로 후직后稷으로부터 태왕 이전의 공숙조류公叔祖類에 이르는 선공先公들을 제사지내는 데는 천자天子의 예禮로써 하였다. 이 예의 법칙, 즉 장례는 죽은 자의 위位로써 하고 제사는 제사를 받드는 자손의 위位로써 한다는 법칙을 제후와 대부, 그리고 사士와 서인庶人에 이르기까지 모두 보편적으로 통용케 하였다. 일례를 들면, 아버지가 대부大夫의 신분이고 아들이 사士의 신분인 경우에는, 장례는 대부의 예로써 하고 제사는 사의 예로써 한다. 또 거꾸로 아버지가 사士의 신분이고 아들이 대부大夫의 신분일 경우에는, 장례는 사의 예로써 하고 제사는 대부의 예로써 하는 것이다. 먼 관계의 복상인 기년상期年喪의 경우는 서인으로부터 대부에까지만 미치며 그 이상의 고귀한 신분은 기년상에서 면제된다. 그러나 아주 가까운 관계의 복상인 삼년상三年喪의 경우는 서인으로부터 천자에 이르기까지 예외없이 미치는 것이니, 특히 부모에 대한 삼년 복상은 귀천을 가리지 않고 한결같다."

19
주공달효장

공자께서 말씀하시었다: "무왕武王과 주공周公은 달효達孝를 구현하신 분들이시다! [2]대저 효孝라는 것은 사람의 뜻을 잘 계승하며, 사람의 일을 잘 전술傳述하는 것이다. [3]봄·가을로 조상의 묘廟를 소제하고 수리하며, 조상으로부터 전래된 제기祭器와 악기樂器와 보물을 진열하며, 조상이 입던 아랫 치마와 윗도리를 진설하여 조상의 혼이 돌아와 깃들게 하며, 조상이 살아계실 때와 똑같이 철에 맞는 신선한 음식을 드시도록 진지상을 올린다. [4]종묘의 예는 크게 보아 소목昭穆이라는 세대간의 질서를 밝히기 위함이다. 종묘에서 제사가 진행되는 동안 작위에 따라 자리순서가 매겨지는 것은 귀천을 분변키 위함이요, 제사의 임무를 그 경중에 따라 차례지움은 현명함과 불초함을 분변키 위함이다. 그리고 신이 강림하여 서로 술잔을 주고받을 때 맨 아래에 있는 자가 윗분에게 술잔을 올리는 것은 신의 축복이 천賤한 이에게까지 골고루 미치게 함이다. 그리고 제사의 정식과정이 완료된 후에 편안하게 잔치를 벌일 때에 모발의 색깔에 따라 자리를 잡는 것은 나이서열을 밝히기 위함이다. [5]제사의 궁극적 의미는 참여하는 내가 조상의 삶의 자리를 밟아본다는 것이다. 그들이 행하였던 예禮를 내가 행하고, 그들이 즐겼던 악樂을 내가 즐기고, 그들이 존중했던 것을 내가 공경하며, 그들이 가깝게 했던 사람들을 내가 귀하게 여기는 것이다. 죽은 이를 섬기기를 산 자를 섬기듯이 하고, 멀리 사라져버린 이를 섬기기를 지금 여기 현존하는 이를 섬기듯이 하니, 이것이야말로 효의 지극함이 아니고 그 무엇이리오. [6]교사郊社의 예는 하느님上帝을 섬기기 위함이요, 종묘宗廟의 예는 그 선조를 받들기 위함이다. 교사의 예와, 종묘의 봄제사인 체禘와 가을제사인 상嘗의 의미에 밝으면, 한 나라를 다스리는 일도 그 나라를 손바닥 위에 올려놓고 보는 것처럼 쉬울 것이다."

20
애공문정장

애공이 공자에게 정치에 관하여 물었다. [2]공자께서 대답하여 말씀하시었다: "문왕文王과 무왕武王의 훌륭한 정치는 목판木版이나 간책簡策에 널브러지게 쓰여져 있습니다. 그러나 그러한 가치를 구현할 수 있는 사람이 있으면 그 정치는 홍할 것이고, 그러한 사람이 없으면 그 정치는 쇠락하고 말 것입니다. [3]사람의 도道는 정치에 민감하게 나타나고, 땅의 도道는 나무에 민감하게 나타납니다. 대저 정치라는 것은 일단 사람을 확보하기만 한다면 빠르게 자라나는 갈대와 같지요. [4]그러므로 정치를 한다는 것은 제대로 된 사람을 얻는 데 있습니다. 그런데 제대로 된 사람을 얻으려면 군주 자신의 몸에 바른 덕성이 배어 있어야만 합니다. 몸을 닦는다는 것은 도道를 구현하는 것입니다. 도를 닦는다는 것은 인仁을 구현하는 것입니다. [5]그렇다면 인仁은 무엇일까요? 인仁이라는 것은 발음 그대로 인人입니다. 사람의 근본바탕의 감정이지요. 인의 세계에 있어서는 가장 친근한 사람을 친하게 한다는 것이 중요합니다. 이 인과 짝을 지어 생각해야 할 것이 의義입니다. 의義란 무엇일까요? 의義는 발음 그대로 의宜입니다. 마땅함이지요. 의의 세계에 있어서는 현인賢人을 객관적으로 존중한다는 것이 중요합니다. 가까운 혈연을 친하게 함의 무등급성과 현인을 공적으로 존중함의 등급성, 이 양면성으로부터 예禮라는 것이 생겨나는 것입니다. [6]아랫자리에 있으면서 윗사람에게 신임을 얻지 못하면 백성을 다스릴 수 있는 기회조차 얻지 못할 것입니다. [7]그러므로 군자는 자기 몸을 닦지 않을 수 없습니다. 자기 몸을 닦을 것을 생각하면 어버이를 섬기지 않을 수 없습니다. 어버이를 섬길 것을 생각하면 사람을 알지 않을 수 없습니다. 사람을 알 것을 생각하면 하느님을 알지 않을 수 없습니다. [8]천하사람들이 달성해야만 하는 공통되는 길道이 다섯이 있고, 또 그 길을 행하게 만드는 인간 내면의 덕성은 셋이 있습니다. 다섯이란 임금과 신하 사이의 길이요, 아버지와 아들 사이의 길이요, 남편과 부인 사이의 길이요, 형과 동생 사이의 길이요, 붕우간의 사귐의 길입니다. 이 다섯 가지야말로 천하사람들 모두의 달도達道입니다. 그리고 지知와 인仁과 용勇, 이 세 가지야말로 천하사람 모두의 달덕達德입니다. 그런데 도道를 행行하게 만드는 이 세 가지 달덕이야말로 결국은 하나로 수렴되는 것이지요. [9]여태까지 이야기하여온 달도達道와 달덕達德에 관하여 어떤 사람은 태어나면서부터 그것을 알고, 어떤 사람은 배워서 그것을 알고, 어떤 사람은 곤요롭게 애써서 그것을 압니다. 그러한 지력의 차이는 있습니다만 결국 앎에 도달하게 되면 안다고 하는 그 사실에 있어서는 아무런 차이가 없습니다. 또 달도와 달덕에 관하여 어떤 사람은 편안하게 그것을 행하고, 어떤 사람은 이해를 따져서 그것을 행하고, 어떤 사람은 억지로 힘써 그것을 행합니다. 그러나 결국 공을 이루게 되면 그 행위의 성취에 있어서는 아무런 차이가 없습니다." [10]공자께서 또다시 말씀하시었다: "배우기를 좋아하는 것은 지知에 가깝고, 힘써 행하는 것은 인仁에 가깝고, 부끄러움을 아는 것은 용勇에 가깝습니다. [11]이 세 가지를 알면 과연 내 몸을 어떻게 닦을 것인가를 알게 될 것입니다. 내 몸을 어떻게 닦을 것인가를 알게 되면 타인을 어떻게 다스릴 것인가를 알게 될 것입니다. 타인을 어떻게 다스릴 것인가를 알게 되면 천하국가를 어떻게 다스릴 것인가를 알게 될 것입니다. [12]무릇 천하天下·국國·가家를 다스리는 데는 아홉 가지 벼리가 있습니다. 그 첫째는 군주가 자기 몸을 닦는 것입니다. 둘째는 현인을 존중하는 것입니다. 셋째는 가까운 혈연을 친하게 하는 것입니다. 넷째는 대신大臣들을 공경하는 것입니다. 다섯째는 뭇 신하들을 내 몸과 같이 여기는 것입니다. 여섯째는 뭇 백성을 내 아들과 같이 여기는 것입니다. 일곱째는 다양한 기술자들이 꼬이게 만드는 것입니다. 여덟째는 먼 지방의 사람들까지도 화목하게 만드는 것입니다. 아홉째는 제후들을 회유하는 것입니다. [13]군주가 자기 몸을 닦으면 도道가 바르게 서게 됩니다. 현인을 존중하면 도에 관하여 미혹함이 사라집니다. 가까운 혈연을 친하게 하면 아버지 항렬의 사람들과 형제들이 모두 원망하지 않습니다. 대신大臣들을 공경하면 관료사회의 제반업무평가에 관하여 현혹됨이 없어집니다. 뭇 신하들을 내 몸과 같이 여기면 관료의 주축인 선비들의 보은報恩의 예禮가 중후해집니다. 뭇 백성을 내 아들과 같이 여기면 백성들이 서로 권면하여 선善에 힘씁니다. 다양한 기술자들이 꼬이게 만들면 재정과 쓰임이 풍요로워집니다. 먼 지방의 사람들까지 화목케 하면 사방에서 귀순하여 인구가 증가하고 국력이 탄탄해집니다. 제후들을 회유하면 천하사람들이 모두 당신의 나라를 외경스럽게 바라볼 것입니다. [14]첫째로 재계하여 몸과 마음을 맑게 하고 복장을 성대히 하고 예가 아니면 움직이지 아니 함이 몸을 닦는 것이외다. 둘째로, 모함하는 이들을 제거하고 여색을 멀리하며, 재물을 낮게 여기고 덕德을 귀하게 여김은 현인을 권면하는 것이외다. 셋째로, 그 지위를 높게 해주고 녹祿을 두텁게 해주고 그들과 호오好惡의 감정을 같이 함으로써 융화를 꾀하는 것이 친친親親을 권면하는 것이외다. 넷째로, 높은 관직에 권위를 부여하고 그들로 하여금 부하를 스스로 부리도록 맡겨주는 것이 대신을 권면하는 것이외다. 다섯째로, 군주가 가슴으로부터 우러나오는 성의를 다하고 그 녹祿을 재질과 성과에 맞추어 정중하게 하는 것이 뭇 신하들을 권면하는 것이외다. 여섯째로, 인민을 공사公事에 징용할 때에는 함부로 하지 아니 하고 알맞은 때로써 하며 그들로부터 거두어들이는 것은 될 수 있는 대로 박薄하게 하는 것이 뭇 백성을 권면하는 것이외다. 일곱째로, 매일 일하는 것을 살펴보고 달마다 시험을 보고 월급을 그 일의 능률과 성과에 맞추어 정당하게 부여함이 백공百工을 권면하는 것이외다. 여덟째로, 가는 자를 후하게 전송하고 오는 자를 반가이 맞이하며, 능력있는 자는 잘 대접하되 능력이 없는 자라도 긍휼히 여김이 먼 지방의 사람들을 화목하게 만드는 것이외다. 아홉째로, 끊어진 세대를 이어 제사를 지낼 수 있도록 해주며, 국가기능을 상실한 나라들을 다시 홍하게 해주며, 어지러워진 나라를 다시 질서있게 만들어주고 넘어지는 나라를 다시 붙들어 잡아주며, 제후가 천자에게 자국의 상황에 관해 보고하는 조朝와 때에 맞추어 대부를 시켜 천자에게 공물貢物을 헌상하는 빙聘의 예를 너무 번거롭지 않도록 때에 맞추어 하도록 해주며, 가는 것은 후하게 하고 오는 것은 박하게 하는 것이야말로 제후를 회유하는 것이외다. [15]대저 천하·국·가를 다스림에 구경九經이 있으나, 그것을 실천케 만드는 그 근본은 하나입니다. [16]모든 일은 사전에 미리 성실한 바탕 위에서 단속하면 확고하게 서고, 미리 단속함이 없이 무방비 상태로 임하면 낭패를 봅니다. 인간의 언어는 미리 잘 생각해놓으면 차질이 없고, 일도 미리 잘 준비해놓으면 곤혹스럽지 아니 하고, 행동도 미리 방침을 잘 세워놓으면 병폐가 없습니다. 도道야말로 미리 갈 곳을 잘 정해놓으면 샛길로 빠져 막다른 골목에 부닥치는 그런 궁색한 일이 없게 되는 것입니다. [17]그러므로 아랫자리에 있으면서 윗사람에게 신임을 얻지 못하면 백성을 다스릴 기회를 얻지 못할 것입니다. 윗사람에게 신임을 얻는 것은 방법이 있으니, 먼저 친구들에게 신임을 받지 못하면 윗사람에게도 당연히 신임을 얻지 못하는 것입니다. 친구들에게 신임을 받는 것은 방법이 있으니, 먼저 부모님께 효순하지 못하면 친구들에게도 당연히 신임을 받지 못하는 것입니다. 부모님께 효순하는 것은 방법이 있으니, 자기 몸에 돌이켜보아 성실하지 못하면 부모님께도 당연히 효순할 수 없는 것입니다. 자기 몸을 성실하게 하는 것은 방법이 있으니, 선善을 명료하게 인식하지 못하면 몸을 성실하게 할 길이 없을 것입니다. [18]성誠 그 자체는 하느님의 도道입니다. 성誠해지려고 노력하는 것은 사람의 도道입니다. 성誠 그 자체는 힘쓰지 않아도 들어맞으며, 고민하며 생각하지 않는데도 얻어지며, 마음을 탁 놓고 편안하게 있는데도 도에 들어맞으니 이것이야말로 성인聖人의 경지라 할 수 있지요. 성誠해지려고 노력한다는 것은 선善을 택하여 굳게 잡고 실천하는 자세이니 보통 사람의 경지라 할 수 있지요. [19]널리 배우십시오. 자세히 물으십시오. 신중히 생각하십시오. 분명하게 사리를 분변하십시오. 돈독히 행하십시오. [20]배우지 않음이 있을지언정, 배울진대 능하지 못하면 도중에 포기하지 마십시오. 묻지 않음이 있을지언정, 물을진대 알지 못하면 도중에 포기하지 마십시오. 생각하지 않음이 있을지언정, 생각할진대 결말을 얻지 못하면 도중에 포기하지 마십시오. 분변하지 않음이 있을지언정, 분변할진대 분명하지 못하면 도중에 포기하지 마십시오. 행하지 않음이 있을지언정, 행할진대 독실하지 못하거든 도중에 포기하지 마십시오. 남이 한 번에 능하거든 나는 백 번을 하며, 남이 열 번에 능하거든 나는 천 번을 하십시오. [21]과연 이 호학역행好學力行의 도道에 능하게만 되면, 비록 어리석은 자라도 반드시 현명해지며, 비록 유약한 자라도 반드시 강건하게 될 것입니다."

21
자성명장

성誠에서부터 명明으로 구현되어 나아가는 것을 성性이라 일컫고, 명明에서부터 성誠으로 구현되어 나아가는 것을 교敎라고 일컫는다. 성誠하면 곧 명明해지고, 명明하면 곧 성誠해진다.

22
천하지성장

오직 천하의 지극한 성誠이라야 자기의 타고난 성性을 온전히 발현할 수 있다. 자기의 타고난 성性을 온전히 발현할 수 있게 되어야 타인의 성性을 온전히 발현케 할 수가 있다. 타인의 성을 온전히 발현케 할 수 있어야 모든 사물의 성性을 온전히 발현케 할 수 있다. 모든 사물의 성을 온전히 발현케 할 수 있어야 천지의 화육化育을 도울 수 있다. 천지의 화육을 도울 수 있어야 비로소 천天과 지地와 더불어 온전한 일체가 되는 것이다.

23
기차치곡장

다음으로 힘써야 할 것은 치곡致曲의 문제이다. 그것은 소소小小한 사물에 이르기까지 모두 지극하게 정성을 다한다는 것이다. 그리하면 소소한 사물마다 모두 성誠이 있게 된다. 성誠이 있게 되면 그 사물의 내면의 바른 이치가 구체적으로 형상화된다. 형상화되면 그것은 외부적으로 드러나게 된다. 드러나게 되면 밝아진다. 밝아지면 움직인다. 움직이면 변變한다. 변하면 화化한다. 오직 천하의 지성至誠이래야 능히 화化할 수 있다.

24
지성여신장

지성至誠의 도道를 구현한 사람은 세상 일을 그것이 일어나기 전에 미리 알 수가 있다. 국가가 장차 흥하려고 하면 반드시 상서로운 조짐이 나타나며, 국가가 장차 망하려고 하면 반드시 요망스러운 재앙의 싹이 나타난다. 그리고 그런 길흉의 조짐은 산대점이나 거북점에도 드러나고, 관여된 사람들의 사지 동작에도 드러나게 마련이다. 화禍나 복福이 장차 이르려고 할 때, 지성至誠의 도道를 구현한 자는 그 원인이 되는 좋은 것도 반드시 먼저 알며, 좋지 않은 것도 반드시 먼저 알아 계신戒愼한다. 그러므로 지성至誠은 하느님과 같다고 할 것이다.

25
성자자성장

성誠은 스스로 이루어가는 것이요, 도道는 스스로 길지워 나가는 것이다. [2]성誠은 물物의 끝과 시작이다. 성誠하지 못하면 물物도 있을 수 없다. 그러므로 군자는 성誠해질려고 노력하는 것을 삶의 가장 귀한 덕으로 삼는다. [3]성誠이라는 것은 인간 스스로 자기를 이룰 뿐 아니라 동시에 반드시 자기 밖의 모든 물物을 이루어 줌으로써 구현되는 것이다. 자기를 이룸을 인仁이라 하고, 나 이외의 사물을 이룸을 지知라 한다. 인仁과 지知는 인간의 성性이 축적하여 가는 탁월한 덕성이며, 인간존재의 외外와 내內를 포섭하고 융합하는 도道이다. 그러므로 성誠은 어떠한 상황에 처하여지더라도 반드시 그 사물의 마땅함을 얻는다.

26 지성무식장

그러므로 지성至誠은 쉼이 없다. [2]쉼이 없으면 오래가고, 오래가면 징험이 드러난다. [3]징험이 드러나면 유원悠遠하고, 유원하면 박후博厚하고, 박후하면 고명高明하다. [4]박후博厚하기 때문에 만물을 실을 수 있고, 고명高明하기 때문에 만물을 덮을 수 있고, 유구悠久하기 때문에 만물을 완성시킬 수 있는 것이다. [5]박후博厚는 땅과 짝하고, 고명高明은 하늘과 짝하고, 유구悠久는 시공의 제약성을 받지 아니 한다. [6]이와 같은 자는 내보이지 않아도 스스로 드러나며, 움직이지 않아도 세계를 변화시키며, 함이 없어도 만물을 성취시켜 준다. [7]천지의 도道는 한마디 말로써 다 표현할 수 있는 것이니, 그 물됨이 두 마음이 없다는 것이다. 그러한즉 그것이 물物을 생성함이 무궁하여 다 헤아릴 길 없는 것이다. [8]아! 천지의 도道이시여! 드넓도다! 두텁도다! 드높도다! 밝도다! 아득하도다! 오래도다! [9]이제 저 하늘을 보라! 가냘픈 한 가닥의 빛줄기가 모인 것 같으나, 그것이 무궁한데 이르러서는 보라! 해와 달과 별들이 장엄하게 수를 놓고 있지 아니 하뇨! 만물을 휘덮는도다! 이제 저 땅을 보라! 한 줌의 흙이 모인 것 같으나, 그것이 드넓고 두터운데 이르러서는 보라! 화악華嶽을 등에 업고도 무거운 줄을 모르며, 황하와 황해를 가슴에 품었어도 그것이 샐 줄을 모르지 아니 하뇨! 만물을 싣는도다! 이제 저 산을 보라! 한 주먹의 돌덩이가 모인 것 같으나, 그것이 드넓고 거대한데 이르러서는 보라! 초목이 생성하고 금수가 생활하며 온갖 아름다운 보석이 반짝이지 아니 하뇨! 이제 저 물을 보라! 한 바가지의 물줄기가 모인 것 같으나, 그것이 헤아릴 수 없는 경지에 이르러서는 보라! 자라와 악어와 이무기와 용과 물고기와 거북이가 자라나며 온갖 귀중한 재화가 그 속에서 번식하지 아니 하뇨! [10]시詩는 말한다: "하느님께서 우리 문왕께 내리시는 명命이시여! 아~ 참으로 아름답고 충실하여 영원히 그치지 않는도다!" 이 시구는 하느님께서 만물의 본원이신 하느님되신 까닭을 말한 것이다. "아~ 크게 빛나는도다! 문왕의 덕의 순결함이여!" 이 시구는 문왕께서 문文이라는 시호를 얻으신 까닭을 말한 것이다. 이 모든 것은 천명과 문왕과 대자연의 순결한 성실함이 그침이 없음을 말하고 있는 것이다.

27 존덕성장

아~ 위대하도다! 성인의 도道여! [2]성인의 도道는 지상 어느 곳에나 흘러넘치는 듯하여 만물을 잘 발육시키는도다! 만물이 드높게 자라 하늘에 이르도록! [3]성인의 도道는 진실로 넉넉하고 크도다! 예의禮儀가 삼백 가지나 되고, 위의威儀가 삼천 가지나 되는도다! [4]그러나 이 모든 것이 사람을 기다린 연후에나 행하여질 수 있는 것이다. [5]그러므로 옛말에, "지극한 덕이 아니면 지극한 도道는 모이어 결정結晶되지 아니 한다"라고 한 것이다. [6]그러므로 군자는 덕성德性을 존중하는 동시에 반드시 문학問學을 통하여 도道를 실천한다. 광대廣大함을 지극히 하는 동시에 정미精微함을 극진하게 탐구하며, 고명高明함을 극한까지 밀고가는 동시에 일상적 중용中庸의 길을 걸어가며, 옛것을 내면에 온양溫釀시키는 동시에 새것을 창조할 줄 알며, 후덕한 내면을 돈독히 하는 동시에 사회적 예를 존숭尊崇한다. [7]그러므로 덕성德性과 학문學問을 겸비한 자는 윗자리에 거해서는 아랫사람에게 교만하게 행동치 아니 하며, 아랫자리에 있게 되면 윗사람을 배반치 아니 한다. 나라에 도가 있게 되면 언변으로 정사에 참여하여도 높은 지위에 오르기에 족하고, 나라에 도가 없으면 은거하여 침묵하여도 세상이 그를 용납하기에 족하다. 시詩에 가로되, "이미 도리에 밝은데 또 지혜까지 있으시니, 그 몸을 잘도 보전하시는도다!"라고 하였는데, 바로 이것을 두고 한 말일 것이다.

28 오종주장

공자께서 말씀하시었다: "어리석으면서도 자기 생각만을 고집하려 하고, 신분이 낮으면서도 자기 마음대로 행동하려 하고, 지금 세상에 태어나 지금 세상의 법도로 살고 있으면서도 옛날의 도道로만 돌아가려고 하는 자들이 많다. 이와 같은 사람들은 재앙이 그 몸에 미칠 수밖에 없다." [2]천자의 위位를 얻은 자가 아니면 예禮를 의논할 수 없고, 도度를 제정하지 못하며, 문文을 고정考定할 수 없다. [3]그러나 지금 우리가 살고 있는 이 세상에는 수레가 같은 바퀴간격을 공유하며, 문서가 같은 글씨체를 공유하며, 사람의 행동방식이 같은 습속을 공유하고 있으니, 참으로 새로운 문명을 작위하기에는 좋은 시절이다. [4]그러나 비록 그 위位를 가지고 있더라도 그 덕德이 없으면 감히 예악禮樂을 제작할 수는 없는 것이요, 비록 그 덕德이 있다 할지라도 그 위位가 없으면 또한 감히 예악을 제작할 수 없는 것이다. [5]공자께서 말씀하시었다: "내가 하夏나라의 예를 말하고는 있으나, 그 하나라의 후예인 기杞나라가 충분한 증험을 대주지 못하고 있다. 나는 은殷나라의 예를 배운 사람이다. 그리고 그 은나라의 예는 송宋나라에서 제한적으로 보존되어 있다. 그런데 나는 또 주周나라의 예를 배웠다. 그런데 이 주나라의 예는 지금 어디에서

나 보편적으로 사용되고 있다. 그러니 나는 주周를 따를 수밖에 없다."

29 왕천하장

천하에 왕노릇하는 데 세 가지 중요한 것이 있다. 이를 잘 행하면 허물이 적을 것인저! [2]고대사회의 예악으로 거슬러 올라가면 그것은 좋기는 한데 증험할 길이 없다. 증험할 길이 없으니 믿을 수 없다. 믿을 수 없으니 백성들이 따르지 않는다. 현대사회의 예악으로 내려오면 그것도 좋기는 한데 존엄하지 않다. 존엄하지 않으니 믿을 수 없다. 믿을 수 없으니 백성들이 따르지 않는다. [3]그러므로 군자의 도道라고 하는 것은 반드시 먼저 자기 수신脩身의 상태에 근본하여, 그것을 뭇 백성들에게 징험해보아야 하는 것이다. 그리고 그것을 하·은·주 고대 선왕들의 제작에 상고하여 오류가 발생하지 않도록 끊임없이 검토해야 하며, 또 그것을 천지 대자연의 법칙 위에 세워 놓아도 어긋남이 없도록 끊임없이 조정해야 하며, 또 그것을 천지조화의 생명력인 귀신에게 물어보아도 의심될 만한 것이 없어야 하며, 마지막으로 백세百世 삼천 년이 지나도록 성인을 기다려, 그때 성인의 판결을 받는다 해도 미혹함이 없을 정도로 지금 완벽해야 하는 것이다. [4]그것을 천지조화의 생명력인 귀신에게 물어보아도 의심될 만한 것이 없다라고 한 것은 하느님을 아는 것이다. 백세 삼천 년이 지나도록 성인을 기다려, 그때 성인의 판결을 받는다 해도 미혹함이 없을 정도로 지금 완벽해야 한다는 것은 사람을 아는 것이다. [5]그러므로 군자는 동動함에 영세토록 천하의 도道가 되고, 행行함에 영세토록 천하의 법法이 되고, 말함에 영세토록 천하의 칙則이 된다. 그를 멀리 하여도 우러러 보게 되고, 그를 가까이 하여도 싫증나지 않는다. [6]시詩에 가로되: "저기 있어도 미움받지 아니 하며, 여기 있어도 역겨움이 없어라! 아침 일찍부터 저녁 늦게까지 항상 노력하니, 영원토록 명예롭게 살리라." 군자가 이와 같이 하지 않고서 갑자기 천하에 명예를 얻는 자는 있어본 적이 없다.

30 중니조술장

우리의 위대한 스승 중니仲尼께서는 요堯임금·순舜임금을 조종으로 삼아 그들의 모든 덕성을 펼쳐내시었고, 문왕과 무왕의 도道를 본받아 그것을 만천하에 빛나게 만드시었다. 위로는 하늘의 때를 본받고, 아래로는 생명의 본원인 물과 흙, 그 땅의 덕성을 구현하시었다. [2]우리의 스승 중니의 덕성은 비유컨대 하늘과 땅이 실어주지 않음이 없고 덮어주지 않음이 없는 것과 같도다. 또 비유컨대 봄·여름·가을·겨울이 어김없이 차례대로 운행하며 해와 달이 번갈아 빛을 발하는 것과 같도다. [3]저 대자연에 피어나는 만물들을 보라! 저 만물들은 서로 같이 자라나면서도 서로를 해침이 없다. 저 대자연을 수놓는 무수한 길道들을 보라! 저 길들은 서로 같이 가면서도 서로 어긋남이 없다. 소덕小德은 시냇물처럼 자연스럽게 흐르고, 대덕大德은 우주의 끊임없는 화생化生을 도타웁게 하니, 이것이야말로 천지가 위대한 까닭이다.

31 총명예지장

오로지 우리의 스승 중니와 같으신 천하의 지극한 성인이라야 능히 총명예지聰明睿知할 수 있어서 족히 임臨할 수 있으며, 관유온유寬裕溫柔하여 족히 용容할 수 있으며, 발강강의發强剛毅 하여 족히 집執할 수 있으며, 재장중정齊莊中正하여 족히 경敬할 수 있으며, 문리밀찰文理密察하여 족히 별別할 수 있다. [2]아~ 위대한 중니의 덕성이여! 보박溥博하시고 연천淵泉하시니 때에 맞추어 솟아 넘쳐 천하에 펼쳐지는도다! [3]아~ 보박溥博하심은 저 넓고 드넓은 하늘과 같고, 연천淵泉하심은 저 깊고 깊은 샘과도 같아라! 그 드넓고 드깊은 덕성을 살짝 내보이시면 백성들이 공경치 아니 함이 없고, 말로 옮기시면 백성들이 신뢰하지 아니 함이 없고, 행동으로 실천하시면 백성들이 기뻐하지 아니 함이 없어라! [4]그러하므로 지극한 성인의 명성은 중원中原의 땅에 양양洋洋히 넘칠 뿐 아니라 아직 개명치 못한 주변의 만蠻과 맥貊의 땅에도 널리 미친다. 배와 수레가 미치는 곳이나 사람들이 걸어서 통하는 곳이나, 아니! 하늘이 덮고 땅이 싣고 해와 달이 비추고 서리와 이슬이 내리는 모든 곳에, 생활하는 혈기血氣가 생동하는 인간이라면 그를 존경하지 아니 하는 자가 없고 그를 친애하지 아니 하는 자가 없다. 그래서 그 분이야말로 하느님과 짝하신다라고 말하는 것이다.

32 성지천덕장

오직 천하의 지성至誠이라야 능히 천하의 대경大經을 경륜經綸할 수 있고, 천하의 대본大本을 세울 수 있고, 천지의 화육化育을 알 수 있다. 이러한 지성至誠의 도를 실현하는 인물이 자신의 성실함을 도외시하고 무엇을 따로 의지하리오? [2]우리의 위대한 스승 중니의 지성至誠한 모습이시여! 준준肫肫하시니 인仁 그 자체로다! 연연淵淵하시니 연淵 그 자체로다! 호호浩浩하시니 천天 그 자체로다! [3]만일 진실로 총명과 성지聖知를 구비하고 천덕天德에 통달한 자, 우리의 스승 중니가 아니라면 과연 그 누가 천지의 화육을 알아 소통시킬 수 있겠는가!

33 무성무취장

시詩에 가로되: "화려한 비단옷을 입었네. 그 위에 망사 덧옷을 드리웠네." 이 노래가사는 그 문채가 너무 과도하게 드러나는 것을 싫어한다는 뜻이다. 그러므로 군자의 도道는 언뜻 보면 어두운 듯하지만 날이 갈수록 찬연하게 빛나며, 소인의 도道는 언뜻 보면 찬란한 듯하지만 날이 갈수록 빛이 사라진다. 군자의 도道는 맛이 담박하지만 싫증나지 않으며, 간결하지만 치열한 질서가 있으며, 온화한 빛이 흐리게 감돌지만 그 내면에 정연한 조리가 있다. 아무리 먼 것도 가까운 데서 시작함을 알고, 아무리 세찬 바람도 이는 곳이 있음을 알고, 아무리 미세한 것이라도 그것이야말로 잘 드러나는 것임을 안다면 나아가 덕德을 닦을 수 있게 되는 것이다. [2]시詩는 말한다: "물고기 물에 잠겨 깊게 꼭꼭 숨어있네. 그렇지만 물이 맑아 너무도 밝게 잘 보여라!" 이와같이 내면을 숨길 길이 없으므로 군자는 안으로 살펴보아 부끄러움이 없어야 하고, 그 마음의 지향하는 바가 미움 살 일이 없어야 하는 것이다. 범인들이 미치지 못하는 군자의 훌륭한 점은 오로지 타인들이 보지 못하는 그 깊은 내면에 있는 것이로다! [3]시詩는 말한다: "그대 방에 홀로 있을 때라도 하느님께 비는 제단 있는 저 구석에서 남이 안 본다고 부끄러운 짓을 하지는 말지어다." 그러므로 군자는 움직이어 자기를 뽐내지 않아도 사람들이 저절로 공경하고, 말을 하지 않고 침묵을 지켜도 사람들이 믿음을 준다. [4]시詩에 가로되: "열조烈祖께 제사음악을 연주하니 하느님께서 내려오시지만, 제사지내는 이와 하느님, 모두 말이 없어라. 제사지내는 모든 사람이 같이 하느님의 감화를 받아 서로 다투는 일 없어라." 그러므로 군자는 백성들에게 구태여 상을 내리지 않아도 백성들은 서로 기뻐하며 권면하고, 군자는 진노를 보이지 않아도 백성들은 망나니의 큰 도끼를 두려워하는 것보다도 더 그의 위세를 존중한다. [5]시詩에 가로되: "아아! 크게 빛나는 선왕의 덕이시여! 뭇 제후들이 그 덕을 본받지 않을 수 없나이다!" 그러므로 군자가 공경함을 더욱더욱 돈독히 하면 천하가 평화스럽게 되는 법이다. [6]시詩는 말한다: "하느님께서 문왕文王에게 이르셨도다. 나는 명덕을 가진 자를 사랑하노라. 나는 큰소리치고 얼굴빛에 감정을 노출시키는 그런 자를 귀하게 여기지를 않노라." 이에 공자께서 말씀하시었다: "소리와 얼굴빛은 백성을 교화시킴에는 말엽적인 것이다." 또 시詩에 가로되: "덕德이란 가볍기가 털과 같아도 진실로 실행키가 어렵다." 그렇지만 "털"이라고 말해도 그것은 실오라기만큼의 무게라도 있어 비교될 수 있지 아니 한가? 문왕을 찬양하는 노래에, "하느님께서 하시는 일은 소리도 없고 냄새도 없어라!"라는 가사가 있는데 이 표현이야말로 더 이상 비교할 바 없이 지극하다 할 것이다.

찾아보기

【가】
간백簡帛자료 36, 68, 97, 218, 260
감성Sinnlichkeit 80, 82, 118
건륭황제 201
고경古經 116, 169
고업苦業 122, 124
곡부曲阜 35, 98, 145, 201, 279, 327, 341
공림孔林 341
공묘孔廟 대성전大成殿 201
공영달 115, 186
『공자가어』 16, 79, 146, 218, 260
공자묘 139, 341
곽점 68, 82
괴력난신怪力亂神 164
괴산 원풍리 마애불좌상 113
교사郊社 243
『교육의 목적*The Aims of Education*』 84
구경九經 269, 332
구룡폭포 345
궤사무사용跪射武士俑 155
귀신鬼神 213, 218, 225, 277, 298, 329
근대성Modernity 17, 219, 293
『근사록近思錄』「위학爲學」 320
기氣 42, 79, 80, 92, 216, 313
기년전祈年殿 220
기독교 54, 63, 77, 87, 214, 230, 284
기소불욕己所不欲, 물시어인勿施於人 197
꾸 홍밍辜鴻銘 65

【나】
낙산駱山 315
내성외왕內聖外王 131, 273
노자 187, 199, 200, 210, 320, 352
『논어』 16, 35, 37, 40, 46, 48, 49, 58, 66, 108, 135, 137, 141, 142, 158, 165, 197, 204, 227, 261, 276, 327, 351
니산尼山 98
니체 101
『니코마코스윤리학*Ethica Nicomachea*』 52, 60

【다】
다산茶山 110, 214
대성문 139
대성전大成殿 235
대중문大中門 201
덕복불일치德福不一致 206
데카르트 63, 78, 169
도마복음 229
돈화敦化 323, 337
동양평화론 33
동학 23
둔암서원遯巖書院 322
디스꾸르discours 67, 96, 217

【라】
럿셀Bertrand Russell 28, 64
로고스Logos 48, 49, 70, 79, 97, 126, 283
로기온 37, 46, 50, 114, 158
로마 18, 29, 77
루돌프 오토Rudolf Otto 228
리理 76, 79, 83, 97
리기론理氣論 75

【마】
마가복음 46, 48, 350
마루야마 마사오丸山真男 292
마태복음 197
막스 베버Max Weber 91
맹자 35, 39, 69, 76, 134, 159, 171, 262, 295, 319
머우 쫑산牟宗三 123
명동학교 297
몸Mom 87, 90, 93, 119, 127, 207, 265, 277
무씨사화상석武氏祠畵象石 160
무왕武王 232, 237, 241, 247, 335
『묵자』 39
문왕文王 128, 232, 237, 247, 311, 335, 349
문헌비평 48, 97

【바】
백어伯魚 109
법치法治 196

베르그송Henri Bergson 177, 195
『벽암록』 112
『보통 신앙A Common Faith』 87
본체noumena, Substance 170
본회퍼Dietrich Bonhoeffer 272
부부지우夫婦之愚 170, 176, 210, 225, 289
북간도 297, 291
불교 64, 72, 169
블라디보스톡 300
비트겐슈타인 82, 126
뻬이징 국자감國子監 120, 138

【 사 】

『사기』 35, 98, 158, 161
사마천司馬遷 35
사맹학파思孟學派 340
산상수훈The Sermon on the Mount 197
『상서』「순전舜典」 134
상제上帝 214
생생지위역生生之謂易 172, 229
서안西安 315
서전서숙瑞甸書塾 297, 307
선캄브리아기 313
성性 42, 45, 51, 67, 68, 69, 70, 73, 75, 76, 78, 80, 82, 83, 86, 92, 280, 287, 303, 307
성聖 75, 126, 129, 165, 340, 344
성誠 51, 64, 213, 220, 255, 262, 266, 274, 281, 287, 289, 292, 298, 303, 307, 318, 344
성론誠論 51, 75, 220, 276, 280, 318
성왕成王 74
『성자명출性自命出』 42, 68, 75, 79, 82, 92
『세계사A Short History of the World』 306
세종 132
소중화小中華 30
소크라테스 76, 130
송문흠宋文欽 256
송준길宋浚吉 256
순舜임금 71, 131, 137, 141, 144, 223, 335
순자 39, 264, 267, 340
숭례문崇禮門 323
숭문각崇文閣 120
슐라이에르마하Friedrich Schleiermacher 227
스키타이 159
시중時中 102, 119, 129, 149, 181, 225
신독愼獨 86, 91, 165, 205, 232, 351
신무방神无方 172
신사임당申師任堂 239
실존주의 288
실천이성 81, 89
『실천이성비판』 288
싯달타 48, 125, 206

【 아 】

아가페적 사랑 231
아레떼 54, 59, 80, 101
아르케 48
아리스토텔레스 52, 60, 72, 76, 80, 81, 93, 126
아무르 강 2
아인슈타인 164, 267, 288, 337
안중근安重根 33, 211
안회 142, 144, 146, 158
애공 247, 262, 270
야훼 71, 87, 111
『어총2語叢二』 82
엘랑비탈 178, 185, 195
『여씨춘추』 39
연해주 2, 300
영락제永樂帝 220
『예기禮記』 35, 98, 218, 261
오규우 소라이 293
『오행五行』 340
온생명 314
옹정제雍正帝 235
왕숙王肅 102, 260
왕필王弼 199, 260
요堯임금 71, 335
요한복음 47, 48, 283
용정실험소학교 307
우스리스크 300
우임금 71, 265
우환의식憂患意識 123, 129
울산바위 343

원죄 124, 125, 126
웰즈H. G. Wells 306
윙칫 찬陳榮捷 65, 282
유교무류有敎無類 100
유다이모니아 54, 63
유영모柳永模 231
유앙겔리온 47
유주劉晝 257
음양 215, 313
응도당 322
이데아 70, 103, 112, 130, 164, 169
이드Id 82
이륜당彝倫堂 120
이사李斯 326
이승만 22, 146
이율곡 239
이제마李濟馬 271
이토오 히로부미伊藤博文 211
이화장 127
인내천人乃天 23
인도-유러피안어 72
인문주의 51, 130, 175, 219
인본주의 214, 219
인수봉 315, 351
일면불日面佛, 월면불月面佛 112
『일본정치사상사연구日本政治思想史硏究』 292

【 자 】
자공子貢 59, 66, 109, 141, 142
자금성 태화전太和殿 235
자로 147, 154, 158, 159, 161
『자연신학*Natural Theology*』 304
자장子張 59
자하子夏 59
작록爵祿 150
장자 39, 69, 91, 131
재아宰我 218, 227
전국시대 37, 171, 193
정자程子 40
전적인 타자the Wholly Other 228
절대이성 63
『정씨유서程氏遺書』 320
정언명령 19, 149, 173, 197
정이천程伊川 320
정조 132
정주학程朱學 319
정현 185, 210, 321
제갈공명 103
제임스 레게James Legge 64
제자백가 37, 71
조고祖考 139
종묘宗廟 243
죤 듀이John Dewey 87
죤 헤이John Hay 22
주공周公 74, 88, 232, 241, 327
주周나라 29, 74, 88, 288, 325
『주역』 128, 135, 162, 172, 201, 243
『주자어류朱子語類』 215
『주자전서朱子全書』 41
준칙maxim 149
『중국의 문제*The Problem of China*』 29
중니仲尼 98, 335, 339, 343
『중용장구中庸章句』 41
「중용장구서中庸章句序」 71
『중용혹문』 98
지적 설계론 304
진사제명비 138, 139
진시황 154, 326
진실무망眞實無妄 129, 307
진용秦俑 154
진한지제秦漢之際 38

【 차 】
찰나刹那 86, 103
찰스 다윈Charles Darwin 304
창덕궁 323
「창세기」 125, 306
창조론 195, 304
채집경제 104
천단 220
천명天命 91, 129, 206, 311
천인합일 129

천지불인天地不仁 187
천지생물지심天地生物之心 183, 345
천지코스몰로지Tian-Di Cosmology 75, 216
철인왕Philosopher-King 130, 271, 273
청산리대첩 291
청산소학교 291
체·용體用 168
체용일원體用一源 169
최수운 23

【 카 】
카노오 요시미쯔加納喜光 187
카쯔 카이슈우勝海舟 33
칸트 19, 63, 79, 80, 81, 82, 89, 126, 149, 173, 197, 206, 277, 288
케리그마 126, 273, 350
코가쿠古學 293
코스모스kosmos 283
쿄오토오京都 315
큐자료 197

【 타 】
타우마제인thaumazein 187
탈아론脫亞論 33
태묘 244, 327
태왕大王 237
태임太任 239
태재 141
태학 139
토마스 아퀴나스Thomas Aquinas 103, 126
토미즘Thomism 53
토톨로지 81
투현질능妬賢嫉能 271

【 파 】
팔레스타인 47, 71
팔일무八佾舞 245
페일리William Paley 304
포스트모더니즘 79
폴 틸리히Paul Tillich 228
푸쉬케psychē 77
퓌오마이phyomai 77
퓌지스phýsis 63, 76, 78
프로이드 82, 117, 125, 228
프로테스탄트 88
플라크스Andrew Plaks 65, 282, 285
플라톤 52, 61, 76, 103, 112, 126, 130, 164, 169, 271, 273

【 하 】
하바로프스크 2
「학기學記」 295
한무제漢武帝 326
한비자 34
『한서』「예문지」 68
할고割股 224
해금강 333
해체주의 79
허버트 스펜서Herbert Spencer 231
헤겔 14, 53, 63, 126, 292
헤라클레이토스 70
『헬라스 사상의 심층』 57
헬레니즘 49
현리玄理 135
현상phenomena 169, 170
현시縣試 139
협동학교協東學敎 285
호문好問 134
호현낙선好賢樂善 271
화민성속化民成俗 295
화이트헤드Alfred North Whitehead 84
환구단圜丘壇 220
황궁우皇穹宇 220
황금률Golden Rule 197
효孝 134, 224, 230, 242, 266
『효경孝經』 35
효기독론Xiao-Christology 231
후직后稷 237
후쿠자와 유키찌福澤諭吉 33
흑룡강성 107
희노애락喜怒哀樂 45, 92, 112, 175
희노애비喜怒哀悲 42, 79, 80, 92

통나무 권장도서 목록

『화이트헤드 과정철학의 이해』, 문창옥 지음 · 김용옥 서문
『화이트헤드 인간의 시간경험』, 오영환 지음 · 김용옥 서문
『화이트헤드 철학의 모험』, 문창옥 지음
『일본정치사상사 연구』, 마루야마 마사오 지음 · 김석근 옮김 · 김용옥 해제
『주자의 자연학』, 야마다 케이지 지음 · 김석근 옮김 · 김용옥 해제
『한 젊은 유학자의 초상－王陽明 평전』, 뚜 웨이밍 지음 · 권미숙 옮김 · 김용옥 해제
『중국어란 무엇인가』, 최영애 지음 · 김용옥 서문
『한자학 강의』, 최영애 지음
『中國語音韻學』, 최영애 지음
『수학멘토』, 장우석 지음 · 김용옥 서문
『전통음악의 랑그와 빠롤』, 백대웅 지음
『인도에 대하여』, 이지수 지음 · 김용옥 서문
『인도의 지혜, 히또빠데샤』, 나라야나 지음 · 이지수 옮김 · 김용옥 서문
『큐복음서의 민중신학』, 김명수 지음 · 김용옥 서문
『중고생을 위한 고사성어 강의』, 한형조 지음
『중고생을 위한 미술강의』, 김병종 지음
『8체질 의학의 원리』, 주석원 지음 · 김용옥 서문
『內經病理學』, 최승훈 지음 · 김용옥 서문
『베트남 일기』, 전경수 지음
『한계의 과학, 한계의 형이상학』, 이봉재 外 지음
『생물학의 시대』, 최재천 外 지음
『온생명에 대하여』, 장회익 外 지음
『과학과 철학』 1집~14집, 과학사상연구회 편
『氣學』, 혜강 최한기 지음 · 손병욱 옮김 · 김용옥 서문
『東學』(1·2), 삼암장 표영삼 지음

도올 김용옥선생님의 저술목록

『여자란 무엇인가』, 『東洋學 어떻게 할 것인가』
『절차탁마대기만성』, 『루어투어 시앙쯔』(上·下)
『논술과 철학강의』(1·2), 『아름다움과 추함』
『이땅에서 살자꾸나』, 『새춘향뎐』
『老子哲學 이것이다』, 『나는 佛敎를 이렇게 본다』
『길과 언음』, 『도올세설』, 『三國遺事引得』
『白頭山神曲 · 氣哲學의 構造』, 『新韓國紀』
『태권도철학의 구성원리』, 『이성의 기능』
『도올논문집』, 『天命·開闢』, 『시나리오 將軍의 아들』
『石濤畵論』, 『삼국통일과 한국통일』(上·下)
『醫山問答: 기옹은 이렇게 말했다』, 『대화』
『話頭, 혜능과 셰익스피어』, 『너와 나의 한의학』
『도올 김용옥의 金剛經 강해』, 『건강하세요 I』, 『氣哲學散調』
『노자와 21세기』(1·2·3), 『달라이라마와 도올의 만남』(1·2·3)
『기독교성서의 이해』, 『요한복음강해』, 『큐복음서』
『논어한글역주』(1·2·3), 『도올의 도마복음한글역주』(1·2·3)
『효경한글역주』, 『대학·학기한글역주』, 『중용한글역주』

도올문집시리즈

제1집: 『도올의 淸溪川 이야기』 - 서울, 유교적 풍류의 미래도시
제2집: 『讀氣學說』 - 최한기의 삶과 생각
제3집: 『혜강 최한기와 유교』 - 『기학』과 『인정』을 다시 말한다
제4집: 『삼봉 정도전의 건국철학』 - 『조선경국전』 『불씨잡변』의 탐구
제5집: 『도올심득 동경대전』 - 플레타르키아의 신세계
제8집: 『도올의 국가비전』 - 신행정수도와 남북화해
제9집 · 10집: 『앙코르와트 월남가다』(上·下) - 조선인의 아시아 문명탐험

중용 인간의 맛

2011년 9월 20일 초판발행
2011년 11월 7일 1판 3쇄

지은이 도올 김용옥
펴낸이 남호섭
펴낸곳 통나무

서울특별시 종로구 동숭동 199-27
전화: 02) 744-7992
출판등록 1989. 11. 3. 제1-970호

값 13,000원
ISBN 978-89-8264-120-6 (03140)